怨女

张爱玲

北京出版集团公司

北京十月文艺出版社

青马（天津）文化有限公司
出　品

目录

小艾

一

下午的阳光照到一座红砖老式洋楼上。一只黄蜂被太阳照成金黄色，在那黑洞洞的窗前飞过。一切寂静无声。

这种老式房子，房间里面向来是光线很阴暗的。席五太太坐在靠窗的地方，桌上支着一面腰圆大镜，对着镜子在那里剪前刘海。那时候还流行那种人字形的两撇前刘海，两边很不容易剪得齐，需要用一种特别长的剪刀，她这一把还是特地从杭州买来的。

她忽然把前刘海一把撩上去，要看看自己不打前刘海是什么样子。五太太明年就三十了，在当时的"女界"仿佛有一种不成文法，一到三十岁，就得把前刘海撩上去，过了三十岁还打前刘海，要给人批评的。五太太在镜子里端相着自己的脸。胖胖的同字脸，容貌很平常，但是，都说她福相，也还有说她长得很甜净。无论如何，是一点也不带薄命相，然而……却生就了很奇异的命运。

她是填房，前面那太太死得很早，遗下一子一女。五老爷年纪轻轻的，倒已经有了三房姬妾，后来因为要续弦，把她们都打发了，单留下一个三姨太太。这五老爷在他们兄弟间很是一个人才，谈吐又漂亮，心计又深，老辈的亲戚们说起来，都说只有他一个人最有出息，颇有重振家声的希望。果然他出去做过两任官，很会弄钱。可惜更会花钱，挥霍起来，手面大得惊人。

他们席家和五太太娘家本来是老亲，五老爷的荒唐，那边也知道得很清楚。因此五太太出阁之前，她家里人就再三的叮咛，要她小心，不要给人家压倒了，那三姨太太是一向最得宠的，得要给她一个下马威。五太太过门后的第二天，三姨太太来见礼，给她磕头，据说是五太太的态度非常倨傲。其实也并不是五太太自己的意思，她那两个陪房的老妈子都是家里预先嘱咐过的，一边一个搀住了她，硬把她胳膊拉紧了，连腰都不能弯一弯。三姨太太委屈得了不得，事后不免加油加酱向五老爷哭诉，五老爷十分生气，大概对太太发了话了，太太受不了，大哭大闹了两回，大家都传为笑谈，说这新娘子脾气好大。五老爷也并不和她争吵，只是从此以后就不理睬她了。他本来在北京弄了个差使，没等满月就带着姨太太上任去了。

二

这时候已经是辛亥革命以后，像席五老爷这样，以一个遗少的身分在民国时代出仕，一般人议论起来，已经要骂他变节了，何况他本身还做过清朝的官。大家都觉得他这时候再出去，很犯不着。但是五老爷一半也是由于负气，因为他挥霍得太厉害了，屡次闹亏空，总是由家里拿出钱来替他清了债务，弟兄们自然对他非常不满，他觉得他在家里很受歧视，他哪里受得了这个气，所以宁可出外另谋发展。五太太为了这缘故，一直恨着她那几个大伯。她一恨自己娘家，二恨她那婆婆不替她做主叫她跟着一块儿去，三恨他们兄弟们，都是他们那种冷淡的态度把他逼走了。也不知怎么，恨来恨去，就是恨不到他本人身上。

五老爷到了北京，起初两年甚是得意，着实大阔了一阵。后来也是因为浪费过分，大笔的挪用公款，不知怎么又给闹穿了，幸而有人从中斡旋，才没有出事，结果依旧是由家里拿出钱去弥缝，他不久也就回来了。三姨太太这几年在北方独当一面，散诞惯了，嫌老公馆里规矩大，不愿意回去，便另外租了房子住在外面，对老太太只说她留在北京没有一同回来。老太太装糊涂，也不去深究。五老爷也住在外面，有时候到老公馆里来一趟，也只在书房里坐坐，老太太房里坐坐。

时间一年年的过去，在这家庭里面，五太太又像弃妇又像寡妇的一种很不确定的身分已经确定了。小姑和侄女们常常到她房里来玩，一天到晚串出串进，因为她这里没有男人，不必有什么顾忌。五太太天性也是一个喜欢热闹的人，人来了她总是很欢迎，成天嘻嘻哈哈，打打闹闹的，人都说她没心眼儿。

三

这一天她正半闭着眼睛在那里剪前刘海，免得短头发落到眼睛里去，她的一个小姑婉小姐在外面叫了声"五嫂，你在干什么呢？"便一掀帘子走了进来。五太太笑道："没有事情做。这两天天越过越长了，闷死了！"婉小姐道："可不是吗！"一面伸着懒腰，就在一张杨妃榻上坐了下来，随手摸了摸榻上蟠着的一只大狸花猫，又道："可有什么吃的没有？上回那糖还有吧？"说着，便去开那只洋铁筒，向里面张了一张，便鼓着嘴撒起娇来道："五嫂！那松子糖没有了！"五太太道："明儿再去买去。刚才我叫陶妈去买枇杷去了，等着吃枇杷吧。"五太太对于吃零食最感兴趣，平常总是她领着头想吃这样，想吃那样，买了来大家一块儿吃，所以她每月贴在这上面的钱为数很可观。那些妯娌们其实也不短吃她的，在背后却常常批评，说大家同是拿这一点月费，只有她一个人又没有小孩，又没有什么别的负担，全给她瞎花了。

五太太自己剪完了前刘海，又和婉小姐说："你那刘海儿也长了，我来给你铰铰。"因把一张椅子挪了过来，两人脸对脸坐着。五太太一面剪着，婉小姐闭着眼睛说道："你看我这脸，反而比从前更黑了！"五太太便道："你看我呢？"婉小姐眯缝着眼睛向她脸上端相着。她们前一向因为看见报上有一种西洋药品的广告，说是搽在脸上可以褪掉一层皮，使皮肤变为白嫩，就去买了来尝试。一搽，果然脸上整大块的皮褪下来，只好躲在房里装病不见人，等到褪完了，也确是又白又嫩。白了总有十几天，那嫩皮肤大概是特别敏感，并没有经过风吹日晒，倒已经变黑了，以前倒还没有那样黑。大家都十分气愤。

四

那女佣陶妈买了一篓子枇杷回来，正遇见老姨太也到他们这里来，便叫了声"老姨太"，替她打起帘子。这老姨太年纪其实也并不大，不过三十来岁模样，也还很有几分风韵，穿着一件月白纱衫，黑华丝葛裤子。婉小姐是一身月白纱衫裤。五太太最羡慕的就是像她们那种瘦怯怯的身材，袖管里露出的一截手腕骨瘦如柴，她拉着她们的手，说不出来的又爱又恨，嫌自己太胖了蠢相。

陶妈送了茶进来，五太太笑道："咦，我们正是三缺一。"她们常常瞒着老太太偷偷的打牌，似乎五太太的兴致比谁都好。她只管鬼鬼祟祟的含着微笑轻声问着："来不来？来不来？"老姨太笑道："不知道三太太有工夫没有。"那陶妈一听见说打牌就很高兴，因为可以有进账，所以老在旁边逗留着没有走开。五太太对于这陶妈却有几分畏惧，她原来的那两个陪房的老妈子已经走了，换了这个陶妈，但是五太太还是一样的怕她，和她说起话来总是小心翼翼的，支使她做什么事的时候，也总是笑嘻嘻的，用一种撺掇的口吻。当时五太太便悄悄的向她笑道："老陶，你去看看三太太有工夫没有！"陶妈一走，这里就忙着叫另一个女佣刘妈把桌子摆起来，婉小姐和老姨太也帮着，把桌布扎起来，桌巾底下再垫上一床毯子，打起牌来可以没有声音，怕给老太太听见了。同时陶妈已经把三太太请了来，他们家是三太太当家，她本来就比较忙，这两天快过节了，自然更忙一点。一走进来，看见大家在那里数筹码，便笑道："呦，又要打牌啦？我还当是什么事情！"五太太笑道："你不想打呀？又要来装腔作势的！"三太太笑道："待会儿人家说婉妹妹全给我们带坏了。"一面说着，已经坐了下来。

五

五太太让三太太吃枇杷，老姨太早已剥了一颗，把那枇杷皮剥成一朵倒垂莲模样，蒂子朝下，十指尖尖擎着送了过来。老姨太从前是堂子里出身，这种应酬功夫是最拿手的。五太太在旁说道："今年的枇杷不好，没有买着一回甜的。"三太太道："今天田上来了人，带了好些枇杷来，不知道比这儿买的可好些。还带了些糯米来。哦，那两个丫头也买来了。"他们平常买丫头，因为老太太不喜欢外省人，总是带信给他们原籍乡下的师爷，叫他在那里买了送来。他们在乡下有许多田地，有一个师爷常驻在那里收租。

大家坐下来打牌，打了四圈，看看已经日色西斜，三太太便道："这时候老太太该醒了，得有一个人去一趟。"五太太道："好，我去我去！"照规矩她们全得去，但是如果大家一同去，老太太势必要疑心，说怎么这许多人在一起，刚好一桌麻将。所以只好轮流的去。他们老太太其实是最爱打牌的，现在因为年纪大了，有腰疼的毛病，在牌桌上坐不了一会就得叫别人代打，所以不大打了，就也不许她们打。老太太每天一大早起来，睡得又晚，媳妇们也得陪着她起早睡晚，但是她每天下午要睡午觉，却不许媳妇们睡，只要看见她们头发稍微有点毛，就要骂出很不好听的话来。不过她从来不当面骂人的，总是隔着间屋子骂，或者叫一个女佣传话，使那媳妇更觉得羞辱些。

五太太到老太太那里去，硬着头皮走进那阴暗高敞的大房间，老太太睡中觉刚起来，正坐在那里吃牛奶，因为嫌牛奶腥气，里面搀着有姜汁。一个女佣拿着把梳子站在椅子背后替她拢拢头发。

六

五太太叫了声"妈"，问道："妈睡好了没有？"老太太只是待理不理的哼了一声。五太太便站在一旁，准备着在旁边递递拿拿的，其实也无事可做。她一有点窘，就常常在喉咙口发出一种轻微的"啃""啃"的咳嗽的声音。

忽然听见汽车喇叭响。上海这时候已经有汽车了，那皮球式的喇叭，一捏"叭"一响，声音很短促，远远听着就像一声声的犬吠。五老爷新买了一部汽车，所以五太太一听见这声音就想着，不要是他回来了，顿时张皇起来。他们夫妇俩也并不是不见面，不过平常五老爷来了，她们妯娌们本来要到老太太房里请安的，听见说五老爷在那里，就不去了，五太太也是如此，但是要是她先在那里，然后他来了，当然她也没有回避的道理。可是老太太有没有听见这汽车喇叭声音呢？也甚至于老太太还以为她待在这儿不走，是有心要想跟他见面，那可太难为情了。

五太太正是六神无主，这里门帘一掀，已经有一个男子走了进来，那女佣叫了声"五老爷。"这席五老爷席景藩身材相当高，苍白的长方脸儿，略有点鹰钩鼻，一双水冷冷的微暴的大眼睛，穿着件樱白华丝纱长衫，身段十分潇洒，一顶巴拿马草帽拿在手里，进门便在桌上一搁。老太太向来对儿子们是非常客气的，尤其因为景藩不住在家里，隔两天从小公馆里回来一次，陪老太太谈谈，老太太看见他更是眉花眼笑的，非常的敷衍他。因见他已经穿上了夏天的衣裳，便笑道："你倒换了季了？不嫌冷哪，这两天早晚还很凉呢。"又别过头去向女佣说："我还有那半瓶牛奶，热了来给五爷吃，姜汁搁得少一点，刚才把我都辣死了！"

七

那女佣自去烫牛奶，五老爷便在下首一张椅子上坐了下来。五太太依旧侍立在一边。普通一般的夫妻见面，也都是不招呼的，完全视若无睹，只当房间里没有这个人，他们当然也是这样，不过景藩是从从容容的，态度很自然，五太太却是十分局促不安，一双手也没处搁，好像怎么站着也不合适，先是斜伸着一只脚，她是一双半大脚，雪白的丝袜，玉色绣花鞋，这双鞋似乎太小了，那鞋口得得紧紧的，脚面肉唧唧的隆起一大块。可不是又胖了！连鞋都嫌小了。她急忙把脚缩了回来，越发觉得自己胖大得简直无处容身。又疑心自己头发毛了，可是又不能拿手去掠一掠，因为那种行动仿佛有点近于搔首弄姿。也只好忍着。要想早一点走出去，又觉得他一来了她马上就走了，也不大好，倒像是赌气似的，老太太本来就说景藩不跟她好是因为她脾气不好，这更有的说了。因此左也不是右也不是，站在那里绷了半天，方才搭讪着走了出来。一走出来，立刻抬起手来拢了拢头发，其实头发如果真是蓬乱的话，这时候也是亡羊补牢，已经晚了。她的手指无意中触到面颊上，觉得脸上滚烫，手指却是冰冷的。

她还没回到自己房里，先弯到下房里，悄悄的和陶妈说："待会儿三太太她们在这儿吃饭，你看有什么菜给添两样，稍微多做一点，分一半送到书房里去。五老爷今天回来了。"他们这里的饭食本来是由厨房里预备了，每房开一桌饭，但是厨房里备的饭虽然每天照开，谁都不去吃它，嫌那菜做得不好，另外各自拿出钱来叫老妈子做"小锅菜"，所以也可以说是行的分炊制。五太太房里就是陶妈做菜，陶妈是吃长素的，做起菜来没法儿尝咸淡，但是手艺很不错，即或有时候做得不大好，五太太当然也不敢说什么，依旧是人前人后的赞不绝口。

八

当下她向陶妈嘱咐了一番，便回到自己房里去，三太太婉小姐老姨太几个人干坐在牌桌旁边，正等得不耐烦，嗑了一地的瓜子。五太太急急的入座，马上就又打了起来。陶妈进来倒茶，五太太一面打着牌，又陪笑向陶妈说道："老陶，等会儿菜里少搁点酱油，昨天那鱼太咸了一点。"陶妈顿时把脸一沉，拖长了声气说道："哦，太咸啦？"五太太忙笑道："挺好吃的，不过稍微太咸了点。"陶妈也没说什么，自出去了。

她们这里打着牌，不觉已经天黑了下来，打完了这一圈就要吃晚饭了。刘妈已经在外房敲着猫砵子"咪咪！咪咪！"的唤着。五太太这里养了很多的猫。

牌桌上点着一盏绿珠璎珞电灯，那灯光把人影放大了，幢幢的映在雪白的天花板上。陶妈忽然领着一个褴褛的小女孩走了进来，在那孩子肩头推搡了一下，道："叫太太。"众人一齐回过头来看看，猜着总是那新买来的丫头，看上去至多不过七八岁模样，灰扑扑的头发打着两根小辫子，站在那里仿佛很恐惧似的。婉小姐不由得笑了起来道："这么小会做什么事呀？"五太太问了一声："几岁呀？"陶妈便道："太太问你几岁呢。说呃！"又推了她一下道："说呀！——说呀！"那孩子只是不作声。陶妈道："说是当九岁买来的呢，这样子哪有九岁？"老姨太便笑笑说："小一点好，可以多使几年。"五太太向陶妈说道："把她辫子给铰了，头发给铰短了洗洗，别带了虱子过到猫身上。"陶妈答应着，就又把她带出去了。

三太太她们在这里吃了晚饭，又续了几圈，方才各自回房。陶妈等人都走了，便气烘烘的和五太太说道："太太，一个好的丫头给三太太拣去了！那一个总有十一二岁了，又机灵，这一个好了，连梳头自己都不会梳！"五太太怔了一怔，方道："算了，别说了。太机灵了也不好。"陶妈恨道："太太就是太随便了，所以人家总欺负你。"五太太也没言语。

九

五太太因为那小丫头来的时候正是快要过端午节了，所以给取了个名字叫小艾。此后她们晚上打牌，就是小艾在旁边伺候着。打牌打到夜深，陶妈刘妈都去睡了，小艾常是靠在门上打盹，等到打完了牌，地下吃了一地的瓜子壳花生衣果子核，五太太便高叫一声："小艾！扫地！"小艾睡眼矇眬的抢着从门背后拿出扫帚来，然后却把扫帚拄在地下，站在那里发糊涂。大家都哄然笑起来。

自从小艾来了，倒是添了许多笑料。据说是叫她喂猫，她竟抢猫饭吃。她年纪实在小，太重的事情当然也不能做，晚上替五太太捶捶腿，所以常常要熬夜，早上陶妈刘妈是一早就得起来的，小艾来了以后，就是小艾替她们拎洗脸水，下楼去到灶上拎一大壶热水上来。厨房里的人是势利的，对于五太太房里的人根本也就不怎么放在眼里，看这小艾又是新来的，又是个小孩子，所以总是叫她等着，别房里的人来在她后面，却先把水拎了去了。等到小艾拎了洗脸水上来，陶妈便向她嚷："我还当你死在厨房里了！丫头胚子懒骨头，拎个水都要这些时候！跑哪儿去玩去了？"劈脸一个耳刮子。小艾才来的时候总是不开口，后来有时候也分辩，却是越分辩越打得厉害，并且说："这小艾现在学坏了，讲讲她还是她有理！"

五太太照说是个脾气最好的人，但是打起丫头来也还是照样打。只要连叫个一两声没有立刻来到，来了就要打了。五太太没事就爱嗑瓜子，所以随时的需要扫地，有时候地刚扫了，婉小姐她们或者又跑来一趟，嗑些瓜子在地下，就要骂小艾扫地扫得不干净。五太太屋里这些猫都是经过训练的，猫屎通常都是拉在灰盆子里，但是难免也有例外的时候。倘然在别处发现了猫屎，就又要打小艾，总是她没有把猫灰盆子搁在最适当的地方。

十

无论什么东西砸碎了，反正不是她砸的也是她砸的。五太太火起来就拿起鸡毛掸帚胡胡的抽她！问道："下回还敢吧？还敢不敢了？"有时候也罚跪，罚她不许吃饭。小艾这孩子，本来是怎样一个性情，是也看不出来了，似乎只是阴沉而呆笨。刚来的时候，问她家里有些什么人，她也答不上来，大家都笑，说哪有这样快倒已经不记得了。其实记是记得的，不过越是问，她越是不说，因为除此之外她也没有别的方法可以表示丝毫的反抗。渐渐的，也就真的忘记了。仿佛家里有父亲有母亲，也有弟弟妹妹，但是渐渐的连这一点也都不确定起来。也是因为在这样小的年纪，就突然的好像连根拔了起来，而且落到了这样一个地方，所以整个的觉得昏乱而迷惘。

她的衣服是主人家里给她做的，所以比一般的女佣要讲究些，照例给她穿得花花绿绿的很是鲜艳，也常常把六孙小姐的旧衣服给她穿。六孙小姐是五老爷前头的太太生的那个小姐，照大排行是行六。六孙小姐那些绫罗绸缎的衣服，质地又不结实，颜色又娇嫩，被小艾穿着操作，有时候才上身就撕破了或污损了，不免又是一场打骂，说她不配穿好衣裳。

她大概身体实在好，一直倒是非常结实。要不是受那些折磨的话，会长得怎样健壮，简直很难想像。六孙小姐出嫁那一年，小艾总也有十四五岁了，个子不高，圆脸，眼睛水汪汪的又大又黑，略有点吊眼梢。脸上长得很"喜相"，虽然她很少带笑容的。也许因为终年不见天日的缘故，她的皮肤是阴白色的，像水磨年糕一样的磁实。

十一

那年正是北伐以后，到南京去谋事的人很多。五老爷也到南京去活动去了，带着姨太太一块儿去，在南京赁下了房子住着，住了些时，忽然写了封信来，要接五太太到南京去。家里的人听见这话都非常惊异，在背后议论着，大都认为这里面一定有什么花头。五太太虽然也和她们同样的觉得非常意外，但是她自有一种解释，她想着一个人年纪大些，阅历多了，自然把那些花花草草的事情都看得淡了，或者倒会念起夫妇的情分，也未可知。而且她一向在家里替他照应他那两个孩子，现在一个男孩子也大了，在一个洋学堂里念书，女孩子呢也已经嫁了。她在这方面的责任已了。从前没好接她出去，大概也是因为有一个女孩子在她身边——如果把六孙小姐也带着，和姨太太住在一起，似乎不太好，人家要批评的，甚而至于对她的婚事也有妨碍。现在当然没有这些问题了。五太太心中自是十分高兴，当下就去整理行装，把陶妈刘妈小艾都带去，单留下一个粗做的女佣看守房间，照管那一群猫。她想着要是把猫也带了去，给家里这些人看着，好像这一去就不打算回来了，倒有点不好意思，而且五老爷恐怕也不喜欢猫。

五太太到了南京，自然有仆人在车站上迎接，一同回到家里。五老爷有应酬，出去了，只有三姨太太在那里，三姨太太很客气的招待着，但是却改了称呼，不叫她"太太"而叫"五太太"，像是妯娌间或是平辈的亲戚的称呼，无形中替自己抬高了身分。五太太此来是抱着妥协的决心的，所以态度也非常谦逊，而且跟她非常亲热。当下两人前嫌尽释，五太太擦了把脸，姨太太便陪着她一同用饭。

十二

这三姨太太从前在堂子里的时候名字叫做忆妃老九，她嫁给五老爷有十多年了，能够一直宠擅专房，在五老爷这样一个没长性的人，不能不说是一个奇迹。五太太带来的几个佣人都是久已听见说这三姨太太生得怎样美貌，不过一直没有见过。计算她的年龄，总也有三十多了，倒是一点也看不出来。她是娇小身材，头发剪短了烫得乱蓬蓬的，斜掠下来掩住半边面颊，脸上胭脂抹得红红的，家常穿着件雪青印度绸旗衫，敞着高领子，露出颈子上四五条紫红色的揪痧痕迹。她用一只细长的象牙烟嘴吸着香烟，说着一口苏州官话，和五太太谈得十分热闹。

景藩不久也就回来了。五太太这几年比从前又胖了，景藩一过四十，却是一年比一年瘦削，夫妇两人各趋极端。这一天天气很热，他一回来就把长衣脱了，穿着一身纺绸短衫裤，短衫下面拖出很长的一截深青绣白花的汗巾。乌亮的分发，刷得平平的贴在头上。他和五太太初见面，不过问问她这一向老太太身体可好，又随便问问上海家中的事情，态度却很和悦，五太太也就不像以前见了他那样拘束得难受了。

忆妃想必和景藩预先说好了的，此后家下人等称呼起来，不分什么太太姨太太，一概称为"东屋太太"，"西屋太太"，并且她有意把西屋留给五太太住，自己住了东屋，因为照例凡是"东""西"并称，譬如"东太后""西太后"，总是"东"比较地位高一些。五太太也并不介意，对忆妃仍旧是极力的联络，没事就到她房里去坐着，说说笑笑，亲密异常，而且到照相馆里去合拍了几张照片，两人四手交握，斜斜的站着拍了一张，同坐在一张 S 形的圈椅上又拍了一张。

十三

　　景藩和忆妃此后出去打牌看戏吃大菜，也总带她一个。他们所交往的那些人里面，有许多女眷都是些青楼出身的姨太太，五太太也非常随和，一点也不搭架子。她对于那种繁华场中的生活与那些魅丽的人物也未始没有羡慕之意。

　　五太太来了没有多少日子，景藩就告诉她说，他这次到南京来，虽然有很好的门路，可惜运动费预备得不够充裕，所以至今还没有弄到差使，但是他已经罗掘俱空了，想来想去没有别的法子，除非拿她的首饰去折变一笔款子出来，想必跟她商量她不会不答应的，一向知道她为人最是贤德。五太太听了这话，当然没有什么说的，就把她的首饰箱子拿了出来给他挑拣，是值钱些的都拿了去了。

　　那年年底，景藩的差使发表了，大家都十分兴奋。景藩写了信回去告诉上海家里，一方面忆妃早就在那里催着他，要他把五太太送回去。这一天又在那里和他交涉着，忽然看见有人在门口探了探头，原来五太太有一件夹背心脱在忆妃房里忘了带回去了，所以差小艾来拿，小艾看见景藩在这里，就没敢冒冒失失的走进去。却被忆妃看见了，便向景藩扁着嘴笑了一笑，轻声道："准是打发了来偷听话的。"景藩便皱着眉喝道："在那儿贼头鬼脑的干什么？滚出去！"小艾忙走开了。她在景藩跟前做事的时候很少，但是一向知道这老爷的脾气最难伺候。给他打手巾把子，那水一定要烫得不能下手，一个手巾把子绞起来，心里都像被火灼伤了似的，火辣辣的烧痛起来。

十四

　　他们这里有一架电话，装在堂屋里。有一天下午，电话铃响了，刚巧小艾从堂屋里走过，不见有人来接，只得走去接听，是一个男子的声气，找老爷听电话。小艾到忆妃房里去说了，景藩才起来没有一会，正在那里剃胡子，他向来是那种大爷脾气，只管不慌不忙的，一面还和忆妃说着话，把胡子剃完了，方才趿着拖鞋走了出来，拿起听筒。不料那边等不及，也说不定以为电话断了，已经挂上了。景藩道："咦，怎么没有人了？"便把小艾叫了来问道："刚才是谁打来的？"小艾道："他没说。"景藩道："放屁！他没说，你怎么不问？——你不会听电话，谁叫你听的？"一面骂着，走上来就踢了她一下。小艾满心冤屈，不禁流下泪来。五太太在房里听见了，觉得她要是在旁不作声，倒好像是护着丫头，而且这小艾当着忆妃的那些佣人面前给她丢人，也实在是可气，便也赶出房来，连打了小艾几下，厉声道："下回什么电话来你都不许去听！事情全给你耽误了！"正说着，电话铃倒又响了起来，是刚才那个人又打了来了，邀景藩去吃花酒。这一天晚上景藩本来答应两位太太陪她们去看戏的，已经定好了一个包厢，结果是忆妃和五太太自己去了。

　　他们租的这房子是两家合住的，后面一个院子里住着另外一家人家，这家人家新死了人，这天晚上正在那里做佛事。忆妃房里的几个女佣知道她出去看戏总要到很晚才会回来，而且景藩也出去了，她们估量着他只有回来得更晚，便趁这机会溜了出去，到后面去看热闹去了。陶妈向来不大喜欢和她们混在一起的，今

16

天却也破了例，她本来是个吃斋念佛的人，所以也跟着一同去看放焰口。

十五

家里就剩下小艾一个人，陶妈临走丢下话来，叫她把五太太房里的炉子封上。她捧了一大畚箕煤进去，把火炉里的灰出干净了，然后加满了碎煤，把五太太的床也铺好了。她只要是一个人的时候，总是很愉快的，房间里静悄悄的，只听见钟摆的滴答，她几乎可以想像这是她自己的家，她在替自己工作。

快过年了，桌上的一盆水仙花照例每一枝都要裹上红纸。她拿起剪刀，把红纸剪出来，匝在水仙花梗子上，再用一点浆糊黏上。房间里的灯光很暗，这城市的电灯永远电力不足，是一种昏昏的红黄色。窗外的西北风呜呜吼着，那雕花的窗棂吹得格格的响。

景藩回来了。他本来散了席出来，就和两个朋友到他相熟的一个姑娘那里去坐坐，不知怎么一来，把他给得罪了，他相信她一定有一个小白脸在那边房里，赌气马上就走了，坐了汽车无情无绪的回到家里来。走进院门，走廊上点着灯，一看上房却是漆黑的，这才想起来，忆妃和五太太去听戏去了，想必老妈子们全都跑哪儿赌钱去了，他越发添了几分焦躁。五太太这边他向来不大来的，看看这边有一间房里窗纸上却透出黄黄的灯光，景藩便踱了过来，把那棉门帘一掀。小艾吃了一惊，声音很低微的说了声："老爷回来了。"景藩道："人都上哪儿去了？怎么太太去听戏去了，这些人就跑得没有影子了！"小艾道："我去叫陶妈去。"景藩却皱着眉道:"不用了——这炉子灭了?怎么这屋里这样冷?"小艾忙把那火炉上的门打开了,让那火烧得旺些,又拿起火钳戳了戳。

十六

她低着头拨火,她那剪得很短的头发便披到腮颊上来,头发上夹着一只假珐琅的薄片别针,是一只翠蓝色的小凤凰。景藩偶尔向她看了一眼,不觉心中一动。他倒挽着一双手,在火炉旁边前前后后踱了几步,便在床上坐下了,说了声:"拿牙签来。"他接过牙签,低着头努着嘴很用心的剔着牙,一双眼却只管盯着她看着。小艾觉得他那眼睛里的神气很奇怪,不由得心里突突的跳了起来,跟着就胀红了脸。可是一方面又觉得她这样模糊的恐惧是没有理由的,她从来也不想着自己长得好看,从来也没有人跟她说过。而且老爷是一向对她很凶的,今天下午也还打过她。

景藩抬起胳膊来半伸了个懒腰,人向后一仰,便倒在床上,道:"来给我把鞋脱了。"他横躺在那灯影里,青白色的脸上微微浮着一层油光,像蜡似的。嘴黑洞洞的张着,在那里剔牙。小艾手扶着椅背站在一张椅子背后,似乎踌躇了一会,然后她很突然的快步走了过来,蹲下来替他脱鞋。他那瘦长的脚穿着雪青的丝袜,脚底冰冷的,略有点潮湿。他忽然问道:"你几岁了?"小艾没有作声。景藩微笑道:"怎么不说话?唔?……干吗看见我总是这样怕?"小艾依旧没说什么,站直了身子,便向房门口走去。景藩望着她却笑了,然后忽然换了一种声气很沉重的说道:"去给我倒杯茶来!"小艾站住了脚,但是并没有掉过身来,自走到五斗橱前面，在托盘里拿起一只茶杯，对上一些茶卤，再冲上开水送了过来，搁在床前的一张茶几上。景藩却伸着手道："咦？拿来给我！"小艾只得送到他跟前，他不去接茶，倒把她的手一拉，茶都泼在褥子上了。

十七

她在惊惶和混乱中仍旧不能忘记这是专门给老爷喝茶的一只外国磁茶杯，砸了简直不得了，她两只手都去护着那茶杯，一面和他挣扎着。景藩气咻咻的吃吃笑了起来。

灯光是黯淡的红黄色。

一到了将近午夜的时候，电力足了，电灯便大放光明起来，房间里照得雪亮的，却是静悄悄的声息毫无。陶妈推开房门向里面张望了一下，见景藩睡熟在床上，帐子没有放下来，她心里想他今天倒早，也不知道他什么时候回来的。她轻轻的掩上了门，自退了出去，估量着五太太也就快要回来了，得要到厨房里去看看那火腿粥炖得怎样了，她们看了戏回来要吃消夜的。

厨房离开上房很远，陶妈沿着那长廊一路走过去，只见前前后后的房屋都是黑洞洞的，那些别的女佣都还在隔壁看人家做佛事，没有回来，陶妈是先回来了一步。她两手抄在棉袄底下，缩着脖子快步走着，一阵寒风吹过来，身上就像是一丝不挂没穿衣裳似的，索索的抖起来。院子里黑沉沉的，远远听见隔壁的和尚念经，那波颤的喃喃音调，夹杂着神秘的印度语，高音与低音唱和着一起一落，叮呀哐呀敲着磬铃鼓钹，那音乐仿佛把半边天空都笼罩住了，听着只觉得惘惘的，有一种奇异的哀愁。陶妈这时候不知怎么一来，忽然想起隔壁新死了人。这样一想，正是有一点害怕，却听见一阵呜呜咽咽的声音，仿佛有人在那黑暗中哭泣，不禁毛发皆竖。越是害怕，倒越是不敢停留下来，壮着胆子笔直的向前走去，再走了几步，这就听出来了，那声音是从她们住的那间对厢房里发出来的，这没有别人，一定是小艾在那里睡觉魇住了。

十八

当下陶妈定了定神，便走过去把房门一推，电灯一开，果然看见小艾伏在床上，她那哭声却已经停止了，只是不免还有些息息率率的，发出那抽噎的声音。陶妈高声道："小艾！睡得发糊涂啦？太太她们就要回来了，还不起来！"正说着，刘妈已经在走廊那一头遥遥向她叫唤着："回来了回来了！"陶妈便又向小艾吆喝了一声："太太回来了，还不起来！"因匆匆的回身向上房走去。

五太太看了戏回来，便跟着忆妃一同到她房里去了。陶妈便也跟着到忆妃房里去伺候着，帮着五太太把一件灰背领子黑丝绒斗篷脱了下来，搭在自己手臂上，当时便说了一声："老爷已经睡了。"五太太和忆妃听见这话，却是不约而同的都向床上看了一眼，床上并没有人。原来是睡在那边房里。大家都觉得很出意料之外，忆妃心里自然是有点不痛快，便道："老爷什么时候回来的？这么早倒已经睡了？"陶妈道："老爷回来我都没听见。"五太太倒有点不好意思起来，本来到忆妃这里来也没打算久坐的，这时候倒不便马上就走了，因搭讪着向陶妈笑道："饿了！那火腿粥熬好了没有？拿到这儿来吃，拣点泡菜来。"又向忆妃笑道："你也吃点儿吧？"陶妈便到厨下去，把那一锅火腿粥和两样下粥的菜用一只托盘端了来，这里忆妃的女佣已经摆上了碗筷，两人对坐着，吃过了粥，又闲谈了一会，五太太方才回房去了。

陶妈和刘妈都进房来伺候着，刘妈拎了水来预备五太太洗脸，虽然都是悄悄的踮着脚走路，依旧把景藩惊醒了，睁开眼来看了看。五太太笑道："你醒了？今天怎么睡得这么早？"她倒有点担心起来，想着他不要是病了。

十九

景藩也没说什么。五太太道："有火腿粥挺好的，你要吃不要？"景藩隔了一会儿，方才懒洋洋的应了声："吃点儿也好。"五太太一回头，忽然看见小艾来了，挨着房门站着，并没有进来。五太太不由得生起气来道："回来这半天怎么看不见你影子？净让陶妈在这儿做事，你就不管了？"但是当着景藩，她向来不肯十分怎样责骂佣人的，免得好像显着她太凶悍了，失去了闺秀的风度，因此就这样说了两声，也就算了，只道："你去！去把粥拿来给老爷吃！"小艾灰白着脸色，一声也没言语，自出去了。然后她手里拿着一只托盘，端了一碗粥进来，向床前走去，低着眼皮并不去看他，但是心里就像滚水煎熬一样，她真恨极了，恨不得能够立刻吐出一口血来喷到他脸上去。她一步步的走近前来，把那托盘放下，搁在枕边，景藩歪着身子躺着，便挑起一匙子来送到嘴里去。他那眼光无意之间射到她脸上来，却是冷冷的，就像是不认识她一样。对于小艾，却又是一种刺激，就仿佛凭空给人打了个耳刮子，心里说不出来的难受，虽然自己也不解是为什么缘故。

　　还剩下大半碗粥，景藩便放下匙子，把那托盘一推，自睡下了。五太太便道："给老爷打个手巾把子来。"小艾擦了个手巾把子递过去，这天冷，从厨房里提来的热水冷得很快，从壶里倒到脸盆里，已经不是太热了。景藩接过毛巾，只说了一声："一点也不烫！"便随手一扔，那毛巾便落在地下。五太太皱着眉向小艾说道："你这人这么没有记性！要烫一点的！"见她仍旧呆呆的样子，便又提醒她道："不会把热水瓶里的开水倒上一点么？"

二十

　　小艾把脸盆里的水倒了，再倒上些热水瓶里的水，她那生着冻疮的红肿的手插到那开水里面，在一阵麻辣之后，虽然也感觉到有些疼痛，心里只是恍恍惚惚的，仿佛她自己是另外一个人。五太太把那热手巾把子接了过去，亲自递给景藩，小艾便把脸盆端了出去，粥碗和托盘也拿了出去，掩上房门，五太太自去收拾安寝不提。

　　没有几天就过年了，景藩在正月里照例总是大赌，一开了头似乎就赌兴日益浓厚，接连一个月赌下来，输得昏天黑地。一直到二三月里，他们也还是常常有豪赌的场面。有一天家里来了客，在忆妃这边打牌，景藩因为前一天晚上推牌九熬了夜，要想补一个中觉，嫌这边屋里吵嚷得太厉害，便说到五太太那边去睡去。五太太正坐在桌上打牌，陶妈也在旁边伺候着，五太太便别过头来和她说了一声，叫她跟了去给他把窗帘放下来。陶妈先是说："小艾在那儿呢。"后来也就去了。还没走到五太太房门口，却看见小艾从里面直奔出来，刚巧正撞到她身上，仿佛很窘似的，也没顾到和她说什么，就这么跑了。陶妈见这情形，也就明白了几分，当时就没有敢进去，恐怕老爷正在那里生气，不犯着去碰在他气头上。

　　她心里忖度着，便向后面走去，刘妈在后面小院子里洗衣裳，陶妈忍不住就把刚才那桩事情说给她听，不过被陶妈一说，就好像小艾是因为听见她来了，所以跑了。刘妈怔了一会儿，便道："嗳呀，这两天小艾怎么吃了东西就要吐，不要是害喜吧？……我们这个老爷倒也说不定。"两人只是私下里议论着，陶妈和忆妃那边的佣人向来是一句话也不多说的，但是刘妈恐怕比较嘴敞，这句话也不知怎么，很快的就传到那边去了，那边自然有人献殷勤，去告诉了忆妃。

二十一

　　五太太那天打牌打了个通宵，所以次日起得很晚，下午正在那里梳头，忽然听见忆妃在那边高声骂人，隔着几间屋子，也听不仔细，就仿佛听见一句："不要脸！自己没本事，叫个丫头去引老爷！"陶妈站在五太太背后在那儿替她梳头，听见那边千"不要脸"万"不要脸"的骂着，晓得是在那里骂五太太，不由得便有些变貌变色的。五太太不知就里，还微笑着问："她在那儿骂什么？"陶妈轻声叹了口气，便放低了声音，弯下腰来附耳说道："我正要告诉太太的，怕你生气——昨天你在那边打牌，我看老爷到这边来睡中觉，我跟进来看看可要把帘子拉起来，哪儿晓得小艾在房里，老爷跟她拉拉扯扯的，后来她看见我来，就赶紧跑出去了。看这样子，恐怕已经不止一天了。……这个丫头，这么点儿大年纪，哪儿想到她已经这样坏了！真是'人小鬼大'！"

五太太听了，气得话都说不出来了，只是喃喃的再三重复着："你给我把她叫来！"陶妈去把小艾叫了来，五太太头也没梳好，紫胀着脸，一只手挽着头发，便站起身来，迎面没头没脸的打上去，道："不要脸的东西，把你带到南京来，你给我丢人！到底是怎么回事，你说！说！你不说出来我打死你！"她只恨两只胳膊气得酸软了，打得不够重，从床前拾起一只红皮底的绣花鞋，把那鞋底噼噼啪啪的在小艾脸上抽着。小艾虽是左右闪躲着，把手臂横挡在脸上，眼梢和嘴角已经涔涔的流下血来，但是立刻被泪水冲化了，她的眼泪像泉水一样的涌出来，她自从到他们家来，从小时候到现在，所有受的冤屈一时都涌上心来，一口气堵住了咽喉，虽然也叫喊着为自己分辩，却抽噎得一个字也听不出。

五太太在这里拷问小艾，那边忆妃也在那里向景藩质问，景藩却是一口就承认了。忆妃跟他闹，他只是微笑着说："谁当真要她。你何必这样认真。"又瞅着她笑了笑，道："谁叫你那天也不在家。"他尽管是这种口吻，忆妃终究放心不下，尤其因为根据报告，小艾恐怕已经有了身孕，忆妃自己这些年来一直盼望着有个孩子，但是始终就没有，倘然小艾倒真生下个孩子，那是名正言顺的竟要册立为姨太太了，势必要影响到自己的地位。她因此十分动怒，只管钉着他和他吵闹，要他马上把那丫头给打发了。景藩后来不耐烦起来，戴上帽子就出去了。

二十二

　　五太太也正是为这桩事情有些委决不下，因为盘问小艾，知道她有喜了，无论如何，总是老爷的一点骨血，五太太甚至于想着，自己一直想要一个小孩子，只是不能如愿，他前妻生的一儿一女是和她没有什么感情的，这一个小孩子要是一生下来就由她抚养，总该两样些吧？但是这孩子生下来以后，却把小艾怎样处置呢？要是留下她，那是越发应了人家说的那话，说这件事全是我的主谋，诚心的叫自己的丫头去笼络老爷。要是把她打发了呢，倒又不知道老爷到底是一个什么态度。五太太心里斟酌着，不免左右为难起来，刚才拿着打小艾的一只花鞋也扔在地下了，退后两步坐在梳妆台前面的一只方凳上。小艾背着身子斜靠了桌子角站着，抬起一只手臂把脸枕在臂弯里，只是痛哭。五太太坐在那里发一会楞，又指着她骂个一两声，但是火气似乎下去了些了，陶妈便在旁边解劝着，正要替她挽起头发来继续梳头，忽见忆妃气呼呼的一阵风似的走了进来，不觉怔了一怔。

　　忆妃一言不发的走进来，一把揪住小艾的头发，也并不殴打，只是提起脚来，狠命向她肚子上踢去，脚上穿的又是皮鞋。陶妈看这样子，简直要出人命，却也不便向前拉劝，只是心中十分不平，丫头无论犯了什么法，总是五太太的丫头，有什么不好，也该告诉五太太，由五太太去责罚她。哪有这样的道理，就这么闯到太太房里来，当着太太的面打她的丫头，也太目中无人了。五太太也觉得实在有点面子上下不来，坐在那里气得手足冰冷。这时小艾却已经一挣挣脱了，跳到一张椅子背后躲着，忆妃抢上前去，小艾便把那张椅子高高的举起来，迎头劈下去。陶妈不觉吃了一惊，也来不及喝阻，心里想这孩子不知轻重，这是以下犯上，简直造反了，忙从后面奔上去，紧紧掣住她两只胳膊，忆妃本来有两个女仆跟了来，在房门观望着，至此便一拥而上，夺下那张椅子。忆妃又惊又气，趁这机会便用尽平生之力，向小艾一脚踢去，众人不由得一声"嗳哟！"齐声叫了出来，看小艾时，已经面色惨白，身上直挫下去，倒在地下。大家一阵乱哄哄的，把她半拖半抬的弄了出去。忆妃心里虽然也有些害怕，嘴里也还是骂骂咧咧的，自有她的佣人把她劝回房中。

　　一刹那间人都走光了，只剩五太太一个人呆呆的坐在梳妆台前的方凳上。经过刚才的一场大闹，屋子里乱得很，也不知道什么时候桌上的一只茶杯给带翻了，滚到地下去，蜿蜒一线的茶汁慢慢的流过来，五太太眼看着它像一条小蛇似的亮晶晶的在地板上爬着，向她的脚边爬过来，她的脚也不知怎么，依旧一动也不动。

　　隔了有一会工夫，陶妈方才走了进来，悄悄的说道："太太，她肚子疼得在那儿打滚，血流得不止，一定要小产了。"五太太便道："让她死了就死了！我也管不了她！我都给她气死了！"陶妈拿起梳子来又来替她梳头，五太太忽然一转念，又吩咐陶妈道："去告诉老爷去。"陶妈哼了一声，冷笑道："老爷！刚才那边跟他闹了一场，他就出去了。"五太太不言语了。

二十三

　　忆妃和五太太之间，虽然并没有怎样正面冲突过，也已经闹得很僵了。五太太当晚就没有出来吃饭。这时候小艾已经小产了，陶妈告诉五太太，还是一个男孩子，五太太听了，不由得有一种莫名其妙的惋惜的感觉。忆妃听见这话，却觉得侥幸，幸而被她打掉了。但是留着小艾总是个祸根，因此急于要把她随便给个人。陶妈听见这话，便又来告诉五太太，五太太只是喃喃的说："让她嫁掉了算了！——给她气死了！"陶妈却极力的撺掇五太太，叫她无论如何要赌这口气，倒偏要把小艾留着，不要让忆妃趁这愿。但是结果也并不是出于五太太的力量，却是因为大家都不敢兜揽这件事，家里这些女佣谁也不敢替小艾做媒，男佣也不敢要她，因为怕得罪了老爷。忆妃后来急了，要叫人贩子来卖了她。向来他们这种大宅门里，只有买人，没有卖人之说，忆妃固然是不管这些，但是小艾自从小产以后便得了病，一直也不退烧，一拖几个月，把人拖得不像样子，所以说是要卖她，也没有成为事实。

　　小艾的病，五太太说她是自作自受，也并没有给她医治。五太太对小艾实在是有一点恨，因为她心里总觉得，要不是出了这桩事情，大家都过得和和气气的。现在给这样一来，竟把自己委曲求全的一番苦心全都付之东流。

　　现在倒成了个僵局，五太太和忆妃一直也没见面，忆妃也把景藩管得很紧，不许他上这边来。五太太总是在自己房里吃饭，他们这里的厨子本来也是忆妃用进来的，给五太太这边预备的饭菜一天比一天坏。同时陶妈也天天向五太太诉苦，说那些别的佣人怎样欺负她。陶妈在上海那时候一向是"自在为王"惯了的，哪里受得了这个气，就极力的劝五太太回上海去。在五太太的意思，却认为她跟着老爷过活，是名正言顺的，眼前虽然闹了这个别扭，还能老这样下去么？总有熬出头的一天。而且老爷拿了她的首饰，答应过她将来一有了钱就买了还她。倘若在他跟前守着呢,也说不定还有点希望,虽然她心里明白,这希望也很渺茫。她要是走了呢,那就简直没有了。但是五太太这一点苦衷却无法对陶妈说,因为那首饰的事情她根本就没有告诉陶妈,怕陶妈要埋怨她。

二十四

又一次陶妈又非常生气,她因为吃素,一向总给自己预备一两样素菜,不知道什么人有意和她过不去,给她在素菜里搀上几根肉丝,害得她整个的一碗菜都不能吃。陶妈跑来向五太太诉说,闹着要辞工回上海去。五太太被她一闹,也就认真的考虑着要回去了。恰巧上海有一封信来,说老太太病了,五太太要是回去侍疾,倒也是应当的。她便叫陶妈去通知老爷。她不愿意跌这个架子去请他过来,但是他倒自动的来了,说了几句很冠冕的话,赞成她回去。于是五太太在这以后不久就离开了南京,小艾的病还没有好,但是也把她带着一同回去了。

回上海之前,五太太虽然嘱咐过陶妈刘妈,不要把小艾的事情说出去,但是这种事情,到底也没法禁止人说,渐渐闹得上上下下都知道了。在那些女佣们看来,无非是觉得这丫头不规矩,不免对她更是冷淡一些。家里几位奶奶太太们却另有一种好奇心,都说"年纪这样小就这样作怪,这五老爷也真是——怎么会看中她的!"因此都用一种特殊的眼光去看她。特别注意的结果,果然觉得她外表上虽然不声不响的,骨子里有一种妖气,这是逃不过她们的眼睛的,于是大家都留了神,凡是老爷少爷们都绝对不让她有机会接近。

当着五太太的面，当然谁也不去提起这桩事情，因为五太太对于这回事始终保持缄默，而且忌讳得非常厉害，别人谈话中只要偶尔提起一声小艾，五太太立刻脸色阴沉下来，一声也不言语，使人觉得好像吃馒头忽然吃到一块没发起来的死面疙瘩。

小艾的病一直老不见好，也不能老是躺在床上，后来也就撑着起来做事了。五太太其实从前也并不喜欢她，不过总是一天到晚"小艾！小艾！"的挂在口边叫着，现在好像这名字叫不响亮了，轻易也不肯出口。她恨她。尤其因为时间一天天的过去，五太太在南京的一段生活在她的记忆中渐渐的和事实有些出入了，她只想着景藩对她也还不错，他亏待她的地方却都忘怀了，因此她越发觉得怨恨，要不是因为小艾，也不至于产生这样一个隔膜，他们的感情不好，她除了怪她娘家，怪她婆家的人，现在又怪上了小艾。然而五太太的性格就是这样，虽然这样恨着小艾，也并不采取任何步骤或是遣开她或是把她怎么样，依旧让她在身边伺候着。

那一年交了冬之后，因为老太太病重，景藩也从南京回来过两次。五太太听见说他这一向常常到上海来，但是过门不入，没有到家里来。现在又和上海的一个红妓女打得火热，要娶她回去。忆妃已经失宠了，她大概是什么潜伏着的毛病突然发作起来，在短短的几个月内把头发全掉光了。景藩马上就不要她了。他本来在南京做官，自从迷上了现在这一个，就想法子调到上海来，却把忆妃丢在南京。

二十五

第二年老太太去世了，忆妃便到上海来奔丧，藉着这名目来找五老爷。她来到老公馆里，刚巧景藩那天没有来，后来景藩听见说她来了，索性连做七开吊都不到场了。忆妃便到里面去见五太太，五太太倒是不念旧恶，仍旧很客气的接待她。忆妃浑身缟素，依旧打扮得十分俏丽，只是她那波浪纹的烫发显然是假发，像一顶帽子似的罩在头上，眉毛一根也没有了，光光溜溜的皮肤上用铅笔画出来亮莹莹的两道眉毛，看上去也有点异样。但是她的魔力似乎并没有完全丧失，因为她跟五太太一见面，一诉苦，五太太便对她十分同情，留她住在自己房里，两人抵足长谈，忆妃把她的身世说给五太太听，说到伤心的地方，五太太也陪着她掉眼泪。姑娌们和小辈有时候到五太太房里去，看见五太太不但和她有说有笑的，还仿佛有点恭维着她，赶着替她递递拿拿的做点零碎事情，而忆妃却是安之若素。家里的人刻薄些的便说，倒好像她是太太，五太太是姨太太。五太太大概也觉得自己这种态度需要一点解释，背后也对人说："她现在是失势的人了，我犯不着也去欺负她。从前那些事也不怪她，是五老爷不好。"

小艾不见得也像五太太这样不记仇。五太太却也觉得小艾是有理由恨忆妃的，因此忆妃住在这里的时候，五太太一直不大叫她在跟前伺候，一半也是因为怕事，怕万一惹出什么事来。

忆妃在上海一住住了好几个月，始终也没有见到景藩，最后只好很失意的回去了。陶妈刘妈对于这桩事情都觉得非常快心，说："报应也真快！"小艾却并不以此为满足。一个忆妃，一个景藩，她是恨透了他们，但是不光是他们两个人，根本在这世界上谁也不拿她当个人看待。她的冤仇有海样深，简直不知道要怎样才算报了仇。然而心里也常是这样想着："总有一天我要给他们看看。我不见得在他们家待一辈子。我不见得穷一辈子。"

二十六

席家在老太太死了以后就分了家。五房里一点也没拿到什么，因为景藩历年在公账上挪用的钱已经超过了他应得的部分。五太太从老宅里搬了出来，便住了个一楼一底的小房子，带着前头太太生的一个寅少爷一同过活，每月由寅少爷到景藩那里去领一点生活费回来，过得相当拮据。五太太却是很看得开，她住的一间屋子收拾得干干净净的，摆着几件白漆家具，一张白漆小书桌上经常有几件小玩意儿陈列在那里，什么小泥人，显微镜，各种花哩胡哨的卷铅笔刀，火车式的，汽车式的。她最爱买这些东西，又爱给人，人家看见了只要随便赞一声好，她就一定要送给他，笑着向人手里乱塞，说："你拿去拿去！"她实在心里很高兴，居然她有什么东西为人们所喜爱。她仍旧养着好些猫，猫喂得非常好，一个个肥头胖耳的，美丽的猫脸上带着一种骄傲而冷淡的神气忍受着她的爱抚。

她也仍旧常常打麻将。她在亲戚间本来很有个人缘，虽然现在穷下来了，而人都是势利的，但是大家都觉得她不讨厌。她头发已经剪短了，满面春风的，戴着金脚无边眼镜，穿着银灰绉绸旗袍，虽然胖得厉害，看上去非常大方。常有人说"不懂五老爷为什么不跟她好。"

景藩有时候说起她来，总是微笑着说"我那位胖太太"，或是

"胖子"。他现在的境况也很坏，本来在上海做海关监督，因为亏空过巨，各方面的关系又没有敷衍得好，结果事情又丢了。渐渐的到了山穷水尽的地步。他现在的一个姨太太叫做秋老四，他一向喜欢年纪大一点的女人，这秋老四或者年纪又太大了一点，但是她是一个名人的下堂妾，手头的积蓄很丰富，景藩自己也承认他们在银钱方面是两不来去的，实际上还是他靠着她。所以他们依旧是洋房汽车，维持着很阔绰的场面。大概每隔几个月，遇到什么冥寿忌辰祭祀的日子，景藩便坐着汽车到五太太那里去一次，略微坐个几分钟，便又走了。

寅少爷若是在家，就是寅少爷出来见他，五太太就不下楼来了。难得有时候五太太下来和他相见，虽然大家都已经老了，五太太也不知为什么，在他面前总是那样跼蹐不安，把脖子僵僵着，垂着眼皮望着地下，窘得说不出话来，时而似咳嗽非咳嗽的在鼻管和喉咙之间轻轻的"唷！"一声，接着又"唷唷"两声。

每回景藩来的时候，小艾当然是避开了。好像他也不是常来。小艾的病虽然已经好了，脸色一直有点黄黄的，但是倒比小时候更秀丽了。她的年龄是连她自己也不知道的，假定当初到南京去那时候是十四五岁，这时候总也有二十三四了。一直也没有谁提起她的婚姻的事情。五太太是早已声言"不管她的事了。"不过这句话的意思，当然也并不是就可以容许她自由行动。

二十七

陶妈有一个儿子名叫有根，一向在芜湖一爿酱园里做事，因为和人口角，赌气把事情辞了，到上海来找事。陶妈的丈夫死得早，就这样一个儿子，自然是非常钟爱。他到了上海，便住在五太太这里，在楼下客厅搭上一张行军床，睡在那里，白天有时候就在厨房里坐着，吃饭也是在厨房里大家一桌吃。他和小艾屡次同桌吃饭，也并没有交谈过。有一天下雨，有根冒雨出去奔走着，下午回到家里来，陶妈炒了碗饭给他吃。他们那扇后门上面空着一截，镶着一截子暗红漆的矮栏杆，她便把他那把橙黄色的破油纸伞撑开来插在栏杆上晾着。有根坐在那里吃饭，她坐在一旁和他说着话，问他今天出去找事的经过。忽然小艾捧着个猫灰盆子走了来，要出去倒在外面的垃圾箱里，有根马上放下了饭碗，抢着上前去把那把伞拿了下来，让她好走出去。他这种神气陶妈却是有点看不惯。她本来早就觉得了，他对小艾是很注意。陶妈也是因为小艾过去有那段历史，总认为她不是一个安分的人，因此总防着她，好像惟恐自己的儿子会被她诱惑了去。他们母子二人的心事，小艾也有点觉得了，所以有根在那儿的时候，她总是躲着他。

有一天她一个人在厨房里洗抹布，有根忽然悄悄的走了来，把两个小纸包递给她，嗫嚅着笑道："我买了双袜子……还有一瓶雪花膏，送给你搽。"小艾忙道："不要，你干吗那么客气。"她一定不肯接，有根便搁在桌上，笑道："你不要见笑，东西不好。"小艾把两只手在围裙上一阵乱揩，便把纸包拿起来硬要还给他，道："不不，我真不要，你留着送别人。"有根笑道："你就拿着吧，你不拿就是嫌不好。"一面说着，已经一溜烟从后门跑了。

小艾拿着那两样东西，倒没有了主意，想拆开来看看，踌躇了一会，也没有拆开，依旧搁在桌上，希望他自己看见了会收回去。她草草洗完了抹布，自上楼去了。不料有根这一天直到吃晚饭的时候方才回来，刘妈在桌上摆碗筷，看见那纸包，随手打开来一看，却是一双肉色长统女式线袜，便道："咦，这是谁的袜子？"陶妈也觉得诧异。小艾在旁边就没有作声，有根也没说什么，脸色却很难看，隔了一会，方才说了声："是我买的。"拿过来便向衣袋里一塞。陶妈狠狠的向他瞅了一眼，当时也没有说什么。

二十八

那天晚上，五太太有一只猫不知跑了哪儿去了没有回来，叫小艾出去找去。她走下楼来，看见客厅里点着灯，房门半掩着，大概陶妈已经给有根铺好了床，坐在床上跟他说话，只听见她一个人的声音，有根似乎一直不开口。陶妈虽然把喉咙放得低低的，显然是带着满腔怒气，渐渐的声音越说越高，道："你趁早死了这条心吧！你当她是个什么好东西！我娶媳妇要娶个好的！"小艾也没有再听下去。其实她一点也不是属意于有根，但是这几句话实在刺心。她走到厨房里，把后门开了，走到衖堂里去，但是并没有马上开口唤猫，因为怕自己一张开口来，声音一定颤抖得厉害，听上去很奇异。因此只是悄悄的在暗影中走着。

她出来的时候是把后门虚掩着的，后来那扇门被风吹着一开一关，訇訇的响，却被有根听见了，他本来已经睡了，陶妈也已经上楼去了，他心里想着："这是谁忘了关门，万一放了个贼进来，刚巧这两天我住在这里，丢了东西不要疑心我吗？"便又披衣起床，到后面去把门关了。

等到小艾把猫找了回来，推门推不开，只得在门上拍了几下。

又是有根来开门，他却没有想到是小艾。她穿着一件蓝白芦席花纹的土布棉袄，脸上冻得红喷喷的，像搽了胭脂一样，灯光照着，把她那长睫毛的影子一丝丝的映在面颊上，有根不由得看呆了。她一看见有根，却是马上就想起陶妈刚才说的那话，心中实在气忿不平，忽然想小小的报复一下，便含着微笑溜了他一眼，道："还没睡呀？不冷哪？"有根越发呆住了，一时也想不出什么话来说，小艾倒已经抱着猫走了。

小艾后来想想，倒又觉得懊悔，不该去招惹他。有根已经找到了事情，是陶妈托人把他荐进去的，在法大马路一爿南货店里，离这里很远，他搬出去以后，却差不多天天晚上总要来一趟，乘电车只有很短的一截可乘，所以要走非常长的一段路，陶妈又是心疼，又是生气，却也无法可施。他来了也不过在厨房里坐一会，有时候并也见不到小艾。后来他忽然绝迹不来了，小艾还以为她对他的态度太冷淡的缘故。隔了有一两个月的光景，有一天忽然又来了，却已经把头发养长了，梳得光溜溜的，大概前一向他因为头发刚刚养长，长到一个时期就蠹立在头上，很不雅观，所以没有来。

日子一久，小艾心里也就有点活动起来了。因为除了嫁人以外也没有别的方法可以离开席家。从前三太太有一个丫头，就是和她同时买来的，比她大几岁，很机灵的那个，名叫连喜，后来逃走了，小艾那时候还小，但是对于这桩事情印象非常深。后来却又听见说，有人碰见连喜，已经做了沿街拉客的妓女，她是遇见了坏人，对她说介绍到工厂里去做工，把她骗了去卖掉了。小艾听到这话，心里非常难受，对于这吃人的社会却是多了一层认识。

二十九

她因此打消了逃走的念头，这许多年来一直在这里苦熬着。现在这有根倒是对她很好，别的不说，第一他是一个知道底细的人，总比较可靠。但是小艾对于他总觉得有点不能决定。倒并不是为了她对他没有感情的问题。她因为从来没有爱过任何人，根本不知道爱情是什么，所以也不知道重视它。她最认为不妥的，还是他是陶妈的儿子这一层。即使陶妈肯要她做媳妇，她也还不愿意要陶妈这样一个婆婆——难道受陶妈的气还没有受够。同时她也觉得有根这人不像是一个有作为的人。怎样才是一个有志气有作为的人，她也说不出来，然而总有这样一个模糊的意念，在这种社会里，一个人要想扬眉吐气，大概非发财不行吧。至于怎样就能够发财，她却又是很天真的想法，以为只要勤勤恳恳的，好好的做人就行了。

他们住的这衖堂，是在一个旧家的花园里盖起几排市房，从前那座老洋房也还存留在那里，不过也已经分租出去了，里面住了不知道多少人家，楼下还开着一爿照相馆。那幢大房子也就像席家从前住的那种老式洋楼一样，屋顶上矗立着方形的一座座红砖砌的烟囱，还竖着定风针。常常有一个人坐在那屋顶上读书。小艾在夏天的傍晚到晒台上去收衣裳，总看见对门的屋顶上有那么一个青年坐在那里看书，夕阳在那红砖和红瓦上，在那楼房的屋脊背后便是满天的红霞，小艾远远的望过去，不由得有些神往，对于那个人也就生出种种幻想。对门那屋顶上搭着个铅皮顶的小棚屋，这人大概就住在那里，那里面自然光线很坏，所以他总坐到外面来看书。看他穿着一身短打，也不像一个学生，怎样倒这样用功呢？

三十

夏天天黑得晚，有一天晚饭后，天色还很明亮，小艾在窗口向对过望去，那人已经不在那里了，屋顶上斜架着一根竹竿，晾着一件蓝布褂子，在那暮色苍茫中，倒像是一个人张开两臂欹斜地站在那里。她正向那边看着，忽然听见底下衖堂里闹哄哄的一阵骚动，向下面一看，来了两部汽车；就在他们门口停下了，下来好几个穿制服带枪的人，小艾倒怔住了，正要去告诉五太太，那些法警已经蜂拥上楼，原来是因为景藩在外头借的债积欠不还，被人家告了，所以来查封他们的财产，把家里的箱笼橱柜全都贴上了封条，一方面出了拘票来捉人。其实景藩这时候已经远走高飞，避到北边去了，起初五太太这边还不知道。五太太出去替他奔走设法，到处求人帮忙，但是亲戚间当然谁也不肯拿出钱来，都说："他们这是个无底洞。"寅少爷虽然也着急，却很不愿意他后母参预这些事情，因为她急着见人就磕头，徒然丢脸，一点用处也没有。

五太太自从受过这番打击，性格上似乎有了很显著的改变，不那么嘻嘻哈哈的了，面色总是十分阴沉，在应酬场中便也不像从前那样受欢迎了。有时候人家拉她打牌，说替她解闷，她的牌品本来很好的，现在也变坏了，一上来就怕输，一输就着急，一急起来便将身体左右摇摆着，摇摆个不停。和她同桌打牌的人都说："我只要一看见她摇起来我就心里发烦。"因此人家都怕跟她打，她常常去算命，可是又害怕，怕他算出什么凶险的事来，因此总叫他什么都不要说，"只问问财气。"

五太太不久就得了病。有一次她那心脏病发得很厉害，家里把她娘家的兄嫂也请了来，他们给请了个医生，大家忙乱了一晚上，家里的一只猫出去了一晚上也没有回来，大家也没有注意。

三十一

五太太这一向因为节省开支，把所有的猫都送掉了，只剩下这一只黑尾巴的"雪里拖枪"，是她最心爱的。第二天五太太病势缓和了些，便问起那只猫，陶妈楼上找到楼下，也没找到，只得骗她说："刚才还在这儿，一会儿倒又跑出去了。"一面就赶紧叫小艾出去找去。小艾走到衖堂里，拿着个拌猫饭的洋磁盘子铛铛敲着，"咪咪！咪咪！"的高叫着，同时嘴里啧啧有声，她是常常这样做的，但是今天不知怎么，总觉得这种行为实在太可笑了，自己觉得非常不自然，仿佛怕给什么人看见她。

在衖堂里前前后后都走遍了，也没有那猫的影子。回到家里来，才掩上后门，忽然有人揿铃，一开门，却吃了一惊，原来就是对过屋顶上常常看见的那俊秀的青年，他抱着个猫问道："这猫是不是你们的？"越是怕他听见，倒刚巧给他听见了。小艾红着脸接过猫来，觉得应当道一声谢，却一个字也说不出来。那青年便又解释道："给他们捉住关起来了——我们家里老鼠太多，他们也真是，也不管是谁家的，说是要把这猫借来几天让它捉捉老鼠。"小艾便笑道："哦，你们家老鼠多？过天我们有了小猫，送你们一只好吧？"那青年先笑着说"好"，略顿了一顿，又说了声："我就住在八号里。我叫冯金槐。"说着，又向她点了点头，便匆匆的走开了。

小艾抱着猫关上了门，便倚在门上，低下头来把脸偎在猫身

38

上一阵子揉擦，忽然觉得它非常可爱。她上楼去把猫送到五太太房里。五太太房里有一个日历，今天这一张是红字，原来是星期日，他今天大概是放假吧，要不然这时候怎么会在家里。那天天气非常好，小艾便一直有点心神不定，老是往对过屋顶上看着，那冯金槐却一直没有出来。也许出去了，难得放一天假，还不出去走走。

三十二

　　陶妈做菜的时候发现酱油快完了，那天午饭后便叫小艾去打酱油，生油也要买了。小艾先把蓝布围裙解了下来，方才拿了油瓶走出去。他们隔壁有一家鞋店，遇到这天气好的时候，便把两张作台搬到后门外面来摆着，几个店员围着桌子坐着，在那里黏贴绣花鞋面，就在那蓝天和白云底下，空气又好，光线又好，桌上摊满了各色鞋面，玫瑰紫的，墨绿的，玄色，蓝色的，平金绣花，十分鲜艳。小艾每次走过的时候总要多看两眼，今天却没有怎样注意，心里总觉得有些惴惴不安，不知道为什么很怕碰见那冯金槐。

　　从衖堂里走出去，一路上也没有碰见什么人。回来的时候，却老远的就看见那冯金槐穿着一件破旧的短袖汗衫，拿着个洋磁盆在自来水龙头那里洗衣裳。他一定也觉得他这是"男做女工"，有点难为情似的，微笑着向她点了个头。小艾也点点头笑了笑，偏赶着这时候，她的头发给风吹的，有一绺子直披到脸上来，她两只手又都占着，拿着一瓶油，一瓶酱油，只得低下头来，偏着脸一直凑上去，把头发扶到耳后去。同时自己就又觉得，这一个动作似乎近于一种羞答答的样子，见了人总是这样不大方，因此便又红着脸笑道："今天放假呀？"然而也就说了这么一句，因为看见鞋店里那些伙计坐在那边贴鞋面，有两个人向他们这边望过来，仿佛对他们很注意似的。她也没有等他回答，便在他身边走了过去，走回家去了。

以后她注意到，每星期日他总拿着一卷衣服，到那公用的自来水龙头那里去洗衣裳。想必他家里总是没有什么人，所以东西全得自己洗。

三十三

平常在衖堂里有时候也碰见，不过星期日这一天是大概一定可以碰见一次的。见面的次数多了偶尔也说说话。他说他是在一个印刷所里做排字工作的。他是一个人在上海。

五太太房里的日历一向是归小艾撕的，从此以后，这日历就有点靠不住起来，往往一到了星期六，日历上已经赫然是星期日了，而到了星期一，也仍旧一张红字的星期日，星期二也仍旧是星期日，或许是因为过了这一天以后，在潜意识里仿佛有点懒得去撕它，所以很容易忘记做这桩事情。五太太是反正在生病，病中光阴，本来就过得糊里糊涂的，所以也不会注意到这些。

五太太那只猫怀着小猫，后来没有多少时候就养下来了，一窠有五只，五太太一只也不预备留着，打算谁要就给谁。小艾便想着，等看见金槐的时候要告诉他一声，但是这一向倒刚巧没有机会见到他，已经有好两个星期没有看见他出来洗衣服了。近来天气渐渐冷了，大约因为这缘故，一直也没看见他在屋顶上看书。

有一天她又朝那边望着，心里想不会是病了吧。那屋顶上斜搭着一根竹竿，晾着几件衫裤，里面却有一件女人的衣服，一件紫红色鱼鳞花纹的布旗袍。她忽然想起来，前些时有一次看见两辆黄包车拉到八号门口，黄包车上堆着红红绿绿的棉被和衣服，是人家办喜事"铺嫁妆"，八号那一座房子里面住了那么许多人家，也不知道是哪一家娶新娘子。当时也没有在意，后来新娘子是什么时候进门的，也没有看见。

三十四

其实也很可能就是金槐结婚。除非他已经有了女人了，在乡下没有出来。两样都是可能的。她这时候想着，倒越想越像——也说不定就是他结婚。怪不得他这一向老没有出来洗衣裳，一定是有人替他洗了。

小艾自己想想，她实在是没有理由这样难过，也没有这权利，但是越是这样，心里倒越是觉得难过。

小猫生下来已经有一个多月，要送掉也可以送了。小艾便想着，藉着这机会倒可以到金槐那里去一趟，把这猫给他们送去，顺便看看他家里到底是个什么情形。她趁着有一天，是一个阴历的初一，陶妈刘妈都到庙里烧香去了，五太太在床上也睡着了，她便去换上一件干净的月白竹布旗袍，拿一条冷毛巾匆匆的擦了把脸，把牙粉倒了些在手心里，往脸上一抹，把一张脸抹得雪白的，越发衬托出她那漆黑的眼珠子，黑油油的齐肩的长发。她悄悄的把猫抱着，下楼开了后门溜了出去，便走到对过那座老房子里，走上台阶，那里面却是一进门就黑洞洞的,有点千门万户的模样。她略微踌躇了一下,便径自走上楼梯,楼梯口有一个女人抱着孩子呜呜作声的哄着拍着,在那里踱来踱去,看见了小艾,便只管拿眼睛打量着她。小艾便笑道:"对不起,有个冯金槐是不是住在这里?"那女人想了一想道:"冯金槐——是呀,他本来住在上头的,现在搬走了呀。"小艾不觉怔了怔,道:"哦,搬走啦?"那女人见她还站在那里,仿佛在那里发呆,便问道:"你可是他的亲戚?"小艾忙笑道:"不是,我是对过的,因为上回听见他说他们这儿老鼠多,想要一只猫,我答应他我们那儿有小猫送他一只的。"说着,便把那小猫举了一举给她看看。那女人说道:"他搬了已经一个多月了,本来他跟他表弟住在一间房里的,现在他表弟讨了娘子了,所以他搬走了。"

三十五

小艾哦了一声,又向她点了个头,便转身下楼,手里抱着那只小猫,另一只手握着它两只前爪,免得它抓人,便这样一直走出去,下了台阶。太阳晒在身上很暖和,心里也非常松快,但同时又觉得惘然。虽然并不是他结婚,但是他已经搬走了。她又好像得到了一点什么,又好像失去了什么,心里只是说不出来的怅惘。

又过了些日子。有一天黄昏的时候,小艾在后门外面生煤球炉子,弯着腰拿着把扇子极力的扇着,在那寒冷的空气里,那白烟滚滚的往横里直飘过去。她只管弯着腰扇炉子,忽然听见有人给烟呛得咳嗽,无意之中抬起头来看了看,却是金槐。他已经绕到上风去站着了。他觉得他刚才倒好像是有心咳那么一声嗽来引起她的注意，未免有点可笑，因此倒又有点窘，虽然向她点头微笑着，那笑容却不大自然。小艾却是由衷的笑了起来，道："咦？……我后来给你送小猫去的，说你搬走了。"金槐哟了一声，仿佛很抱歉似的，只是笑着，隔了一会方道："叫你白跑一趟。我搬走已经好几个月了。我本来住在这儿是住在亲戚家里。"小艾便道："你今天来看他们啦？"金槐道："嗳。今天刚巧走过。"说到这里，他也想不出还有什么话可说，因此两人都默然起来，小艾低着头只管扳弄着那把扇炉子的破蒲扇。半晌，她觉得像这样面对面的站在后门口，又一句话也不说，实在不大妥当，不要给人看见了。因见那煤球炉子已经生好了，便俯身端起来，向金槐笑了笑，自把炉子送了进去。

三十六

她在炉子上搁上一壶水，忍不住又走到后门口去看看，心里想他一定已经到他亲戚家里去了。但是他并没有进去，依旧站在对过的墙根下，点起一支香烟在那里吸着。小艾把两手抄在围裙底下，便也慢慢的向那边走了过去。她并没有发问，他倒先迎上来带笑解释着，道："我想想天太晚了，不上他们那儿去了。"他顿了顿，又道："因为正是吃晚饭的时候，回头他们又要留我吃晚饭，倒害人家费事。"小艾也微笑着点了点头，应了一声，随即问道："你是不是从印刷所来？你们几点钟下工？"金槐说他们六点钟下工，又告诉她印刷所的地址，说他现在搬的地方倒是离那儿比较近，来回方便得多。两人一面闲谈着，在不知不觉间便向衖口走去。也可以说是并排走着，中间却隔得相当远。小艾把手别到背后去把围裙的带子解开了，仿佛要把围裙解下来，然而带子解开来又系上了，只是把它束一束紧。

走出衖口，便站在街沿上。金槐默然了一会，忽然说道："我来过好几次了，都没看见你。"小艾听他这样说，仿佛他搬走以后，曾经屡次的回到这里来，都是为了她，因为希望能够再碰见她，可见他也是一直惦记着她的。她这样想着，心里这一份愉快简直不能用言语形容，再也抑制不住那脸上一层层泛起的笑意，只是偏过头去望着那边。金槐又道："你大概不大出来吧？夏天那时候倒常常碰见你。"小艾却不便告诉他，那时便是因为她一看见他出来了，就想法子藉个缘故也跑出来，自然是常常碰见了。她再也忍不住，不由得噗哧一笑。

三十七

金槐想问她为什么笑，也没好问，也不知道自己说错了什么话，只管红着脸向她望着。小艾也有点不好意思起来，便一扭身靠在一只邮筒上，望着那街灯下幢幢往来的车辆。金槐站在她身后，也向马路上望着。小艾回过头来向他笑道："你真用功，我常常看见你在那儿看书。"金槐笑道："你在哪儿看见我，我怎么没看见你？"小艾道："你不是常常坐在那房顶上的吗？"金槐笑道："我因为程度实在太差，所以只好自己看看书补习补习。别的排字工人差不多都是中学程度，只有我只在乡下念过两年私塾。"她问他是哪里人，几时到上海来的。他说他十四岁的时候到上海来学生意，家里还有母亲和哥哥在乡下种田。他问她姓什么，她倒顿住了，她很不愿意刚认识就跟人家说那些话，把自己说得那样可怜，连姓什么都不知道；因此犹豫了一会，只得随口说了声"姓王"。她估计着她已经出来了不少时候，便道："我得要进去了，恐怕他们要找我了。"金槐也知道她是那家人家的婢女，行动很不自由的，不要害她挨骂，便也说道："我也要回去了。"这样说了以后，两人依旧默默相向，过了一会，小艾又说了声："我进去了。"便转身走进祠堂。

虽然并没有约着几时再见面，第二天一到那时候，小艾就想着他今天下了班不知会不会再来，因此就拣了这时候到厨房里去劈柴，把后门开着，不时的向外面看看，果然看见他来了。陶妈刚巧也在厨房里，小艾就没有和他说话，金槐也就走开了。小艾等劈好了柴，便造了个谎说头发上插的一把梳子丢了，恐怕掉了祠堂里了，便跑出去找。走到祠堂口，金槐还在昨天那地方等着她，便又站在那里说起话来。

三十八

以后他们常常这样，隔两天总要见一次面。后来大家熟了，小艾有一天便笑着说："你这人真可笑，从前那时候住在一个祠堂里，倒不大说话，现在住得这样远，倒天天跑了来。"金槐笑道："那时候倒想跟你说话，看你那样子，也不知道你愿意理我不愿意理我。"小艾不由得笑了，心里想他也跟她是一样的心理，她也不知道他喜欢她。怎么都是这样傻。

金槐又说："我早就知道你叫小艾了。"小艾却说她最恨这名字，因为人家叫起这名字来永远是恶狠狠的没好气似的。后来有一次他来，便说："我另外给你想了个名字，你说能用不能用。"说着，便从口袋里掏出一枝铅笔头和一张小纸片，写了"王玉珍"三个字，指点着道："王字你会写的，玉字不过是王字加一点，珍字这半边也是个王字，也很容易写。"小艾拿着那张纸看了半晌，拿在手里一摺两，又一摺四，忽然抬起头来微笑道："我那天随口说了声姓王，其实我姓什么自己也不知道。"她对于这桩事情总觉得很可耻，所以到这时候才告诉他，她从小就卖到席家，家里的事情一点也记不起了，只晓得她父母也是种田的。她真怨她的父母，无论穷到什么田地，也不该卖了她。六七岁的孩子，就给她生活在一个敌意的环境里，人人都把她当作一种低级动物看待，无论谁生起气来，总是拿她当一个出气筒、受气包。这种痛苦她一时也说不清，她只是说："我常常想着，只要能够像别人一样，也有个父亲有个母亲，有一个家，也有亲戚朋友，自己觉得自己是一个人，那就无论怎样吃苦挨饿，穷死了也是甘心的。"说着，不由得眼圈一红。

三十九

金槐听着，也沉默了一会，因道："其实我想也不能怪你的父母，他们一定也是给逼迫得实在没有办法。也难怪你，你在他们这种人家长大的，乡下那种情形你当然是不知道。"他就讲给她听种田的人怎样被剥削，就连收成好的时候自己都吃不饱，遇到年成不好的时候，交不出租子，拖欠下来，就被人家重利盘剥，逼得无路可走，只好卖儿卖女来抵偿。譬如他自己家里，还算是好的，种的是自己的田，本来有十一亩，也是因为捐税太重，负担不起，后来连典带卖的，只剩下二亩地，现在他母亲他哥嫂还有两个弟弟在乡下，一年忙到头，也还不够吃的，还要靠他这里每月寄钱回去。

小艾很喜欢听他说乡间的事，因为从这上面她可以想像到她自己的家是什么样子。此外他又说起去年八一三那时候，上海打仗，他们那印刷所的地区虽然不在火线内，那一带的情形很混乱，所以有一个时期是停工的。他就去担任替各种爱国团体送慰劳品到前线去，一天步行几十里路。那是很危险的工作，他这时候说起来也还是很兴奋，也很得意，说到后来上海失守，国民党军队节节败退，又十分愤慨。小艾不大喜欢他讲国家大事，因为他一说起来就要生气。但是听他说说，到底也长了不少见识。

小艾这一向常常溜出来这么一会，倒也没有人发觉，因为现在家里人少，五太太为了节省开支，已经把刘妈辞歇了，剩下一个陶妈，五太太病在床上，又是时刻都离不开她的。除了有时候晚饭后，有根来了，陶妈一定要下楼去，到厨房里去陪他坐着，不让他有机会和小艾说话。

陶妈本来想着，只要给他娶个媳妇，他也就好了，所以她一直想回乡下去一趟，凭自己的眼力替他好好的拣一个，但是因为五太太病得这样，一直也走不开。托人写信回家去，叫他们的亲戚给做媒，人家提的几个姑娘，有根又都十分反对。陶妈转念一想，他到上海来了这些时候，乡下的姑娘恐怕也是看不上眼了，便又想在上海托人做媒，又去找上次把有根荐到那南货店里去的那个表亲。那人和那南货店老板是亲戚，没事常到他们店里去坐坐。他背地里告诉陶妈，听见说有根刚来的时候倒还老实，近来常常和同事一块儿出去玩，整夜的不回来。陶妈听了非常着急，要想给他娶亲的心更切了。

有根虽然学坏了，看见小艾却仍旧是讷讷的。他也并不觉得她是躲着他，他以为全是他母亲在那里作梗，急起来也曾经和他母亲大闹过两回，说他一定要小艾，不然宁可一辈子不娶老婆。陶妈都气破了肚子。她因为恨自己的儿子不争气，这些话也不愿意告诉人，一直也没跟五太太说，所以闹得这样厉害，五太太在楼上一点也不知道。

景藩这时候已经回到上海来了，一直深居简出的，所以知道的人很少。但是渐渐的就有一种传说，说他在北边的时候跟日本人非常接近，也说不定他这次回来竟是负着一种使命。外面说得沸沸扬扬的，都说席老五要做汉奸了。五太太从她娘家的亲戚那里也听到这话。她问寅少爷，寅少爷说："大概不见得有这个事吧。"五太太也知道，他即使有点晓得，也不会告诉她的。

四十

这时候孤岛上的人心很激昂，像五太太虽然国家观念比较薄弱，究竟也觉得这是一桩不名誉的事情，因此更添上一层忧闷。

景藩回上海以后，一直很少出去，只有一个地方他是常常去的，他有一个朋友家里设着一个乩坛，他现在很相信扶乩。那地方离他家里也不远，他常常戴着一副黑眼镜，扶着手杖，晒着太阳，悠然的缓步前往。这一天，那乩仙照例降坛，跟他们唱和了几首诗，对于时局也发表了一些议论。但是它虽然有问必答，似乎对于要紧些的事情却抱定了天机不可泄露的宗旨，一点消息也不肯透露。因为那天景藩从那里回去，一出大门没走几步路，就有两人向他开枪，他那朋友家里忽然听见砰砰的几声枪响，从阳台上望下去，只看见景藩倒卧在血泊里，凶手已经跑了。这里急忙打电话叫救护车，又通知他家里，他姨太太秋老四赶到他朋友家里，却已经送到医院里去了。又赶到医院里，已经伤重身亡。秋老四只是掩面痛哭，对于办理身后的事情却不肯怎样拿主意，因为这是花钱的事情。她叫佣人打了个电话给寅少爷，等寅少爷来了，一应事情都叫他做主，寅少爷跟她要钱，她便哭着说他还不知道他父亲背了这许多债，哪儿还有钱。

寅少爷只得另外去想法子，这一天大家忙乱了一天，送到殡仪馆里去殡殓，寅少爷一直忙到很晚，方才回到家里来。

四十一

那寅少爷也是个城府很深的人，他心里想五太太这病是受不了刺激的，这消息要是给她知道了，万一因此有个三长两短，她娘家的人一定要怪到他身上，还是等明天问过她的兄嫂，假使他们主张告诉她，也就与他无干了。当晚他就把陶妈和小艾都叫了来，说道："老爷不在了。太太现在病着，你们暂时先不要告诉她。明天的报不要给她看，要是问起来就说没有送来。"此外他也分头知照了几家近亲，告诉他们这桩事情是瞒着五太太的，免得他们泄露了消息。但是次日也仍旧有些亲戚到他们这里来致慰问之意，一半也是出于一种好奇心，见了五太太，当然也不说什么，只说是来看看她。陶妈背着五太太便向他们打听，从这些人的口中方才得知事实的真相，寅少爷昨天并没有告诉她们，原来景藩是被暗杀的。小艾听见了觉得非常激动。一方面觉得快意，同时又有些惘惘的，需要一遍一遍的告诉自己，那个人已经死了。世界上少了他这一个人，仿佛天地间忽然空阔了许多。

这一天她见到金槐的时候，就把她从前那桩事情讲给他听。她一直也没有告诉他，一来也是因为他们总是那样匆匆一面，这些话又不是三言两语可以解释得清楚的。同时她又对自己说，既然金槐也还没有向她提起婚姻的事，她过去的事情似乎也不是非告诉他不可。倘若他要是提起来，她是一定要告诉他的。至于他一直没有提起婚事的原因，大概总是因为经济的关系，据她所知，他拿到的一点工资总得分一大半寄回家去，自己过得非常刻苦，当然一时也谈不到成家的话。在小艾的心理，也仿佛是宁愿这样延宕下去，因为这样她就可以用不着告诉他那些话。因为她实在是不想说。

然而今天她是不顾一切的说了出来。她好像是自己家里有这样一个哥哥，找到这里来了，她要把她过去受苦的情形全都诉给他听。她又仿佛是告诉整个的世界，因为金槐也就是她整个的世界。

他说的话很少，他太愤怒了，态度显得非常僵硬。席景藩要是还活着，他真能够杀了他。但是既然已经死了，这种话说了也显得不真实，所以他也没有说。他们站在马路边上，因为小艾怕给熟人认出来，总是站在一个黑暗的地方，在两家店铺中间，卸下来的排门好几扇叠在一起倚在墙上，小艾便挨着那旁边站着。两边的店家都在那昏黄的灯光下吃晚饭。小艾突然说道："我进去了。"便转过身来向衖堂口走去。金槐先怔了一怔，想叫她再等一会再进去，然而他赶上去想阻止她，她却奔跑起来，很快的跑了进去。金槐站在那里倒呆住了，他这时候才觉得他刚才对她的态度不大好，她把这样的话告诉他，他应当怎样的安慰她才对，怎么一句话也不说，倒好像冷冷的，她当然要误会了。她回去了一定觉得非常难过。他这一天回到家里，心里老这样想着，也觉得非常难过。

第二天他来得特别早些，她到了时候也出来了，但是看见了他却仿佛稍微有点意外似的，脸色还是很凄惶。金槐老远的就含笑迎了上去，道："你昨天是不是生气了？"小艾笑了笑，道："没生气。"金槐顿了一顿，方笑道："我带了一样东西给你。"小艾笑道："什么东西？"

四十二

金槐拿出一个小纸包来，走到衖口的灯光下，很小心的打开来，小艾远远的看着，仿佛里面包着几粒丸药，走到跟前接过来一看，却是金属品铸的灰黑色的小方块，尖端刻着字像个图章似的。金槐笑道："这就是印书印报的铅字，这是有一点毛病的，不要了。"小艾笑道："怎么这样小，倒好玩！"金槐道："这是六号字。"他把那三只铅字比在一起成为一行，笑道："这两个字你认识吧？"小艾念出一个"玉"字一个"珍"字，自己咦了一声，不由得笑了起来。再看上面的一个字笔划比较复杂，便道："这是个什么字？"金槐道："哪，这是你的名字，这是姓。"小艾道："不是告诉你我没有姓吗？"金槐笑道："一个人怎么能没有姓呢？"小艾本来早就有点疑惑，看他这神气，更加相信这一定是个"冯"字，便将那张纸攥成一团，把那铅字团在里面，笑着向他手里乱塞。金槐笑道："你不要？"小艾的原意，或者是想向他手里一塞就跑了，但是这铅字这样小，万一倒掉到地下去，滚到水门汀的隙缝里，这又是个晚上，简直就找不到了，那倒又觉得十分舍不得，因此她也不敢轻易撒手，他又不肯好好的接着，闹了半天。他们平常总是站在黑影里，今天也是因为要辨认那细小的铅字，所以走到最亮的一盏灯底下，把两人的面目照得异常清楚，刚巧被有根看见了。不然有根这时候也不会来的，是他们店里派他去进货，他觑空就弯到这里来一趟，却没有想到小艾就站在马路上和一个青年在一起，有根在她身边走过，她都没有看见。

有根走进去，来到席家，他母亲照例陪着他在厨房里坐着，便把前天老爷被刺的事情详细的说给他听。有根一语不发的坐在那里，把头低着，俯着身子把两肘搁在膝盖上。过了一会，小艾进来了，他一看也不看她，反而把头低得更低了一点。

四十三

小艾因为心里高兴，所以一点也没注意到有根今天看见她一理也不理，有一点特别。她很快的走了过去，自上楼去了。有根突然向他母亲说道："怎么，小艾在外头轧朋友啊？"陶妈一时摸不着头脑，道："什么？"有根哼了一声道："一天到晚在一块儿，你都不知道。"陶妈便追问道："你怎么知道，你看见的呀？"有根气愤愤的没有回答，隔了一会，方才把他在街口看见的那一幕叙述了一遍。陶妈微笑道："要你管她那些闲事做什么。"沉吟了一会，又道："你看见那个人是什么样子？"有根恨道："你管他是个什么样子呢！——还叫我不要多管闲事！"

他走了以后，陶妈心里忖度着，想着倒也是一个机会，让她嫁了也好，不然有根再也不会死心的。她趁着做饭的时候便盘问小艾，说道："小艾，你也有这么大岁数了，你自己也要打打主意了。那个人可对你说过什么没有，可说要娶你呀？"小艾呆了一呆，方道："什么人？"陶妈笑道："你还当我不知道呢，不是有个男人常常跟你在外面说话吗？"小艾微笑道："哦，那是从前住在对过的，看见了随便说两句话，那有什么。"陶妈便做出十分关切的神气，道："外头坏人多，你可是得当心点。你可知道这人的底细？"小艾便道："这人倒不坏，他在印刷所里做事的。"陶妈眉花眼笑的说："那不是很好吗？你要是不好意思跟太太说，我就替你说去。这也是正经的事情。"小艾微笑着没有作声。她和金槐本来已经商量好了，金槐要她自己去对五太太说，现在陶妈忽然这样热心起来，她总有点疑心她是不怀好意，但是她真要去说，当然也没法拦她，也只好听其自然了。

四十四

　　陶妈当天就对五太太说了。五太太听了这话，半天没言语。其实五太太生平最赞成自由恋爱，不但赞成，而且鼓励，也是因为自己被旧式婚姻害苦了，所以对于下一代的青年总是希望他们"有情人都成眷属"。她的侄儿侄女和内侄们遇到有恋爱纠纷的时候，五太太虽然胆小，在不开罪他们父母的范围内，总是处于赞助的地位的。但是在她的心目中，总仿佛谈恋爱是少爷小姐们的事情，像那些仆役、大姐，那还是安分一点凭媒说合，要是也谈起恋爱来，那就近于轧姘头。尤其因为是小艾，五太太心里恨她，所以只要是与她有关的事情，都觉得有些憎恶。当下五太太默然半晌，方向陶妈说道："这时候她要走了，她这一份事没有人做了，你一个人怎么忙得过来。再要叫我添个人，我用不起！"陶妈笑道："不要紧的，我就多做一点好了，太太也用不着添人了。小艾也有这样大了，留得住她的人，你也留不住她的心！"陶妈既然是这样一力主张着，五太太也就不说什么了。依允了以后，却又放下脸子说道："可是你跟她说，是她自己愿意的，将来好歹我可不管呵！"

陶妈把这消息告诉小艾，说好容易劝得太太肯了。她又劝他们马上把事情办起来。金槐写信回去告诉他家里，他家里是没有什么问题的。他本来在一个朋友家里搭住，现在想法子筹了一点钱，便去租下一间房间，添置了一些家具，预备月底结婚。在结婚的前几天，他买了四色茶礼，到席家去了一趟，算是去见见五太太。他本来不愿意去的，因为实在恨他们家，但是一趟也不去，似乎也说不过去，他也不愿意叫小艾为难。而且他知道五太太一直病在床上，根本也不会下来见他的。结果由陶妈代表五太太，出来周旋了一会，小艾也出来了，大家在客厅里坐着，金槐没坐一会就走了。

四十五

这两天他们这里刚巧乱得很，因为六孙小姐回娘家来了。六孙小姐出嫁以后一直住在汉口，这次回来是因为听见景藩的噩耗，回上海来奔丧。这桩事情他们现在仍旧是瞒着五太太，寅少爷已经问过她娘家的兄嫂，他们一致主张不要告诉她，说她恐怕禁不起刺激。所以六孙小姐对五太太说，就不好说是来奔丧的，只好说是因为五太太病了，到上海来看她的。

五太太听她这样说，于感动之余，倒反而觉得伤心起来。向来一个后母与前头的女儿总是感情很坏的，她们当然也不例外，想不到这时候倒还是六孙小姐还惦记着她，千里迢迢的跑来看她，而她病到这样，景藩却一次也没有来看过她，相形之下，可见他对她真是比路人还不如了。她对着六孙小姐，也不说什么，只是流泪。六孙小姐只当她是想着她这病不会好了，不免劝慰了一番。

　　六孙小姐难得到上海来一次的，她住在五太太这里，便有许多亲戚到这里来探望她，所以这两天人来人往，陶妈一个人忙不过来，小艾就要出嫁了，自己不免也有些事情要料理，陶妈便想起那个辞歇了的刘妈。刘妈从这里出去以后，因为年纪相当大了，就也没有另外找事，跟着她儿子媳妇住着，吃一口闲饭，也有时候带着一只水壶，几只玻璃杯，坐在马路边上卖茶。陶妈便和五太太说了，把她叫了来帮几天忙。

四十六

　　有根自从上次生了气以后，好些天也没来，但是这一天晚上他又来了，刚巧刘妈一个人在厨房里冲热水瓶，见他来了，她冲着楼上喊了陶妈一声，告诉她她儿子来了。灶上有开水，刘妈顺手倒了杯茶给他，谈话中间，便把小艾就要出嫁的消息讲给他听。那天金槐到这里来，她也看见的，便絮絮的告诉有根他是怎样的一个人，又说他还那样周到，送了荔枝、桂圆、南枣、白糖四色茶礼。正好这两天他们这里常常来客，便把那桂圆、荔枝拿出来待客。陶妈听见说有根来了，下楼的时候就带了些下来，又想起南枣是最滋补的，便又包了一包南枣，拿到楼底下来。有根心里正是十分愤懑，他母亲却抓了一把桂圆、荔枝搁在他面前的桌子上，笑道："哪，你吃点。"又把一包枣子递到他手里，道："看你这一向瘦得这样，把这个带回去，每天晚上，上床的时候吃几个，补的。"有根接过来便向地下狠命一掼，道："我才不要吃呢！"马上站起身来就走了。刘妈在旁边倒怔住了，也没好说什么。陶妈也只嘟囔了一声："这东西！"此外也没有说什么。

　　那包南枣掼在地下，纸包震破了，枣子滚了一地，陶妈后来一只只拾了起来。第二天早上小艾扫地，却又扫出两只枣子来，她便笑道："咦，这儿怎么掉了两个枣子。"刘妈在灶上煮粥，忙回过头来向她摆了摆手，又四面张望了一下，方才轻声说道："昨天都把我吓一跳——有根也不知道为什么跟他妈闹别扭，他妈包了一包枣子叫他带回去吃，他一掼掼了一地。"小艾听了，她自然心里明白，一定是因为他知道是金槐送的礼，所以这样生气。她不免有些怅触，因为她对于有根，虽说是没有什么感情，总也有一种知己之感。

四十七

　　她后天就要结婚了。五太太早已和陶妈说过："叫她早一天住出去。不能让她在我家出嫁。"因为有这样一种忌讳，丫头嫁人，如果从主人家里直接嫁出去，有些主人就要不愿意，认为不吉利。所以小艾头一天就辞别了五太太，搬到刘妈家里去住着。刘妈自己在席家帮忙没有回来，第二天便由她的媳妇做了送亲的人。

　　小艾因为在那天住在那里打搅了他们，觉得很不过意，结了婚以后，过了些日子，便和金槐一同去看他们，五太太那里她却一直没有去过。后来刘妈有一次到五太太那里去拜年，就告诉陶妈听，说得花团锦簇，道："看不出小艾还有这点福气，她嫁的这男人真不坏，上回到我家里来，夫妻两个，小艾穿了件新旗袍，绒线衫，像人家少奶奶一样。说她婆婆也从乡下出来了，乡下苦，她年纪大了，也做不动，现在娶了媳妇了，所以出来跟他们一块儿过了。"

　　刘妈因为住得远，平日也难得到五太太那里去的。在这以后总有两年多了，陶妈有一天忽然又来找她，说五太太病势十分沉重，看样子就在这两天了，家里人手太少，所以又要叫刘妈去帮忙。当下刘妈就跟着她一同回去，来到席家，却见他们客室里坐满了人，也有五太太娘家的亲戚，席家这一边，三太太也来了，还有些侄儿侄女和侄媳妇，寅少爷是去年结的婚，和他少奶奶在旁边陪着。这两天他们天天来，五太太心里也还明白，看着这情形也猜着一定是医生说她就要死了，所以大家都来了。独有景藩，她病了这些年，他始终一次也没有来过，彼此夫妻一场，连这一点情分都没有，她就要死了，都不来看看她。

四十八

　　她也曾经问过寅少爷："你这两天看见你爸爸没有？"这句话本来她一直也不肯出口的，但是到了最后，终于还是说了。寅少爷回说："没看见，我没上那边去。"五太太自然也不好再说什么，但是她的心事寅少爷其实也知道。为这桩事情，他们家里这些人一直也在那里讨论着，究竟是不是应当告诉她。要是索性瞒到底，岂不使她抱恨终天，心里想她临死景藩都不来跟她见一面。但是现在这时候要是告诉她，突然受这样一个刺激，无异一道催命符。所以她娘家的人始终认为不妥。有她自己娘家人在场，她婆家这些人当然谁也不肯有什么切实的主张。寅少爷更是不肯负担这个责任，他要是赞成告诉，反而给人家说一句，因为是他的后母，到底隔一层了，所以他能够这样冷酷，置她的生命于不顾。

然而眼看着她这样痛苦，就又有人提起来说：或者还是告诉她吧？大家每天聚集在楼下客室里悄悄商议着，只是商量不出个所以然来。陶妈这天带着刘妈一同上楼，便皱着眉轻声和她说："他们真是的，其实明知道太太这病也不会好了，就告诉她有什么要紧呢，告诉了她还让她心里痛快一点。"到了楼上，刘妈进房去叫了一声"太太"。五太太躺在床上只是一声一声低低的哼着，眼睛似睁非睁，看那样子已经不认识人了。陶妈向她望着，不由得掉下泪来，掀起衣襟来擦了擦眼睛，便恨恨的向刘妈轻声道："再不告诉她来不及了！"刘妈怔了一会，便道："其实你就告诉她好了。"陶妈又踌躇了一下，便走到床前，刘妈站在门口望风，陶妈便俯下身去压低了喉咙连叫了几声"太太"，说道："老爷三年前头已经不在了，一直瞒着你的，不敢告诉你。"

四十九

五太太在枕上微侧着脸躺着，像她那样肥胖的人一旦消瘦下来，脸上的皮肉都松垂着，所以经常的有一种凄黯的神情。陶妈凑在她跟前向她望着，隔了一会，又喊了几声"太太"，见她的眼皮仿佛微微一动，陶妈便把刚才那几句话又重复了一遍，但是依旧看不出她有什么反应。到底也不知道她听见了没有。

陶妈直起身子来，和刘妈面面相觑了一会。房间里静静的。在这种阴阴的天气，虽然也并不十分冷，身上老是寒浸浸的，人在房间里就像在一个大水缸的缸底。陶妈给五太太把被窝牵了一牵，觉得这棉被不够厚，想拿出两件衣服来盖在脚头，便去开抽屉，一开抽屉，却看见五太太那只猫睡在里面，这猫现在老了，怕冷，常常跑到柜里去钻在衣服堆里睡着。陶妈轻轻的骂了一声，把它赶了出来，拿出衣服来抖了一抖，拍了拍灰，便给五太太盖在床上。

五太太的情形一直没有什么变化，拖到第二天晚上就死了。刘妈在他们家帮了几天忙，入殓以后就回去了，因为顺路，便弯到小艾那里去，想告诉她一声五太太死了。

小艾他们现在住着一间前楼阁，同时有半间客堂他们也可以使用的，所以上次刘妈来的时候便在客堂里坐着，没有上去。那是个石库门房子，这一天刘妈一推门进去，他们天井里晾着些青菜，大概预备腌的，小艾的婆婆蹲在地下，在那阳光中把青菜一棵棵的翻过来，刘妈笑着叫了声"冯老太"。冯老太一抬头看见她，忙点头招呼，笑道："玉珍病了。"刘妈道："怎么病啦？"冯老太道："是呀，有十几天了，也不知是不是害喜。"说着，便站起身来把客人往里让，又向阁楼上嚷了一声："刘大妈来了。"

五十

刘妈便道："我上去看看她去。"冯老太搬过一只竹梯倚在阁楼上，刘妈便从梯子上爬上去，冯老太在下面扶着梯子，仰着脸只管叫着"走好！走好！"小艾在上面也带笑连声招呼着"当心！当心头！"里面黑魆魆的像个船舱似的，刘妈弯着腰进了门，进了门也仍旧直不起腰来。小艾忙把电灯捻开了，让她在对面一张床上坐下。刘妈问候她的病，问她是不是有喜了。小艾仿佛有点难为情，但是刘妈听她说的那个病情，倒也不像是有喜，说是不能起床，一起来就腰酸头晕。其实小艾自己也疑心，这恐怕还是从前小产后留下的毛病，不过她当然不会对她婆婆说这些，这时候她婆婆虽然不在跟前，她也很怕刘妈会提起从前的事情，忙岔开来说了些别的话。刘妈便告诉她五太太去世的消息。小艾听了，也觉得有些怆然。虽然五太太过去待她并不好，她总觉得五太太其实也很可怜。

刘妈坐到她床上来，喊喊喳喳告诉她五太太临终的情景。小艾的床前搁着一双鞋，刘妈坐过来的时候一脚踩在上面，便拿起来掸了掸灰，笑道："哟！你自己做的呀？越来越能干了！"那是一双青布绊带鞋，却仿照着当时流行的皮鞋式样，鞋底分三层，一层青布包的，上面衬着一层红布包的，又是一层淡灰色的。这双鞋，她自己很是得意。

她自从出嫁以后，另是一番天地了，她仿佛新发现了这个世界似的，一切事物都觉得非常有兴味。她现在做菜也做得不坏，不过因为对于一切都有试验的兴趣，常常弄出很奇异的配搭，譬如洋山芋切丝炒黄豆芽。金槐起初也有点吃不惯，还是喜欢他母亲做的菜，但是冯老太因为有脚气病，在灶前站久了就要脚肿。

五十一

他们这阁楼的板壁上挖了一个相当大的方洞，从这窗户里可以看见下面的客堂。刘妈偶一回头，向下面看了看，便笑道："你们金槐回来了。"金槐端了一张长板凳坐在他母亲斜对面，两人在那里说话，脸色都很沉郁。隔了一会，金槐便上来了，刘妈直让他坐，在这低矮的屋顶下，不坐也是不行。他在对面的一张床上坐了下来，便微笑着问小艾："你今天怎么样？可好了点没有？"小艾笑道："还是那样。"金槐微皱着眉毛向她脸上望去，他坐在那里，身子向前探着一点，两肘架在腿上，十指交挽着，显出那一种焦虑的样子。小艾倒觉得有点窘，心里想他今天怎么回事，当着人就是这样。金槐默然地坐了一会，便又下楼去了。他一走，刘妈便取笑小艾道："你看金槐待你多好，为你的病他那么着急。"小艾只是笑。刘妈又坐了一会，便说要走了，小艾也没有十分挽留，她并不怎么欢迎刘妈常来，因为刘妈虽然人还不坏，但是有点快嘴，来得多了，说话中间不免要把她的底细都泄露出来，小艾很不愿意她同住的这些人知道她的出身，因为一般人对婢女总有点看不起的，而她是一个最要强的人。

刘妈从梯子上下去的时候却有点害怕，先上来的时候还不很费事，现在站在门口低头一看，那条梯子笔直的下去，简直没法下脚，只得一坐坐在门槛上，然后一步一步的往下挨。冯老太在下面搀扶着她，到了地面上，便又笑着替她在背后拍打了两下，原来刚才那一坐，裤子上坐了一大块黑迹子。刘妈也笑了起来，自己也拍打了一阵子，便告辞出门，冯老太母子都送了出去。

五十二

　　刘妈走了，冯老太便弯腰把地下晾着的青菜拾起来，却叹了口气，道："早晓得少腌点菜了——又不能带走。"金槐道："送给别人腌好了。"说着，便转身进去，匆匆的跑到阁楼上，向小艾说道："我们那印刷所要搬到香港去了，工人要是愿意跟着去，就在这两天里头就要动身。"小艾嗳呀一声，在枕上撑起半身向他望着。金槐是很兴奋，自从上海成了孤岛，虽然许多人还存着苟安的心理，有志气些的人都到内地去了，金槐也未尝不想去，不过在他的地位，当然是不可能。到香港去，那边的环境总比这里要好些。

　　他又微笑道："刚才我跟妈商量好了，你跟我一块儿去，她回乡下去。不过我看你这样子好像不能走，怎么办呢？"小艾怔了一会，便道："我想不要紧的，又不是什么大病。"金槐向她望着，半天没有作声，然后说道："我看你还是不要硬撑着，路上一定要辛苦点的。还是我先去，你随后再来吧。"小艾自己忖度了一下，只得笑道："那也好，我一好了就来。"金槐道："只好这样了。"他坐在她对面，把她床前的一双鞋踢着玩，踢成八字脚的式样，又给它并在一起。两人都默然，过了一会，金槐又道："听见说香港的房子难找，我先去找好了地方也好。"

　　他们商量着什么东西应当带去，金槐说棉衣服可以用不着带，香港天气热。小艾叫他把一只热水瓶带去，金槐道："等你来的时候再带来好了，这两天你们还要用呢。"又笑道："你一个人跑到那里，又不会说广东话，等会给人拐去卖掉了。"小艾笑道："我又不是个小孩子了!"

两人表面上只管说说笑笑的,心里却有点发慌。小艾拥着一床大红碎花布面棉被躺在那里,那黄色的电灯光从上面照射下来,在船舱似的阁楼上,大家心里都说不出来是一种什么感想,大概就是浮生若梦的感觉了。

五十三

在金槐动身前的那天晚上,箱子、网篮、包袱都理好了。他忽然想起来,又把桌子上的抽屉抽出来,把里面的东西一阵子乱翻乱掀。冯老太在旁边看着,便道:"你在那儿找什么?"金槐只含糊的应了一声:"我看看可还有什么东西要带去的。"等冯老太走开了,金槐便问小艾:"那张照片呢?"他们很少拍照的,小艾除了他们结婚的时候合拍的一张便装照,也没有什么别的照片。这一天他问起来,小艾便笑道:"那张照片我送人了。"金槐便有点不大高兴,咕噜了一声,道:"只剩那一张了怎么也给人了。"后来冯老太把他的手绢子全都洗干净了,烘干了拿来给他收在箱子里。金槐打开箱子,箱子盖里面有一个夹袋,他把一叠手帕向里面一塞,里面除了一把新牙刷,还有一样东西,摸着冰冷的,扁平而光滑的,是一张硬纸片,这用不着看,也就知道是什么了。他把那张照片抽出一半来看了,便望着小艾笑了一笑,小艾横了他一眼,然后也笑了。

这一天夜里,金槐三点多钟就起来了。他知道他母亲和小艾也是刚睡着没有一会,所以也不愿意惊醒她们,轻轻的开了灯,把小件的行李先拎了两样,从梯子上下去,就在厨房里盥洗了一下,再上来拿箱子。略有点响动，小艾便惊醒了，挣扎着要坐起来披衣下床，金槐忙按住她道："你不要起来了。"她还有点睡眼朦胧，只觉得他的脸很冷，有一股清冷的牙膏气味。然后他就走了。她听见他一路下去，后门砰的一声关上了。随着那一声"砰！"便有一阵子寂寞像潮水似的涌了进来。那寂静几乎是哗哗的冲进来，淹没了这房间。桌上的钟滴答滴答走着，也显得特别的响。

五十四

金槐到香港去了以后，不久就有信来，说那边房子已经找好了，月底又汇了点钱来。这里小艾也托楼下住的一个孙先生给写了回信去，又写了封信给乡下的兄嫂，叫金槐的哥哥出来一趟，把母亲接回去。一切布置就绪，小艾的病却是老不见好，心里非常着急。冯老太也说是看这样子大概是病不是喜。他们这附近有一家国药店，店里有一个医生常驻在那里，诊金比较便宜，小艾便去看了一趟，吃了两帖药，也不甚见效。她那大伯冯金福倒已经来了。小艾结婚后一直也没有回乡下去过，所以还是第一次见面。

金福来了少不得总有一两天的耽搁，也没有地方住，只得在楼下客堂里搭了个铺。他们这客堂后面拦掉一半，作为另一个房间租了出去，前面却把一排槅扇全都拆了，扩展到天井里，占去半个天井，所以名为客堂，倒有一半是露天的，夜里风飕飕的，睡在那里十分寒冷。

金福有好些年没到上海来过了，他来的第二天，早上起来吃了碗泡饭，便说要到外面去蹓蹓。出去没有一会，却退回来了，说外面乱得很，马路上走不通，冯老太正笑他不中用，小艾躺在床上，却说："妈，你听，今天外头怎么这样闹嚷嚷的。"

住在客堂后面的孙先生在一个洋行里做式老夫的，每天早上按时出去上班，这时候也退了回来，带来了惊人的消息，说日本兵开进租界了，外面人心惶惶，乱得一塌糊涂。

五十五

这一天大家都关着门守在家里，没有出去。孙先生到隔壁去借打电话，起初一直打不通，因为电话太忙碌。直到晚饭后方才接通了，也听到了一些消息，说日本人同日进攻香港，孙先生回来一说，小艾听见说香港已经打起来了，面上也还不肯露出十分着急的样子，反而用话去宽慰冯老太。虽说金槐在香港是举目无亲，单身一个人陷在那里，但是他们印刷所里这次去了那么许多职工，大家缓急之间总也有个照应。而且香港那么大地方，那么许多人呢，不见得单是他就会遇到危险。说是这样说，急也还是一样的急。小艾别的不懊悔，只恨她自己没有跟他一同去，就是死也死在一起。

十天以后，报上登出香港陷落的消息，至少那边的战事已经结束了。但是一个月两个月的过去，上海香港之间一直信息不通，依旧生死莫卜。小艾他们这时候一点进项也没有，稍微有一点积蓄，也快用完了。金福还住在他们这里，起初是因为路上不好走，他也没法回原籍去，所以凭空又添上一个人坐吃。金福住在这里，心里也非常不安，因此也急于要回去。忽然有一天，他的三弟金桃也到上海来了，说金福幸而不在家乡，这一向乡下抽壮丁，捉人捉得非常厉害，他还是逃出来的。金福听见这话，也只得死心塌地的住了下来。反而又添了一个人吃饭。他们兄弟俩四处托人找事，急切间哪里找得到事情。

小艾病了这些时，现在渐渐的能够起床了，就也想出去找事。像她这样的人出去做事，通常的出路是帮佣，但是她非常不愿意，她觉得那种劳役的生活她已经过够了，事情重一点倒没有关系，她就是不愿意看人家的脸子。她想到工厂里做工，但是没有门路，也进不去。

五十六

金桃倒有了着落，由他表哥介绍到一个火炉店去学生意。这时候他们家里实在维持不下去了，小艾急得没有办法，刚巧楼底下孙先生有一个朋友家里要添一个女佣，孙家就把她荐了去。这家人家姓吴，男主人本来是孙先生的同事，不过是洋行里的一个式老夫，也还是最近方才跳出去自立门户，几个人合伙开了个公司，因为他会说几句日本话，便勾结了日本人，小小的做些非法的生意。孙先生看着眼热，又有些气不服，所以把这些事情全部都给他说了出来，慨叹着说他自己是不肯做这种事情，不然也发财了。

小艾到了吴家，他们那里已经用了个烧饭娘姨，她就管洗衣服打杂兼带孩子。那吴太太是个中年妇人，一张焦黄的尖削面庞，脸上那样瘦，身上却相当的胖，圆滚滚的身子，穿着件金晃晃的织锦缎旗袍。她有个脾气，不肯让佣人有一刻工夫闲着，否则就觉得自己花这些钱雇这么个人有点冤枉。因此只要看见人家在那里歇着，暂时没做什么，她没事也要想出些事来给人做。每天吃剩下的鸡鱼鸭肉，她宁可倒了也不给佣人吃，说道："给他们吃惯了荤的，哪天要是没有荤菜吃就要叽咕了！索性一年到头给他们吃素，倒也一声不响。"有时候骂烧饭的这碗菜做得不好，拿起来就往痰盂里一倒，道："当是烧坏了就给你们吃了？偏不给你吃！"小艾就最受不了这种叱骂的声口，那仿佛是另一个世界的回声，她以为是永别了的一个世界。但是她也只能忍耐着，这里的工钱虽然也不大，常常有人来打麻将，所以外快很多。

她又把金福荐给他们，在吴先生的行里做出店。金福很认识几个字。

五十七

金福有了职业以后，也寄了点钱回家去，但是此后没有多少时候，他的老婆就拖儿带女找到上海来了。也还是因为乡下抽壮丁，他们家的男丁全跑光了，不出人就得出钱，保甲长藉端敲诈，金福的老婆被逼得没有办法，想着金福在上海也有了事情，便带着几个孩子和他们最小的一个弟弟一同到上海来了。当然仍旧是住在小艾这里，好在小艾现在出去帮佣，不住在家里，所以金福也可以不用避什么嫌疑，便和他的老婆孩子一齐都住到阁楼上去。

小艾有时候回家来看看，仿佛形成了鹊巢鸠占的局面。但是她觉得这也是应当的，她因为她自己娘家没有人，一向把金槐家里的人当作她的至亲骨肉看待。同时她总忘不了她从前是个丫头，人家总说大户人家出来的丫头往往好吃懒做，不会过日子，她倒偏要争口气，所以一向非常刻苦，总想人家说她一声贤惠。她现在每月的收入自己很少动用，总是拿到家里来。不但冯老太靠她养活，就连金福夫妇也全仗她接济，金福的收入有限，又有那么一大群儿女嗷嗷待哺，也实在是不够用。最小的一个小叔金海已经送到一爿皮鞋店里做学徒去了，两个小叔都在店里学生意，虽然管吃管住，衣裳鞋袜还是要自己负担，又要小艾拿出钱来。她有时候也有一点怨，但是每逢看到他们总觉得十分亲切。尤其是现在，香港陷落了已经快四个月了，金槐至今还没有信来，她渐渐的感到凄凉恐怖和绝望，在这种时候，偶尔抽空回去一趟，虽然家里这些人也并不能给她什么安慰，她只要听见他们一家老小叽哩喳啦用他们的家乡口音说着话，不由得就有一种温暖之感，也不知为什么缘故，心里仿佛踏实了许多。

有一天晚饭后，金福忽然到吴家来找小艾，很兴奋的说："金槐有信来了！今天早上到的，他们也不晓得，等我回去才看见。"说着便从衣袋里取出那封信来，念给她听。上写着：

"玉珍贤妻：吾现已平安到抵贵阳，可勿必罣念。在香港战事发生后，吾们虽然饱受惊恐，幸而倒没有受伤。惟印刷所工作停顿，老板复避不见面，拒绝援助，以致同人们告贷无门，流落他乡。去冬港地天气反常奇冷，棉衣未带，饥寒交迫。吾们后来决定冒着艰险步行赴内地，现已到抵贵阳，在此业已找到工作，暂可餬口。现在别的没有什么，只是不放心你们在上海，不知何日再能团聚。而且家中生活无着。不知你病好了没有？你的身体也不好，但吾母亲与家里人仍须赖你照应。书不尽言，夫金槐白。"

小艾听到后来，不觉心头一阵辛酸，两行热泪直流下来。她本来想马上就写回信，就请金福代笔，可是这封信她倒有点不愿意叫他写，另外去找了个测字先生写了。其实里面也没有什么话，不过把家中的近况详细告诉他，无非叫他放心的意思。她现在也略微认识几个字了，信写好了，自己拿着看看，不是自己写的，总觉得隔着一层。她忽然想起来从前他给她的"冯玉珍"三颗铅字，可以当作一个图章盖一个在信尾。他看见了一定要微笑，他根本不知道那东西她一直还留着。

次日下午，她趁着吴太太出去打牌，就溜回家去拿那铅字。冯老太见她来了，便说起金槐来信的事，因道："这金槐也是的，跑到那地方去——不是越走越远了吗？"小艾也没有替他辩护，心里想说了她也不懂。

五十八

她那铅字是包了个小纸包，放在一只旧牙粉盒里，盒面上印着一只五彩的大蝴蝶。她记得就在抽屉里的一角，但是找来找去找不到。冯老太问道："你在抽屉里找什么？"小艾道："我有个牙粉盒子装着点东西，找不到了。"冯老太道："那天我看见阿毛拿着个牙粉盒子在玩的，一定给她拖不见了。"阿毛是金福的大女儿。当下小艾便没有说什么，心里想要是查问起来，她嫂嫂要多心了，而且东西到了小孩手里，一定也没有了，问也是白问。但是她为这一桩小事，心里却是十分气恼，又觉得悲哀。同时又注意到桌上搁着一只双耳小钢精锅子，是她借给他们用的，已经敲瘪了两块。

家里有小孩，东西总是容易损坏些。金福夫妇带着几个孩子在这里一住两三年，家具渐渐的都变成缺胳膊少腿的。这还没有什么，小艾有一次回来，看见她的一面腰圆镜子也砸破了，用一根红绒绳缚起来，勉强使用着，镜面上横切着一道裂痕。小艾看了，心里十分气苦。金槐到内地去已经有两三年了，起初倒不断的有信来，似乎他在那边生活也非常困苦，一度到重庆去过，后来因为失业，又飘流到湖南，在湖南一个小印刷所工作过一个时期。今年却一直没有信来，也不知道为什么。她打听别人，也有人说是长久没有收到"里边"来的信了。

她有一个小姊妹名叫盛阿秀，住在他们隔壁，这一天阿秀听见说她回来了，便走过来找她谈天。只有她们两人在阁楼上，那阿秀是个爽快的人，心里搁不住事，就告诉小艾听她的丈夫怎样负心，她丈夫也是到内地去了，听说在那边已经另外有了人。她诉说了半天，忽然想起来问小艾："你们金槐可有信来？"小艾苦笑道："没有，差不多一年没有信了。听见人家说，现在信不通。"阿秀道："哪里！昨天我还听见一个人说接到重庆他一个亲戚的信。"小艾听了这话，不由得心里震了一震。

五十九

阿秀也默然了。过了一会，方道："听他们说，到重庆去的这些人，差不多个个都另外讨了女人。黑良心，把我们丢在这里，就打算不要了。我就不伏这口气——我们不会另找男人呀？他们男人可以我们女人不可以呀？老实说，现在这种世界，也无所谓的！"她胀红了脸，说话声音很大，小艾听她那口气，仿佛她也另外有了对象了。

她们这样在阁楼上面谈话，可以听见金福的老婆在楼下纳鞋底，一针一针把那麻线戛戛的抽出来，这时候那戛戛的声音却突然的停止了，一定是在那里竖着耳朵听她们说话。等会一定要去告诉冯老太去了。冯老太的脾气，也像有一种老年人一样，常常对小艾诉说大媳妇怎么怎么不好，但是照样也会对大媳妇说她不好的。小艾可以想像她们在背后会怎样议论她，一定说是阿秀在那里劝她，叫她把心思放活动一点。本来像她这样住在外面，要结识个把男朋友也很便当的。也说不定她们竟会疑心她有点靠不住。她突然觉得非常厌烦。她辛辛苦苦赚了钱来养活这批人，只是让他们侦察她的行动，将来金槐回来了，好在他面前搬是非造谣言吗？她倒变成像从前的寡妇一样了，处处要避嫌疑，动不动要怕人家说闲话。她有时候气起来，恨不得撇下他们不管了，自己一个人到内地去找金槐去。但是他的母亲是他托付给她的，怎么能不管呢？所以想想还是忍耐下去了，只是心里渐渐觉得非常疲倦。

　　她在那吴家做事，吴家现在更发财了，新买了部三轮车。有一天他们的三轮车夫在厨房里坐着，有客人来了，一男一女，在后门口递了张名片给他，他拿着进去，因见小艾在客堂里擦玻璃窗，便把名片交给她拿上去。小艾把那张"陶攸赓"的名片送上楼去，吴先生马上就下来了，把客人让到客堂里坐着。小艾随即倒了茶送进去，还没有踏进房门，便听见里面有一个人说话的声音有点耳熟。

六十

　　她再往前走一步，一眼便看见沙发上坐着一个胖胖的西装男子——是有根。不过比从前胖多了，脸庞四周大出一圈来，眉目间倒显得挤窄了些，乍一看见几乎不认识了。小艾捧着一只托盘，站在门口呆住了。自从她出嫁以后，一直也没有听到有根的消息，原来他发财了。有根虽然是迎面坐着，他正在那里说话，却并没有看见她，小艾的第一个冲动便是想退回去，到厨房里去叫他们家里车夫把茶送进去。正这样想着，一回头，却看见吴太太从楼梯上走下来，吴太太换了件衣服，也下来招待客人了。这里小艾端着个茶盘拦门站着，势不能再踟蹰不前了，只得硬着头皮走进客厅。吴太太也进来了，大家只顾应酬吴太太，对于这女佣并没有怎样加以注意。小艾便悄悄的绕到沙发背后，把一杯茶搁在有根的茶几上，他同来的还有一个艳装的年轻女人，也搁了杯茶在她旁边。吴先生敬他们香烟，有根却笑道："哦，我这儿有我这儿有！我的喉咙有点毛病，吃惯了这个牌子的，吃别的牌子的就喉咙疼。"一面说着，已经一伸手掏出一只赤金香烟盒子，打开来让吴先生抽他的。

吴太太笑道："把衣裳宽一宽吧。"两个客人站起来脱大衣，小艾拎着个空盘子正想走出去，吴太太却回过脸来向她咕哝了一声："大衣挂起来。"小艾只得上前接着，有根把大衣交到她手里的时候，不免向她看了看，顿时脸上呆了一呆，又连看了她几眼，虽然并没有和她招呼，却也有点笑意。但是在小艾的眼光中，这微笑就像是带着几分讥笑的意味。她板着个脸，漠然的接过两件大衣，挂在屋角的一只衣架上，便走了出去，自上楼去了。她到楼上去洗衣服，就一直没有下来。半晌，忽然听见吴太太在那里喊："冯妈，来谢谢陶太太！"想必是有根的女人临走丢下了赏钱。小艾装作没听见，也没下去。后来在窗口看见有根和那女人上了三轮车走了，她方才下楼。吴太太怒道："喊你也不来，人家给钱，都没有人谢一声！"小艾道："刚才宝宝醒了，我在那儿替他换尿布，走不开。"

六十一

吴太太把桌上几张钞票一推，道："哪，拿去。你跟赵妈一人一半。"这钱小艾实在是不想拿，但是不拿似乎又显着有点奇怪。只得伸过手去，那钞票一拿到手里，仿佛浑身都有一种异样的感觉。

她听他们正在那里谈论刚才两个客人，吴先生说几时要请他们来打牌，吴太太却嫌这一个陶太太不是正式的，有点不愿意。小艾听他们说起来，大概有根是跑单帮发财的。她心里却有点百感交集，想不到有根会有今天的一天。想想真是不服，金槐哪一点不如他。同时又想着："金槐就是傻，总是说爱国，爱国，这国家有什么好处到我们穷人身上。一辈子吃苦挨饿，你要是循规蹈矩，永远也没有出头之日。火起来我也去跑单帮做生意，谁知道呢，说不定照样也会发财。人生一世，草生一秋，我也过几天松心日子。"

她下了个决心，次日一早便溜出去找盛阿秀商量，阿秀有两个小姊妹就是跑单帮的。小艾把一副金耳环兑了，办了点货，一面进行着这桩事情，一面就向吴家辞工，只说要回乡下去了。她家里的人对于这事却不大赞成，金福屡次和冯老太说，其实还是帮佣好，出去跑单帮，一去就是许多日子不回来，而且男女混杂，不是青年妇女能做的事情。但是小艾总相信一个人只要自己行得正，立得正，而且她在外面混了这几年，也磨练出来了，谁也不要想占她的便宜。然而现在这时候出门去，旅途上那种混乱的情形她实在是不能想像，一个女单帮只要相貌长得好些，简直到处都是一重重的关口，单是那些无恶不作的"黑帽子"就很难应付。小艾跑了两次单帮，觉得实在干不下去了，便又改行背米。运气好的时候，背一次倒也可以赚不少钱。身体却有些支持不住了，本来有那病根在那里，辛劳过度，就要发作起来。

六十二

有一天金福的女儿阿毛正蹲在天井里，用一把旧铁匙子在那里做煤球，忽然听见哄通一声响，有什么东西撞在大门上，她赶出去一看，却是小艾回来了，不知怎么晕倒在大门口，背的一袋米甩出去几尺远。阿毛便叫起来，大家都出来了，七手八脚把她抬进去。

冯老太看她这次的病，来势非轻，心里有些着慌，也主张请个医生看看。次日便由她嫂嫂陪着她到一个医院里去，这医院里门诊的病人非常多，挂号要排班，排得非常的长，内科外科分好几处，看妇科也不知道应当排在哪里。金福的老婆见有一个看护走过，便陪着笑脸走上去问她，还没开口，先叫了声"小姐"，一句话一个"小姐"。那看护寒着脸向她身上穿着打量了一下，略指了指，道："站在那边。"便走开了。小艾在旁边看着，心里非常起反感。排了班挂号以后，又排了班候诊，大家挤在一间空气混浊的大房门里，等了好几个钟头。小艾简直撑不住了，一阵阵的眼前发黑，一面还在那里默默背诵着她的病情，好像预备考试一样，惟恐见到医生的时候有什么话忘了说，错过了那一刻千金的机会。后来终于轮到她了，她把准备下的话背了一遍，那医生什么也没说，就开了张方子，叫她吃了这药，三天后再来看。

她那天到医院去大概累了一下，病势倒又重了几分。把那药水买了一瓶来吃着，也没有什么效验，当然也就没去复诊了。

庆祝胜利的爆竹她也是在枕上听着的。胜利后不到半个月，金槐便有信来了，说他有一年多没有收到家信了，听见人家说是信不通，他非常惦记不知道家里的情形怎么样。现在的船票非常难买，他一买到船票就要回来了。

阿秀有一天来探病，小艾因为阿秀曾经怀疑过金槐或者在那边也有了女人，现在她把金槐这封信拿出来给阿秀看，不免流露出一丝得意的神情。但是后来说说又伤心起来，道："我这病恐怕也不会好了，不过无论怎样我总要等他回来，跟他见一面再死。"说着便哭了。阿秀道："年纪轻轻的，怎么说这种话。你哪儿就会死了，多养息养息就好了。"

六十三

小艾再也没想到，这船票这样难买，金槐在重庆足足等了一年工夫，这最后的一年最是等得人心焦，因为觉得冤枉。金槐回来的那天，是在一个晚上，在那昏黄的电灯光下，真是恍如梦寐。金槐身上穿着的也还是他穿去的衣裳，已经褴褛不堪，显得十分狼狈。冯老太看他瘦得那样子，这一天因为时间已晚，也来不及买什么吃的，预备第二天好好的做两样菜给他吃。次日一早，便和金福的老婆一同上街买菜。

自从小艾病倒以后，家中更是度日艰难，有饭吃已经算好的了，平常不是榨菜，就是咸菜下饭，这一天，却做了一大碗红烧肉，又炖了一锅汤。金槐这一天上午到他表弟那里去，他们留他吃饭，他就没有回来吃午饭。家里烧的菜就预备留到晚上吃，因为天气热，搁在一个通风的地方，又怕孩子们跑来跑去打碎了碗，冯老太不放心，把两碗菜搬到柜顶上去，又怕闷馊了，又去拿下来，一会儿搁到东，一会儿搁到西。小艾躺在床上笑道："闻着倒挺香的。"冯老太笑道："真是人逢喜事精神爽，你胃口也开了，横是就要好了。你今天也起来，下去吃一点吧。"

金桃金海也来了，今天晚上这一顿饭仿佛有一种团圆饭的意义，小艾便也支撑着爬起来，把头发梳一梳通，下楼来预备在饭桌上坐一会。金福几个小孩早在下首团团坐定，冯老太端上菜来，便向孩子们笑道："不要看见肉就拚命的抢，现在我们都吃成'素肚子'了，等会吃不惯肉要拉稀的。"正说着，忽然好像听见头顶上簌的一声，接着便是轻轻的"叭"一响，原来他们这天花板上的石灰常常大片大片的往下掉，刚巧这时候便有一大块石灰落下来，正落到菜碗里。大家一时都呆住了。静默了一会之后，金槐第一个笑了起来，大家都笑了。就中只有小艾笑得最响，因为她今天实在太高兴了，无论怎么样，金槐到底是回来了。

六十四

金槐一回来就找事，没有几天，便到一个小印刷所去工作。小艾的病他看着很着急，一定逼着她要好好的找个医生看看。这一天他特为请了假陪她去，医生给她检查了一下，说是子宫炎，不但生育无望，而且有生命的危险，应当开刀，把子宫拿掉。开刀自然是需要一大笔钱。两人听了，都像轰雷击顶一样。还想多问两句，看护已经把另一个病人引了进来，分明是一种逐客的意思，只得站起身来走出去了。

回到家里，小艾在阁楼上躺着，大家在楼下吃晚饭，金槐一个人先吃完，便到阁楼上去，拿热水瓶倒了杯开水喝，一面就在她对面坐下，捧着杯子，将手指甲敲着玻璃杯，的的作声。半晌，方才自言自语道："这怎么办呢，开刀费要这么许多，到哪儿去想办法呢？"小艾翻过身来望着他说道："你不要愁了，我也不想开刀。"金槐怔了怔，因道："你不要害怕，许多人开刀，一点也没有什么危险的。"小艾道："我不是怕。我不愿意开刀。"金槐道："为什么呢？"问了这样一声以后，自己也就明白过来了，她一定是想着，要是把子宫拿掉，那是绝对没有生育的希望了，像这样拖延下去，将来病要是好些，说不定还可以有小孩子。他便又说道："还是自己身体要紧，医生不是说不开刀很危险的？"

小艾没有回答。金槐心里也想着，这时候跟她辩些什么，反正也没有钱开刀，仿佛辩论得有些无谓，便没有再说下去了。因见她脸色很凄楚的样子，便坐到她床沿上去，想安慰她两句。他一坐坐在她一条手绢子上，便随手拣起来，预备向她枕边一抛，不料那手绢子一拿起来，竟是湿淋淋的，冰凉的一团。想必刚才她一个人在楼上哭，已经哭了很久的时间了。

他默然了一会，便道："你不要还是想不开。有小孩子没小孩子我一点也不在乎。只要你身体好。"小艾一翻身朝里睡着，半晌没有作声。许久，方才哽咽着说道："不是，我不是别的，我只恨我自己生了这病，你本来已经够苦的了，我这样不死不活的，一点事也不能做，更把你拖累死了。"金槐伸过手去抚摸她的头发，道："你不要这样想。"只说了这样一句，听见外面梯子格吱格吱响着，有人上楼来了，就也没说什么了。

自从金槐回来以后，金福的老婆因为叔嫂关系，要避一点嫌疑，不好再住在阁楼上，便带着孩子们回乡下去了。金福这时候仍旧在吴先生行里做出店，便和吴先生商量，晚上就住在写字间里。金槐这里只剩下冯老太和他们夫妻两个，顿时觉得耳目一清。金福的几个孩子在这里的时候，一天到晚儿啼女哭，小艾生病躺在床上，病人最怕烦了，不免嫌他们讨厌，但是这时候他们走了，不知为什么倒又有点想念他们。现在家里一共这两个人，倒又老的老、病的病，金槐晚上回来，也觉得家里冷清清的。金槐虽然说是没小孩子他一点也不介意，但是她知道他也和她一样，很想有个孩子。人到中年，总不免有这种心情。

六十五

楼下孙家有一个小女孩子很是活泼可爱，金槐总喜欢逗着她玩，后来小艾和他说："你不要去惹她，她娘非常势利，看不起我们这些人的。"金槐听了这话，就也留了个神，不大去逗那孩子玩了。有一天他回家来，却又笑着告诉小艾："刚才在外头碰见孙家那孩子，弄堂里有个狗，她吓得不敢走过来。我叫她不要怕，我拉着她一起走，我说你看，它是不咬你么，她说：刚才我要走过来，它在那儿对我喊。"他觉得非常发噱，她说那狗对她"喊"，告诉了小艾，又去告诉冯老太。又有一次他回来，又告诉她们一个笑话，他们弄堂口有个擦皮鞋摊子，那擦皮鞋的看见孙家那孩子跑过，跟她闹着玩，问她鞋子要擦吧，她把脖子一扭，脸一扬，说："棉鞋怎么好擦呢？"金槐仿佛认为她对答得非常聪明。小艾看他那样子，心里却是很怅惘，她因为自己不能生小孩，总觉得对不起他。

她一直病在床上，让她婆婆伺候着，心里也觉得不安，而且冯老太有脚气病，也不大能多走动，这一向小艾仿佛好了些，便照常起床操作。阿秀有一天来看她，阿秀的丈夫已经从内地回来了，把另一个女人也带到上海来，阿秀便和他离了婚，正式跟了她相与的那个男人。阿秀把她离婚的经过演述了一遍，然而她今天的来意，却是因为惦记着小艾的病，她听见说现在某处有个"小老爷"治病非常灵，劝小艾去求个方子，没晓得她已经好了。小艾听她说那"小老爷"怎样怎样灵，心里却也一动，暗想她这病要是能够治得除了根，或者可以有小孩子。从前有一次，楼上二房东家里有人生病，把一个看香头的女人请了来，小艾在旁边看着她作法。至少这种人不像医生那样的给她自卑感。这些人都是骗取穷人的血汗钱骗取惯了的，再小的数目他们也并不轻视，倒不像一般医生，给穷人看病总像是施舍，一副施主的面孔。

六十六

那天晚上金槐回来，她就没有告诉他阿秀劝她到那地方去看病的话，因为她知道他一定是不赞成的。后来冯老太却当作一件新闻似的告诉了他，说有个什么"小老爷"，是一个夭折的小孩，死后成了"仙"，给人治病非常灵验，阿秀介绍小艾也去看。金槐听了很生气，说那些都是迷信骗钱的把戏。他倒是主张小艾另外去找个医生看看，因为上次那医生说她不开刀非常危险，现在倒好了些了，似乎那医生的诊断也不是一定正确。但是小艾非常不愿意找医生，而且病既然好些了，当然也不必去看了，家里也没有富裕的钱，所以说说也就作罢了。

　　小艾用钱虽然省俭，也常常喜欢省下钱来买一点不必要的东西。有时候到小菜场去，看见卖栀子花的，认为便宜，就带两枝回来插在玻璃杯里，有时候又去买两朵白兰花来掖在鬓发里面。又有一次她听见邻居在那里纷纷谈论筱丹桂自杀的事，说是被一个流氓逼死的，丢下多少箱衣服首饰，多少根金条。她很想看看筱丹桂生前是什么样子，走过报摊，便翻翻看报上可有筱丹桂的照片，买一张来看看。那报贩随便拿了一张报纸给她，指指上面一个漂亮女人的照片说是筱丹桂，她便买了回来，后来才知道并不是的。她对于绍兴戏不大熟悉，比较更爱看申曲，因为申曲比较接近金槐他们的乡音，句句都可以听得懂。她自从到他们家里来，口音也跟他们同化了。

　　她到阿秀家里去回看她，碰见从前一块儿背米的一个女人，大家叫她陈家浜阿姐。她大着个肚子，说："真是讨厌，家里已经有了四个，再养下来真养不活了，这一个我预备把他送掉了。"小艾道："那总舍不得吧？"陈家浜阿姐道："真的，我真在那儿打听，有谁家要，养下来就给抱了去了，比跟着我饿死的好。"

　　她有事先走了，小艾便向阿秀仔细打听她家里的情形，从前一同背米只晓得她人很好，却连她的姓名都不清楚。听阿秀说，她家里也是很好的人家，不过苦一点。小艾沉吟了一会，便道："她那孩子要是真想给人，不如就给我吧。我可也没有钱，不过我自己也没有小孩子，总不会待错他的。"阿秀笑道："要是给你，大家都是知道的，她更可以放心了。"又道："要不你还是等她养下来再说。我劝你要领还是领个女的，明天你自己再养个儿子。"小艾只是苦笑，也没有说什么。

六十七

阿秀答应就去跟那陈家浜阿姐说，她大概就在这个月里也就要生产了。小艾回到家里，和家里的人说了，金槐没有什么意见，他心里想领一个小孩也好，免得她老惦记着，成了一桩心事。冯老太却很不以为然，当面没好说什么，背后就跟金槐叨叨："其实你哥哥这么些小孩子，你们就领他一个不好吗，又要到外头去领一个干什么？"说了不止一次了，金槐自然也没去告诉小艾，却被他们同住的一个女人听见了，便把这话传到小艾耳朵里去。其实小艾也并不是没想到这一层，本来金福夫妇正嫌儿女太多，要是过继一个给他们兄弟，正是求之不得的，可以减轻一点负担。但是小艾总想着，既然要一个小孩，就不要让他知道他不是她生的，不然现放着他亲生父母在那里，等会辛辛苦苦把他带大了，孩子还是心向着别人。所以她哥嫂的小孩她决计不要，即使他们因此有点不乐意，她自己觉得没什么对不起他们的，这一家子从她婆婆起，这些年来全是她在那里赤胆忠心的照应他们，就算她在这桩事情上是任性一点，仿佛也无愧于心。

没有几天的工夫，阿秀跑了来告诉小艾，陈家浜阿姐已经生了，是个女孩子。小艾便和她一同去，把孩子抱了来。冯老太起初虽然反对，等到看见了孩子，倒也十分疼爱，兴兴头头的帮着调代乳糕，缝小衣服，给孩子取了个名字叫引弟。有一天晚上金福来了，听见说领了个孩子，当着他夫妇的面也没好说什么，后来金槐出去买香烟了，只有冯老太一个人在那里，金福便皱着眉和冯老太说："自己养的叫没有办法——现在东西这样涨，自己饭都要没得吃了，还去领这样一个小孩子来，一天到晚忙着小孩子，把一个人也绊住了，不然这时候毛病好了些，也可以出去做事了。"小艾在阁楼上，冯老太晓得她听得见的，向金福递了个眼色，金福也没留神。小艾在上面听见了，未免有些刺心，因为他说的这话也都是实情，在现在这种时候领个孩子来，也许是有一点疯狂。

六十八

那年下半年，金桃结婚了，新立起一份家来，自然需要不少费用，金槐和小艾商量着，帮了他一笔钱，所以刚有一点积蓄，又贴掉了。过年的时候吃年夜饭，照例有一尾鱼，取"富贵有余"的意思，小艾背着冯老太悄悄和金槐笑着说："去年不该吃了白鱼，赚了点钱都'白余'了。今年我们买条青鱼。"

年三十晚上，金福也到他们这里来吃团圆饭。金福到上海来这些年，一直很不得意，在吴先生行里做出店，吴先生欺负他老实，过去生活程度那样涨，老是不给他加工钱。他现在老婆儿女都在乡下，晚上一个人在写字间里打地铺，很是凄凉。这一天在金槐这里吃年夜饭，酒酣耳热的，却是十分高兴，笑道："现在我们真翻身了，昨天去送一封信，电梯一直坐到八层楼上，他妈的，从前哪里坐得到——多走两步路倒也不在乎此,我就恨他们狗眼看人低,那口气实在咽不下,哪怕开一两个人上去,电梯里空空的,叫他带一带你上去,开电梯的说:给大班看见他要吃排头的!"

金桃结了婚以后,冯老太便轮流的这边住住,那边住住,这一向她住在金桃那里。这一天小艾要想出去一趟,去看看刘妈,托托她可有什么绒线生活介绍她做。她把引弟也带了去,因为冯老太不在这里,把孩子一个人丢在家里不放心。引弟现在大了些,从前刚抱来的时候还看不出,现在却越长越不好看了,冬瓜脸,剪着童化头发,分披在两旁,她却是两只招风耳,把头发戳开了,竖在外面。人家说她难看,小艾还不伏气,总是说一个小孩要她那么好看干什么,有许多孩子小时候长得好看,大了都变丑了。

这一天她带着孩子到刘妈那里去,刘妈还是第一次看见引弟,便道:"哟,这孩子两耳招风!"又笑道:"不是我说,自己养的长的丑是没办法,你领为什么不领个好看点的。"小艾和刘妈究竟比较客气,只得微笑道:"再大一点不知道可会好一点。人家说'女大十八变'嘛!"

刘妈和她好几年没见面了,叙谈起来,便告诉她说:"你可晓得,陶妈现在享福了,做老太太喽!"小艾猜着她是说有根发财的事情,便装作不知道。刘妈便从头告诉她,有根那时候跑单帮发了财,后来生意做得很大。现在是没有那样好了,囤货的生意也不能做了,但是刘妈说:"像他那样,'穷虽穷,还有三担铜。'"小艾听了这话,不免又把自己的境况和他比较着,心里想像金槐这样一直从事于正当的劳动,倒反而还不如他。那天回到家里来,心里不免有许多感慨。这两天金槐的印刷所里工作特别忙,晚上要做"加工",夜深才回来,他们的二房东十点钟就关电门,他摸黑爬到阁楼上来,把桌子椅子碰得一片声响,把小艾也惊醒了。他因为太疲倦了,一觉睡到第二天早上,一个身也没翻,汗出得多了,生了一身痱子。小艾见他累得这样,又觉得心疼。

六十九

她在那里替人家打一件淡粉色兔子毛绒线衫,那绒线衫非常容易脏,常常要去洗手,肥皂倒费掉许多。这一天她打完了一团绒线,再去拿,却没有了。她非常诧异,在床上床下,抽屉里,桌子底下,箱子背后,到处都找遍了,也找不到。又疑心或者是从阁楼的窗户里掉下去了,到客堂里去找,也影踪毫无。孙师母见了,问她找什么,小艾道:"我打衣裳的绒线,不知可从上头掉下来了。"孙师母的小女儿在旁边说:"昨天好像看见引弟拿着团绒线在那儿扔着玩。"小艾去问引弟,也问不出什么来。猜着一定是给她乱拖,拖到楼底下去了,不知给什么人拿去了。这么点大的孩子,又不懂事,不见得打她一顿。小艾气得半死,跑出去配绒线,一口气跑了好几家,好容易有一个店里有同样的,但是价钱非常贵,一算钱不够了,只得回到家里来,预备赶着在这两天内把另外一件打好了,拿到了工钱再去买这绒线。

金槐一回来了,她便把这桩事情告诉了他一遍。临睡的时候,她坐在床沿上织绒线,不觉又长长的叹了口气,道:"巴巴结结做着,想多挣两个钱,倒反而赔钱。"这时,电灯忽然黑了。照例一到十点钟,二房东就把电门关了。小艾哟了一声,笑道:"话讲得都忘了时候了,我还要把油灯点起来呢。"她擦了根洋火,把从前防空的时候用的一盏小油灯点了起来。金槐道："怎么，你还要打绒线呀？"小艾道："我再打一会儿。"

她本来想把一个后身做好就睡了，但是因为心里实在着急，后身做好了又去动手做一块前襟。金槐早已睡熟了。那油灯渐渐暗了下去，她把那淡绿麻棱玻璃罩子拿掉，拿起一把剪刀来把灯芯挑了挑。在这更深夜静的时候，没有小孩在旁边搅扰，做事倒是痛快。她一口气做到天亮，忽然觉得腰酸，酸溜溜的就像蛀蚀进去，腰都要断了。她也知道是累着了，所以旧病复发，心里也有些害怕，忙把那绒线衫连针卷成一卷，包起来放在箱子里，便吹灯脱衣上床。睡在床上，只觉心中嘈杂得厉害，翻来覆去的，渐渐的便又身上热烘烘的，发起烧来，肚子也隐隐作痛。

这一天早晨她就没有起来做早饭，金槐自到外面去买了些点心吃。她生病本来也是常事，他匆匆的出去，只说"今天晚上我去把妈接回来吧，家里没人照应。"不料她这次的病不比寻常，竟像血崩似的，血流得不止。引弟到时候没有早饭吃，饿得直哭，小艾从枕头底下摸出两张零碎钞票，听见楼梯上有人走过，料是楼上那家的人出去买菜，便在枕上撑起半身，想喊住她，托她带两个烧饼给孩子吃。才欠起身来，忽然眼前一黑，那身体好像有千斤重，昏昏沉沉的早又倒了下去。孩子还在那里哭，那哭声却异常遥远，有时候听得见，有时候又听不见。

七十

金槐下午回来，她已经晕过去好几回了。他非常着急，马上送她到医院里去。两人坐着一部三轮车，小艾身上裹着一条棉被，把头也蒙着。是秋天了，洋梧桐上的黄叶成阵的沙沙落下来，像下大雨似的。那淡黄色的斜阳迎面照过来，三轮车在萧萧落叶中疾驰着，金槐帮她牵着被窝的一角，使它不往下溜。

小艾突然说道："引弟你明天让她学点本事，好让她大了自己靠自己。虽然现在男女都是一样的，到底一个女孩子太难看了也吃亏。"她向来不肯承认那孩子长得丑的，忽然这样说着，金槐却是一阵心酸，一时也答不出话来，默然了一会，方道："你怎么这时候想起来说这些话？"小艾没有作声，眼泪却流了下来。金槐给她靠在他身上。他看看她那棉被，是一条旧棉被，已经用了许多年了，但是他从来没有注意到上面的花纹，大红花布的被面，上面一朵朵细碎的绿心小白花，看着眼晕，看得人心里乱乱的。迎面一辆电车噹噹的开过来。街上行人很多，在那斜阳影里匆匆走着，也不知都忙些什么。

小艾咬着牙轻声道："我真恨死了席家他们，我这病都是他们害我的，这些年了，我这条命还送在他们手里。"金槐道："不会的，不会让你死的。不会的。"他说话的声音很低，可是好像从心里叫喊出来。

* 初载一九五一年十一月四日至一九五二年一月二十四日上海《亦报》，收入《余韵》。

五四遗事

——罗文涛三美团圆

小船上，两个男子两个女郎对坐在淡蓝布荷叶边平顶船篷下。膝前一张矮桌，每人面前一只茶杯，一撮瓜子，一大堆菱角壳。他们正在吃菱角，一只只如同深紫红色的嘴唇包着白牙。

"密斯周今天好时髦！"男子中的一个说。称未嫁的女子为"密斯"也是时髦。

密斯周从她新配的眼镜后面狠狠的白了他一眼，扔了一只菱角壳打他。她戴的是圆形黑框平光眼镜，因为眼睛并不近视。这是一九二四年，眼镜正入时。交际明星戴眼镜，新嫁娘戴蓝眼镜，连咸肉庄上的妓女都戴眼镜，冒充女学生。

两个男子各自和女友并坐，原因只是这样坐着重量比较平均。难得说句笑话，打趣的对象也永远是朋友的爱人。

两个女郎年纪约在二十左右，在当时的女校高材生里要算是年轻的了。那时候的前进妇女正是纷纷的大批涌进初小、高小。密斯周的活泼豪放，是大家都佩服的，认为能够代表新女性。密斯范则是静物的美。她含着微笑坐在那里，从来很少开口，窄窄的微尖的鹅蛋脸，前刘海齐眉毛，挽着两只圆髻，一边一个。薄施脂粉，一条黑华丝葛裙子系得高高的，细腰喇叭袖黑水钻狗牙边雪青绸夹袄，脖子上围着一条白丝巾。周身毫无插戴，只腕上一只金表，襟上一支金自来水笔。西湖在过去一千年来，一直是名士美人流连之所，重重叠叠的回忆太多了。游湖的女人即使穿的是最新式的服装，映在那湖光山色上，也有一种时空不谐调的突兀之感，仿佛是属于另一个时代的。

湖水看上去厚沉沉的，略有点污浊，却仿佛有一种氤氲不散的脂粉香，是前朝名妓的洗脸水。

两个青年男子中，身材较瘦长的一个姓罗，长长的脸，一件湖色熟罗长衫在他身上挂下来，自有一种飘然的姿致。他和这姓郭的朋友同在沿湖一个中学里教书，都是以教书为藉口，藉此可以住在杭州。担任的钟点不多，花晨月夕，尽可以在湖上盘桓。两人志同道合，又都对新诗感到兴趣，曾经合印过一本诗集，因此常常用半开玩笑的口吻自称"湖上诗人"，以威治威斯与柯列利治自况。

密斯周原是郭君的远房表妹，到杭州进学校，家里托郭君照顾她，郭请她吃饭、游湖，她把同学密斯范也带了来，有两次郭也邀了罗一同去，大家因此认识了。自此几乎天天见面。混得熟了，两位密斯也常常联袂到宿舍来找他们，然后照例带着新出版的书刊去游湖，在外面吃饭，晚上如果月亮好，还要游夜湖。划到幽寂的地方，不拘罗或是郭打开书来，在月下朗诵雪莱的诗。听到回肠荡气之处，密斯周便紧紧握住密斯范的手。

他们永远是四个人，有时候再加上一对，成为六个人，但是从来没有两个人在一起。这样来往已经快一年了。郭与罗都是结了婚的人——这是当时一般男子的通病。差不多人人都是还没听到过"恋爱"这名词，早就已经结婚生子。郭与罗与两个女友之间，只能发乎情止乎礼，然而也并不因此感到苦闷。两人常在背后讨论得津津有味，两个异性的一言一笑，都成为他们互相取笑的材料。此外又根据她们来信的笔触，研究她们俩的个性——虽然天天见面，他们仍旧时常通信，但仅只是落落大方的友谊信，不能称作情书。——他们从书法与措辞上可以看出密斯周的豪爽，密斯范的幽娴，久已分析得无微不至，不可能再有新发现，然而仍旧孜孜地互相传观、品题，对朋友的爱人不吝加以赞美，私下里却庆幸自己的一个更胜一筹。这一类的谈话他们永不感到厌倦。在当时的中国，恋爱完全是一种新的经验，仅只这一点点已经很够味了。

小船驶入一片荷叶，洒黄点子的大绿碟子磨着船舷嗤嗤响着。随即寂静了下来。船夫与他的小女儿倚在桨上一动也不动，由着船只自己漂流。偶尔听见那湖水咽的一响，仿佛嘴里含着一块糖。

"这礼拜六回去不回去？"密斯范问。

"这次大概赖不掉，"罗微笑着回答。"再不回去我母亲要闹了。"

她微笑。他尽管推在母亲身上，事实依旧是回到妻子身边。

近来罗每次回家，总是越来越觉得对不起密斯范。回去之前，回来之后，密斯范的不愉快也渐渐地表示得更明显。

这一天她仅只问了这样一声，已经给了他很深的刺激。船到了平湖秋月，密斯周上岸去买藕粉，郭陪了她去，罗与密斯范倚在朱漆栏杆边等着，两人一直默然。

"我下了个决心。"罗突然望着她低声说。然后，看她并没有问他是什么决心，他便又说，"密斯范，你肯不肯答应我？也许要好些年。"

她低下了头，扭过身去，两手卷弄着左边的衣角。

当天她并没有吐口同意他离婚。但是那天晚上他们四个人在楼外楼吃饭，罗已经感到这可以说是他们的定情之夕，同时觉得他已经献身于一种奋斗。那天晚上喝的酒，滋味也异样，像是寒夜远行人上路之前的最后一杯酒。

楼外楼的名称虽然诗意很浓，三面临湖，风景也确是好，那菜馆本身却是毫不讲究外表，简陋的窗框，油腻腻的旧家具，堂倌向楼下厨房里曼声高唱着菜名。一盘抢虾上的大玻璃罩揭开之后，有两只虾跳到桌上，在酱油碟里跳出跳进，终于落到密斯范身上，将她那浅色的袄上淋淋漓漓染上一行酱油迹。密斯周尖声叫了起来。在昏黄的灯光下，密斯范红着脸很快乐的样子，似乎毫不介意。

罗直到下一个星期六方才回家。那是离杭州不远的一个村庄，连乘火车带独轮车不到两个钟头。一到家，他母亲大声宣布蠲免媳妇当天的各项任务，因为她丈夫回来了，媳妇反而觉得不好意思。她大概因为不确定他回来不回来，所以在绸夹袄上罩上一件蓝布短衫，隐隐露出里面的大红缎子滚边。

这天晚上他向她开口提出离婚。她哭了一夜。那情形的不可忍受，简直仿佛是一个法官与他判处死刑的罪犯同睡在一张床上。不论他怎样为自己辩护，他知道他是判她终身守寡，而且是不名誉的守寡。

"我犯了七出之条哪一条？"她一面愤怒地抽噎着，一面尽钉着他问。

第二天，他母亲知道了，大发脾气，不许再提这话。罗回到杭州，从此不再回家。他母亲托他舅舅到杭州来找他，百般劝说晓喻。他也设法请一个堂兄下乡去代他向家里疏通。托亲戚办交涉，向来是耽误时候，而且亲戚代人传话，只能传好话，决裂的话由他们转达是靠不住的。因为大家都以和事佬自居，尤其事关婚姻。

拆散人家婚姻是伤阴骘损阳寿的。

罗请律师写了封措辞严厉的信给他妻子。家里只是置之不理，他妻子娘家人却气得揎拳捋臂，说："他们罗家太欺负人。当我们张家人都死光了？"恨不得兴师动众打到罗家，把房子也拆了，那没良心的小鬼即使不在家，也把老太婆拖出来打个半死。只等他家姑奶奶在罗家门框上一索子吊死了，就好动手替她复仇。但是这事究竟各人自己主张，未便催促。

乡下一时议论纷纷，都当作新闻来讲。罗家的族长看不过去，也说了话："除非他一辈子躲着不回来，只要一踏进村口，马上绑起来，去祠堂去请出家法来，结结实实打这畜生。闹得太不像话！"

罗与密斯范仍旧天天见面，见面总是四个人在一起。郭与密斯周十分佩服他们不顾一切的勇气，不断的鼓励他们，替他们感到兴奋。事实是相形之下，使郭非常为难。尽管密斯周并没有明言抱怨，却也使他够难堪的。到现在为止，彼此的感情里有一种哀愁，也正是这哀愁使他们那微妙的关系更为美丽。但是现在这样看来，这似乎并不是人力无法挽回的。

罗在两年内只回去过一次。他母亲病了，风急火急把他叫了回去。他一看病势并不像说的那么严重，心里早已明白了，只表示欣慰。他母亲乘机劝了他许多话，他却淡淡的不接口。也不理睬在旁边送汤送药的妻子。夜里睡在书房里，他妻子忽然推门进来，插金戴银，穿着吃喜酒的衣服，仿照宝蟾送酒给他送了点心来。

两人说不了两句话便吵了起来。他妻子说："不是你妈妈迫着我来，我真不来了——又是骂，又是对我哭。"

她赌气走了。罗也赌气第二天一早就回杭州，一去又是两年。

他母亲想念儿子，渐渐的不免有点后悔。这一年她是整生日，罗被舅父劝着，勉强回来拜寿。这一次见面，他母亲并没有设法替儿子媳妇撮合，反而有意将媳妇支开了，免得儿子觉得窘。媳妇虽然抱怨婆婆上次迫她到书房去，白受一场羞辱。现在她隔离他们，她心里却又怨怼，而且疑心婆婆已经改变初衷，倒到那一面去了。这几年家里就只有婆媳二人，各人心里都不是滋味。心境一坏，日常的摩擦自然增多，不知不觉间，渐渐把仇恨都结在对方身上。老太太那方面，认定了媳妇是盼她死——给公婆披过麻戴过孝的媳妇是永远无法休回娘家的。老太太发誓说她偏不死，先要媳妇直着出去，她才肯横着出去。

　　外表上看来，离婚的交涉办了六年之久，仍旧僵持不下。密斯范家里始终不赞成。现在他们一天到晚提醒她，二十六岁的老姑娘，一眨眼，望三十了，给人做填房都没人要。罗一味拖延，看来是不怀好意，等到将来没人要的时候，只好跟他做小。究竟他是否在进行离婚，也很可疑，不能信他一面之词。也可能症结是他拿不出赡养费。打听下来，有人说罗家根本没有钱。家乡那点产业捏在他妻子手里，也早靠不住了。他在杭州教书，为了离婚事件，校长对他颇有点意见，搞得很不愉快。倘若他并不靠教书维持生活，那么为什么不辞职？

　　密斯周背地里告诉郭，说有人给密斯范做媒，对象是一个开当铺的，相亲那天，在番菜馆同吃过一顿饭。她再三叮嘱郭君守秘密，不许告诉罗。

　　郭非常替罗不平，结果还是告诉了他。但是当然加上了一句，"这都是她家里人干的事。"

　　"是把她捆了起来送到饭馆子去的，还是她自己走进去的？"

罗冷笑着说。

"待会儿见面的时候可千万别提，拆穿了大家不好意思，连密斯周也得怪我多嘴。"

罗答应了他。

但是这天晚上罗多喝了几杯，恰巧又是在楼外楼吃饭，勾起许多回忆。在席上，罗突然举起酒杯大声向密斯范说："密斯范，恭喜你，听说要请我们吃喜酒了！"

郭在旁边竭力打岔，罗倒越发站了起来嚷着，"恭喜恭喜，敬你一杯！"他自己一仰脖子喝了，推开椅子就走，三脚两步已经下了楼。

郭与密斯周面面相觑，郭窘在那里不得下台，只得连声说："他醉了。我倒有点不放心，去瞧瞧去。"跟着也下了楼，追上去劝解。

第二天密斯范没有来。她生了气。罗写了信去也都退了回来。一星期后，密斯周又来报告，说密斯范又和当铺老板出去吃过一次大菜。这次一切都议妥，男方给置了一只大钻戒作为订婚戒指。

罗的离婚已经酝酿得相当成熟，女方渐渐有了愿意谈判的迹象。如果这时候忽然打退堂鼓，重又回到妻子身边，势必成为终身的笑柄。因此他仍旧继续进行，按照他的诺言给了他妻子一笔很可观的赡养费，协议离婚。然后他立刻叫了媒婆来，到本城的染坊王家去说亲。王家的大女儿的美貌是出名的，见过的人无不推为全城第一。

交换照片之后，王家调查了男方的家世。媒婆极力吹嘘，竟然给她说成了这头亲事。罗把田产卖去一大部份，给王家的小姐买了一只钻戒，比传闻中的密斯范的那只钻戒还要大。不到三个月，就把王小姐娶了过来。

密斯范的婚事不知为什么没有成功。也许那当铺老板到底还是不大信任新女性，又听见说密斯范曾经有过男友，而且关系匪浅。据范家这边说，是因为他们发现当铺老板少报了几岁年纪。根据有些轻嘴薄舌的人说，则是事实恰巧相反——少报年纪是有的。

罗与密斯范同住在一个城市里，照理迟早总有一天会在无意中遇见。他们的朋友们却不肯听其自然发展。不知为什么，他们觉得这两个人无论如何得要再见一面。他们并不是替罗打抱不平，希望他有机会饱尝复仇的甜味，他们并不赞成他的草草结婚，为了向她报复而牺牲了自己的理想。

也许他们正是要他觉悟过来，自己知道铸成大错而感到后悔。但也许最近情理的解释还是他们的美感：他们仅只是觉得这两个人再在湖上的月光中重逢，那是悲哀而美丽的，因此就是一桩好事，不能不作成他们。

一切都安排好了，只瞒着他们俩。有一天郭陪着罗去游夜湖——密斯周已经结了婚，不和他们来往了。另一只船上有人向他们叫喊。是他们熟识的一对夫妇。那只船上还有密斯范。

两船相并，郭跨到那只船上去，招呼着罗也一同过去。罗发现他自己正在密斯范对面。玻璃杯里的茶微微发光，每一杯的水面都是一个银色圆片，随着船身的晃动轻轻的摇摆着。她的脸与白衣的肩膀被月光镀上一道蓝边。人事的变化这样多，而她竟和从前一模一样，一点也没有改变，这使他无论如何想不明白，心里只觉得恍惚。

他们若无其事的寒暄了一番，但是始终没有直接交谈过一句话。也没有人提起罗最近结婚的事。大家谈论着政府主办的西湖博览会，一致反对那屹立湖滨引人注目的丑陋的纪念塔。

"俗不可耐。完全破坏了这一带的风景，"罗叹息着。"反正从前那种情调，以后再也没有了。"

他的眼睛遇到她的眼睛，眼光微微颤动了一下，望到别处去了。

他们在湖上兜了个圈子，在西泠印社上岸，各自乘黄包车回去。第二天罗收到一封信，一看就知道是密斯范的笔迹。他的心狂跳着，撕开了信封，抽出一张白纸，一个字也没有。他立刻明白了她的意思。她想写信给他，但事到如今，还有什么话可说？

他们旧情复燃的消息瞒不了人，不久大家都知道了。罗两度进行离婚。这次同情他的人很少。以前将他当作一个开路先锋，现在却成了个玩弄女性的坏蛋。

这次离婚又是长期奋斗。密斯范呢，也在奋斗。她斗争的对象是岁月的侵蚀，是男子喜新厌旧的天性。而且她是孤军奋斗，并没有人站在她身旁予以鼓励，像她站在罗的身边一样。因为她的战斗根本是秘密的，结果若是成功，也要使人浑然不觉，绝不能露出努力的痕迹。她仍旧保持着秀丽的面貌。她的发式与服装都经过缜密的研究，是流行的式样与回忆之间的微妙的妥协。他永远不要她改变，要她和最初相识的时候一模一样。然而男子的心理是矛盾的，如果有一天他突然发觉她变成老式、落伍，他也会感到惊异与悲哀，她迎合他的每一种心境，而并非一味地千依百顺。他送给她的书，她无不从头至尾阅读。她崇拜雪莱，十年如一日。

王家坚决地反对离婚，和平解决办不到，最后还是不能不对簿公庭。打官司需要花钱，法官越是好说话，花的钱就更多。前后费了五年的工夫，倾家荡产，总算官司打赢，判了离婚。手边虽然窘，他还是在湖边造了一所小白房子，完全按照他和密斯范计画着的格式，坐落在他们久已拣定了的最理想的地点，在幽静的里湖。乡下的房子，自从他母亲故世以后，已经一部份出租，一部份空关着。新房子依着碧绿的山坡，向湖心斜倚着，踩着高跷站在水里，墙上爬满了深红的蔷薇，紫色的藤萝花，丝丝缕缕倒挂在月洞窗前。

新婚夫妇照例到亲戚家里挨家拜访，亲戚照例留他们吃饭、打麻将。罗知道她是不爱打麻将的。偶尔敷衍一次，是她贤慧，但是似乎不必再约上明天原班人马再来八圈。她告诉他她是不好意思拒绝，人家笑她恩爱夫妻一刻都离不开。

她抱怨他们住得太远。出去打牌回来得晚了，叫不到黄包车，车夫不愿深更半夜到那冷僻的地方去，回来的时候兜不到生意，轮到她还请，因为客人回去不方便，只好打通宵，罗又嫌吵闹。

没有牌局的时候，她在家里成天躺在床上嗑瓜子，衣服也懒得换，污旧的长衫，袍叉撕裂了也不补，纽绊破了就用一根别针别上。出去的时候穿的仍旧是做新娘子时候的衣服，大红大绿，反而更加衬出面容的黄瘦。罗觉得她简直变了个人。

他婉转地劝她注意衣饰，技巧地从夸赞她以前的淡装入手。她起初不理会，说得次数多了，她发起脾气来，说："婆婆妈妈的，专门管女人的闲事，怪不得人家说，这样的男人最没出息。"

罗在朋友面前还要顾面子。但是他们三天两天吵架的消息恐怕还是传扬了出去，因为有一天一个亲戚向他提起王小姐来，仿佛无意中闲谈，说起王小姐还没有嫁。"其实你为什么不接她回来？"

罗苦笑着摇摇头。当然罗也知道王家虽然恨他薄幸，而且打了这些年的官司，冤仇结得海样深，但是他们究竟宁愿女儿从一而终，反正总比再嫁强。

只要罗露出口风来，自有热心的亲戚出面代他奔走撮合。等到风声吹到他那范氏太太的耳朵里，一切早已商议妥当。家里太太虽然哭闹着声称要自杀，王家护送他们小姐回罗家那一天，还是由她出面招待。那天没有请客，就是自己家里几个人，非正式的庆祝了一下。她称王小姐的兄嫂为"大哥"、"嫂子"，谦说饭菜不好："住得太远，买菜不方便，也雇不到好厨子。房子又小，不够住，不然我早劝他把你们小姐接回来了。当然该回来，总不能一辈子住在娘家。"

王小姐像新娘子一样矜持着，没有开口。她兄嫂却十分客气，极力敷衍。事先王家曾经提出条件，不分大小，也没有称呼，因为王小姐年幼，姊妹相称是她吃亏。只有在背后互相称为"范家的"、"王家的"。

此后不久，就有一个罗家的长辈向罗说，"既然把王家的接回来了，你第一个太太为什么不接回来？让人家说你不公平？"

罗也想不出反对的理由。他下乡到她娘家把她接了出来，也搬进湖边那盖满了蔷薇花的小白房子里。

他这两位离了婚的夫人都比他有钱，因为离婚的时候拿他一大笔赡养费。但是她们从来不肯帮他一个大子，尽管他非常拮据，凭空添出许多负担，需要养活三个女人与她们的佣仆，后来还有她们各人的孩子、孩子的奶妈。他回想自己当初对待她们的情形，觉得也不能十分怪她们。只是"范家的"不断在旁边冷嘲热讽，说她们一点也不顾他的死活，使他不免感到难堪。

现在他总算熬出头了，人们对于离婚的态度已经改变，种种非议与嘲笑也都已经冷了下来。反而有许多人羡慕他稀有的艳福。这已经是一九三六年了，至少在名义上是个一夫一妻的社会，而他拥有三位娇妻在湖上偕隐。难得有两次他向朋友诉苦，朋友总是将他取笑一番说，"至少你们不用另外找搭子，关起门来就是一桌麻将。"

*初载一九五七年一月台北《文学杂志》第一卷第五期，收入《续集》。

怨女

一

上海那时候睡得早，尤其是城里，还没有装电灯。夏夜八点钟左右，黄昏刚澄淀下来，天上反而亮了，碧蓝的天，下面房子墨黑，是沉淀物，人声嗡嗡也跟着低了下去。

小店都上了排门，石子路上只有他一个人踉踉跄跄走着，逍遥自在，从街这边穿到那边，哼着京戏，时而夹着个"梯格隆地咚"，代表胡琴。天热，把辫子盘在头顶上，短衫一路敞开到底，裸露着胸脯，带着把芭蕉扇，刮喇刮喇在衣衫下面扇着背脊。走过一家店家，板门上留着个方洞没关上，天气太热，需要通风，洞里只看见一把芭蕉扇在黄色的灯光中摇来摇去。看着头晕，紧靠着墙走，在黑暗中忽然有一条长而凉的东西在他背上游下去，他直跳起来。第二次跳得更高，想把它抖掉，又扭过去拿扇子掸。他终于明白过来，是辫子滑落下来。

"操那！"

用芭蕉扇大声拍打着屁股，踱着方步唱了起来，掩饰他的窘态。

"孤王酒醉桃花宫，韩素梅生来好貌容。"

一句话提醒了自己，他转过身来四面看了看，往回走过几家门面，拣中一家，蓬蓬蓬拍门。

"大姑娘！大姑娘！"

"谁？"楼上有个男人发声喊。

"大姑娘！买麻油，大姑娘！"

叫了好几声没人应。

"关门了，明天来。"这次是个女孩子，不耐烦地。

他退后几步往上看，楼窗口没有人。劣质玻璃四角黄浊，映着灯光，一排窗户似乎凸出来做半球形，使那黯旧的木屋显得玲珑剔透，像玩具一样。

"大姑娘！老主顾了，大姑娘！"

蓬蓬蓬尽着打门。楼上半天没有声音，但是从门缝里可以看见里面渐渐亮起来，有人拿着灯走进店堂，门洞上的木板哗啦塔一声推了上去，一股子刺鼻的刨花味夹着汗酸气，她露了露脸又缩回去，灯光从下颏底下往上照着，更托出两片薄薄的红嘴唇的式样。离得这样近，又是在黑暗中突然现了一现，没有真实感，但是那张脸他太熟悉了，短短的脸配着长颈项与削肩，前刘海剪成人字式，黑鸦鸦连着鬓角披下来，眼梢往上扫，油灯照着，像个金面具，眉心竖着个梭形的紫红痕。她大概也知道这一点红多么俏皮，一夏天都很少看见她没有揪疬。

"这么晚还买什么油？快点，瓶拿来。"她伸出手来，被他一把抓住了。

"拉拉手。大姑娘，拉拉手。"

"死人！"她尖声叫起来。"杀千刀！"

他吃吃笑着，满足地喃喃地自言自语，"麻油西施。"

她一只手扭来扭去，乌藤镶银手镯在门洞口上磕着。他想把镯子里掖着的一条手帕扯下来，镯子太紧，抽不出来，被她往后一掼，把他的手也带了进去，还握着她的手不放。

"可怜可怜我吧，大姑娘，我想死你了，大姑娘。"

"死人，你放不放手？"她蹬着脚，把油灯凑到他手上。锡碟子上结了层煤烟的黑壳子，架在白木灯台上，他手一缩，差点被他打翻了。

"嗳哟，嗳哟！大姑娘你怎么心这么狠？"

"闹什么呀？"她哥哥在楼上喊。

"这死人拉牢我的手。死人你当我什么人？死人你张开眼睛看看！烂浮尸，路倒尸。"

她嫂子从窗户里伸出头来。"是谁？——走了。"

"是我拿灯烫了他一下，才跑了。"

"是谁？"

"还有谁？那死人木匠。今天倒楣，碰见鬼了。猪猡，瘪三，自己不撒泡尿照照。"

"好了，好了，"她哥哥说。"算了，大家邻居。"

"大家邻居，好意思的？半夜三更找上门来。下趟有脸再来，看我不拿门闩打他。今天便宜他了，瘪三，死人眼睛不生。"

她骂得高兴，从他的娘操到祖宗八代，几条街上都听得见。她哥哥终于说，"好了好了，还要哇啦哇啦，还怕人家不晓得？又不是什么有脸的事。"

"你要脸？"她马上掉过来向楼上叫喊。"你要脸？你们背后鬼头鬼脑的事当人不知道？怎么怪人家看不起我。"

"还要哇啦哇啦。怎么年纪轻轻的女孩子不怕难为情？"炳发已经把声音低了下来，银娣反而把喉咙提高了一个调门，一提起他们这回吵闹的事马上气往上涌：

"你怕难为情？你晓得怕难为情？还说我哇啦哇啦，不是我闹，你连自己妹妹都要卖。爷娘的脸都给你丢尽了，还说我不要脸。我都冤枉死了在这里——我要是知道，会给他们相了去？"

炳发突然一欠身像要站起来，赤裸的背脊吮吸着藤椅子，吧！一声响。但是他正在洗脚，两只长腿站在一只三只脚的红漆小木盆里。

"好了好了，"他老婆低声劝他。"让她去，女孩子反正是人家的人，早点嫁掉她就是了。女大不中留，留来留去反成仇。等会给人家说得不好听，留着做活招牌。"

炳发用一条丝丝缕缕的破毛巾擦脚，不作声。

"告诉你，我倒真有点担心，总有一天闹出花头来。"

他怔了一怔。"怎么？你看见什么没有？"

"喏，就像今天晚上。惹得这些人一天到晚转来转去。我是没工夫看着她，拖着这些个孩子，要不然自己上柜台，大家省心。"

"其实去年攀给王家也还不错，八仙桥开了爿分店。"他歪了歪下颏，向八仙桥那边指了指。

"也是你不好，应当是你哥哥做主的事，怎么能由着她，嫌人家这样那样。讲起来没有爷娘；耽误了她，人家怪你做哥哥的。下次你主意捏得牢点。"

他又不作声了。也是因为办嫁妆这笔花费，情愿一年年耽搁下来。她又不是不知道。朱漆脚盆有只鹅颈长柄，两面浮雕着鹅头的侧影，高竖在他跟前，一只双圈鹅眼定定地瞅着他，正与她不约而同。她瞅了半天，终于拎起脚盆，下楼去泼水，正遇见银娣上来。在狭窄的楼梯上，姑嫂狭路相逢，只当不看见。

银娣回到自己的小房间里，热得像蒸笼一样。木屋吸收了一天的热气，这时候直喷出来。她把汗湿的前刘海往后一掠，解开元宝领，领口的黑缎阔滚条洗得快破了，边上毛茸茸的。蓝夏布衫长齐膝盖，匝紧了黏贴在身上，窄袖、小裤脚管，现在时兴这样。她有点头痛，在枕头底下摸出一只大钱，在一碗水里浸了浸，坐下来对着镜子刮痧，拇指正好嵌在钱眼里，伏手。熟练地一长划到底，一连几划，颈项上渐渐出现三道紫红色斑斑点点的阔条纹，才舒服了些。颈项背后也应当刮，不过自己没法子动手，又不愿意找她嫂子。

上回那件事，都是她嫂嫂捣的鬼。是她嫂嫂认识的一个吴家婶婶来做媒，说给一个做官人家做姨太太。说得好听，明知他们柴家的女儿不肯给人做小，不过这家的少爷是个瞎子，没法子配亲，所以娶这姨太太就跟太太一样。银娣又哭又闹，哭她的爹娘，闹着要寻死，这才不提了。这吴家婶婶是女佣出身，常到老东家与他们那些亲戚人家走动，卖翠花，卖镶边，带着做媒，接生，向女佣们推销花会。她跟炳发老婆是邀会认识的。有一次替柴家兜来一票生意，有个太太替生病的孩子许愿，许下一个月二十斤灯油，炳发至今还每个月挑担油送到庙里去。

这次她来找炳发老婆，隔了没有几天又带了两个女人来，银娣当时就觉得奇怪，她们走过柜台，老盯着她看。炳发老婆留她们在店堂后面喝茶，听着仿佛是北方口音，也没多坐。临走炳发老婆定要给她们雇人力车，叫银娣"拿几只角子给我。"她只好从钱台里拿了，走出柜台交给她。两个客人站在街边推让，一个抓住银娣的手不让她给钱，乘机看了看手指手心。

"姑娘小心，不要踏在泥潭子里。"吴家婶婶弯下腰去替她拎起裤脚来，露出一只三寸金莲。

她早就疑心了。照炳发老婆说，这两个是那许愿的太太的女佣，刚巧顺路一同来的。月底吴家婶婶又来过，炳发老婆随即第一次向她提起姚家那瞎子少爷。她猜那两个女人一定是姚家的佣人，派来相看的。买姨太太向来要看手看脚，手上有没有皮肤病，脚样与大小。她气得跟哥哥嫂嫂大吵了一场，给别人听见了还当她知道，情愿给他们相看，说不成又还当是人家看不中。

她哥哥嫂子大概倒是从来没想到在她身上赚笔钱，一直当她是赔钱货，做二房至少不用办嫁妆。至今他们似乎也没有拿她当做一条财路，而是她拦着不让他们发笔现成的小财。她在家里越来越难做人了。

附近这些男人背后讲她，拿她派给这个那个，彼此开玩笑，当着她的面倒又没有话说。有两个胆子大的伏在柜台上微笑，两只眼睛涎澄澄的。她装满一瓶油，在柜台上一秤，放下来。

"一角洋钱。"

"啧，啧！为什么这么凶？"

她向空中望着，金色的脸漠然，眉心一点红，像个神像。她突然吐出两个字，"死人！"一扭头吃吃笑起来。

他心痒难搔地走了。

只限于此，徒然叫人议论，所以虽然是出名的麻油西施，媒人并没有踏穿她的门槛。十八岁还没定亲，现在连自己家里人都串通了害她。漂亮有什么用处，像是身边带着珠宝逃命，更加危险，又是没有市价的东西，没法子变钱。

青色的小蟛虫一阵阵扑着灯，沙沙地落在桌上，也许吹了灯凉快点。她坐在黑暗里扇扇子。男人都是一样的。有一个仿佛稍微两样点，对过药店的小刘，高高的个子，长得漂亮，倒像女孩子一样一声不响，穿着件藏青长衫，白布袜子上一点灰尘都没有，也不知道他怎么收拾得这样干净，住在店里，也没人照应。她常常看见他朝这边看。其实他要不是胆子小，很可以藉故到柴家来两趟，因为他和她外婆家是一个村子的人，就在上海附近乡下。她外公外婆都还在，每次来常常弯到药店去，给他带个信，他难得有机会回家。

过年她和哥哥嫂子带着孩子们到外婆家拜年，本来应当年初一去的，至迟初二三，可是外婆家穷，常靠炳发帮助，所以他们直到初五才去，在村子里玩了一天。她外婆提起小刘回来过年，已经回店里去了。银娣并没有指望着在乡下遇见他，但是仍旧觉得失望。她气她哥哥嫂子到初五才去拜年，太势利，看不起人，她母亲在世不会这样。想着马上眼泪汪汪起来。

她一直喜欢药店，一进门青石板铺地，各种药草干涩的香气在宽大黑暗的店堂里冰着。这种店上品。前些时她嫂子做月子，她去给她配药，小刘迎上来点头招呼，接了方子，始终眼睛也没抬，微笑着也没说什么，背过身去开抽屉。一排排的乌木小抽屉，嵌着一色平的云头式白铜栓，看他高高下下一只只找着认着，像在一个奇妙的房子里住家。她尤其喜欢那玩具似的小秤。回到家里，发现有一大包白菊花另外包着，药方上没有的。滚水泡白菊花是去暑的，她不怎么爱喝，一股子青草气。但是她每天泡着喝，看着一朵朵小白花在水底胖起来，缓缓飞升到碗面。一直也没机会谢他一声，不能让别人知道他拿店里东西送人。

此外也没有什么了。她站起来靠在窗口。药店板门上开着个方洞，露出红光来，与别家不同。洞上糊上一张红纸，写着"如有急症请走后门"，纸背后点着一盏小油灯。她看着那通宵亮着的明净的红方块，不知道怎么感到一种悲哀，心里倒安静下来了。

二

大饼摊上只有一个男孩子打着赤膊睡在揉面的木板上。脚头的铁丝笼里没有油条站着。早饭那阵子忙，忙过了。

剃头的坐在凳子上打旽。他除了替男主顾梳辫子，额上剃出个半秃的月亮门，还租毛巾脸盆给人洗脸，剃头担子上自备热水。下午生意清，天又热，他打瞌睡渐渐伏倒在脸盆架上，把脸埋在洋磁盆里。

一个小贩挑着一担子竹椅子，架得有丈来高，堆成一座小山。都是矮椅子，肥唧唧的淡青色短腿，短手臂，像小孩子的鬼。他在阴凉的那边歇下担子，就坐在一只椅子上旽着了。

店门口一对金字直匾一路到地，这边是"小磨麻油生油麻酱"。银娣坐在柜台后面，拿着只鞋面锁边。这花样针脚交错，叫"错到底"，她觉得比狗牙齿文细些，也别致些，这名字也很有意思，错到底，像一出苦戏。手汗多，针涩，眼睛也涩。太阳晒到身边两只白洋磁大缸上，虽然盖着，缸口拖着花生酱的大舌头，苍蝇嗡嗡的，听着更瞌睡。

她一抬头看见她外公外婆来了，一先一后，都举着芭蕉扇挡着太阳。他们一定又是等米下锅，要不然这么热的天，不会老远从乡下走了来。她只好告诉他们炳发夫妇都不在家，带着孩子们到丈人家去了。

她一看见他们就觉得难过，老夫妻俩笑嘻嘻，腮颊红红的，一身褪色的淡蓝布衫裤，打着补钉。她也不问他们吃过饭没有，马上拿抹布擦桌子，摆出两副筷子，下厨房热饭菜，其实已经太阳偏西了。她端出两碗剩菜，朱漆饭桶也有只长柄，又是那只无所不在的鹅头，翘得老高。她替他们装饭，用饭勺子拍打着，堆成一个小丘，圆溜溜地突出碗外，一碗足抵两碗。她外婆还说，"揿得重点，姑娘，揿得重点。"

老夫妇在店堂里对坐着吃饭，太阳照进来正照在脸上，眼睛都睁不开，但是他们似乎觉都不觉得，沉默中只偶然听见一声碗筷叮哨响。她看着他们有一种恍惚之感，仿佛在斜阳中睡了一大觉，醒过来只觉得口干。两人各吃了三碗硬饭，每碗结实得像一只拳头打在肚子上。老太婆帮她洗碗，老头子坐下来，把芭蕉扇盖在脸上睡着了。

她们洗了碗回到店堂前，远远听见三弦声。算命瞎子走得慢，三弦声断断续续在黑瓦白粉墙的大街小巷穿来穿去，弹的一支简短的调子再三重复，像回文锦卍字不断头。听在银娣耳朵里，是在预言她的未来，弯弯曲曲的路构成一个城市的地图。她伸手在短衫口袋里数铜板。她外婆也在口袋里掏出钱来数，喃喃地说，"算个命。"老太婆大概自己觉得浪费，吃吃笑着。

"外婆你要算命？"她精明，决定等着看给她外婆算得灵不灵再说。

她们在门口等着。

"算命先生！算命先生！"

她希望她们的叫声引起小刘的注意，他知道她外婆在这里，也许可以溜过来一会，打听他村子里的消息。但是他大概店里忙，走不开。

"算命先生！"

自从有这给瞎子做妾的话，她看见街上的瞎子就有种异样的感觉，又讨厌又有点怕。瞎子走近了，她不禁退后一步。老太婆托着他肘弯搀他过门槛。他没有小孩带路，想必他实在熟悉这地段。年纪不过三十几岁，穿着件旧熟罗长衫，像个裁缝。脸黄黄的，是个狮子脸，一条条横肉向下挂着，把一双小眼睛也往下拖着，那副酸溜溜的笑容也像裁缝与一切受女人气的行业。

老太婆替他端了张椅子出来，搁在店门口。"先生，坐！"

"噢，噢！"他捏着喉咙，像唱弹词的女腔道白。他先把一只手按在椅背上，缓缓坐下身去。

老太婆给自己端张椅子坐在他对面，几乎膝盖碰膝盖，唯恐漏掉一个字没听见。她告诉他时辰八字，他喃喃地自己咕哝了两句，然后马上调起弦子，唱起她的身世来，熟极而流。银娣站在她外婆背后，唱得太快，有许多都没听懂，只听见"算得你年交十四春，堂前定必丧慈亲。算得你年交十五春，无端又动红鸾星。"她不知道外婆的母亲什么时候死的，但是仿佛听见说是从小定亲，十七岁出嫁。算得不灵，她幸而没有叫他算，白糟蹋钱。她觉得奇怪，老妇人似乎并没有听出什么错误。她是个算命的老手，听惯那一套，决不会不懂。她不住地点头，嘴里"唔，唔，"鼓励他说下去。对于历年发生的事件非常满意，仿佛一切都不出她所料。

她两个儿子都不成器。算命的说她有一个儿子可以"靠老终身"，有十年老运。

"还有呢？还有呢？"她平静地追问。"那么我终身结果到底怎样？"

银娣实在诧异，到了她这年纪，还另有一个终身结果？

算命的叹了口气。"终身结果倒是好的哩！"他又唱了两句，将刚才应许她的话又重复了一遍。

"还有呢？"平静地，毫不放松。"还有呢？"

银娣替她觉得难为情。算命的微窘地笑了一声，说："还有倒也没有了呢，老太太。"

她很不情愿地付了钱，搀他出店。这次银娣知道小刘明明看见她们，也不打招呼。她又气又疑心，难道是听见什么人说她？是为了她那天晚上骂那木匠，还是为那回相亲的事？

"太阳都在你这边，"她外婆说。是不是拿他们的店和对过药店比？倒像是她也看见了小刘也不理他？

"不晓得你哥哥什么时候回来，"老太婆坐定下来说。"我有话跟他们说。"她大模大样添上了一句。她除了借钱难得有别的事来找他们，所以非常得意，到底忍不住要告诉银娣。"小刘先生的娘昨天到我们那里来。小刘先生人真好，不声不响的，脾气又好。"

银娣马上明白了。

她继续自言自语，"他这行生意不错，店里人缘又好，都说她寡妇母亲福气，总算这儿子给她养着了。虽然他们家道不算好，一口饭总有得吃的。家里人又少，姐姐已经出嫁了，妹妹也就快了。他娘好说话。"

银娣只顾做鞋，把针在头发上擦了擦。

"姑娘，我们就你一个外孙女儿，住得近多么好。你不要怕难为情，可怜你没有母亲，跟外婆说也是一样的，告诉外婆不要紧。"

"告诉外婆什么？"

"你跟外婆不用怕难为情。"

"外婆今天怎么了？不知道你说些什么。"

老太婆呷呷地笑了，也就没往下说。她显然是愿意的。

算命的兜了个圈子又回来了。远远听见三弦玎玎响，她在喜悦中若有所失。她不必再想知道未来，她的命运已经注定了。

她要跟他母亲住在乡下种菜，她倒没想到这一点。他一年只能回来几天。浇粪的黄泥地，刨松了像粪一样累累的，直伸展到天边。住在个黄泥墙的茅屋里，伺候一个老妇人，一年到头只看见季候变化，太阳影子移动，一天天时间过去，而时间这东西一心一意，就光想把她也变成个老妇人。

小刘不像是会钻营的人。他要是做一辈子伙计，她成了她哥嫂的穷亲戚，和外婆一样。人家一定说她嫁得不好，她长得再丑些也不过如此。终身大事，一经决定再也无法挽回，尤其是女孩子，尤其是美丽的女孩子。越美丽，到了这时候越悲哀，不但她自己，就连旁边看着的人，往往都有种说不出来的惋惜。漂亮的女孩子不论出身高低，总是前途不可限量，或者应当说不可测，她本身具有命运的神秘性。一结了婚，就死了个皇后，或是死了个名妓，谁也不知道是哪个。

她自己也不知道为什么，她外婆再问炳发什么时候回来，她回说："他们不回来吃晚饭。"老夫妇不能等那么久，只好回去了，明天再来。

他们刚走没多少时候，炳发夫妇带着孩子们回来了，听见说他们来过，很不高兴。炳发老婆说他们没多少日子前头刚来要过钱。吃一顿饭的工夫，她不住地批评他们过日子怎样没算计，又禁不起骗，还要顾两个不成器的儿子。

银娣没说什么。她心事很重。刘家这门亲事他们要是不答应怎么样？这不是闹的事。一定要嫁，与不肯又不同。给她嫂嫂讲出去，又不是好话。

晚饭后有人打门，一个女人哑着喉咙叫炳发嫂，听上去像那个吴家里。她又来干什么？偏偏刚赶着这时候，刘家的事恐怕更难了。听炳发老婆下楼去开门招呼，声音微带窘意，也是为了那回给姚家说媒的事。吴家婶婶倒哇啦哇啦，一上楼就问："你们姑娘呢？已经睡了？我做媒出了名了，我一到姑娘们都躲起来。"

她满脸雀斑，连手臂上都是，也不知是寿斑。看不出她多大年纪，黑黑胖胖，矮矮的，老是鼓着眼睛，一本正经的神气，很少笑容。蓝夏布衫汗湿了黏在身上，做波浪形，像一身横肉。走到灯光底下，炳发老婆看见她戴着金耳环金簪子，髻上还插着一朵小红绒花。

"到哪儿去吃喜酒的？"

"到姚家去的，给他们老太太拜寿。"

"我们今天也出的，刚回来，"炳发老婆说。

"吃了老太太的寿酒马上跑到你这儿来，这是你的事，不然这大热天，我还真不干。"

"嗳，今天真热，到这时候都一点风都没有。"

吴家婶婶把芭蕉扇在空中往下一揿，不许再打岔。"今天也真巧，刚巧我在那儿的时候他们少爷少奶奶来给老太太拜寿，老太太看见他们都一对对的，就只有二爷一个人落了单。后来老太太就说，应当给二爷娶房媳妇，不然过年过节，家里有事的时候不好看，单只二房没人。只要姑娘好，家境差些不要紧。我就说，先提的那个柴家姑娘正合适。老太太骂：老吴，你碰了一次钉子还不够，还要去碰钉子？天下的女孩子都死光了？难道非要他们家的？"

炳发夫妇只好微笑。

她用扇子搔了搔颈项背后。"我拚着老脸不要了，我说老太太，这就看出这位姑娘有志气，不管怎样了不起的人家，她不肯做小。孔夫子说的，娶妻娶德，娶妾娶色。这不是说人家长得不好，老太太自己的人亲眼看过的，不用我夸口。老太太笑，说孔夫子几时说过这话？不过你这话倒也有点道理。"

她看他们夫妇俩还是笑着不开口，她把芭蕉扇向衣领背后一插，头一伸，凑近些，把声音低了一低："我向来有一句说一句。不怕你们生气的话，老太太说店家开在内地不要紧，在本地太近，亲戚面上不好意思。我说嘿咦！老太太你不知道他们本地人，这些城里老生意人家，差不多的外路人他们还不肯给——是不是？"

"要是过去做大，那是再好也没有，"炳发老婆的口气还有点迟疑。

"不怪你们不放心，你们是不知道，你出去打听打听，他们姚家还怕娶不到姨奶奶，还要拿话骗人？本来也是为了老太太有那句话，二房没有人，娶这姨奶奶是要当家的，所以又要出身好，又要会写会算，相貌又要好，所以难了，要不然也不会耽搁这些时，也是你们姑娘福气。你等着看，三茶六礼，红灯花轿，少一样你拉着老吴打她嘴巴。真的运气来了连城墙都挡不住。也不知道你们祖上积了什么德，这样的亲事打灯笼都找不到。"

炳发咳嗽了一声打扫喉咙。"我们当然，还有什么话说。不过我妹妹要先问她一声，她也有这么大了——"

"哥哥嫂嫂到底跟父母不同，"他老婆说。

"这是一辈子事，还是问她自己。"

"你问她。你们姑娘又不傻。他们家的两个少奶奶，大奶奶是马中堂家的小姐，三奶奶是吴宫保的女儿，都是美人似的，一个赛一个。所以老太太说这回娶少奶奶也要特别漂亮，不能亏待了二爷。他们二爷才比你们姑娘大三岁。他眼睛不方便，不过人家都说兄弟几个是他最好。学问又好，又和气又斯文，像女孩子一样。等你们姑娘过去了，要是我说的有一样不对，是他们北边人说的，叫我站着死，我不敢坐着死。"

大家都笑了。她说明天来讨回话。她走了，炳发老婆和他喊喊促促商议了一会，独自到隔壁房里去，银娣背对着门坐着做鞋。

"姑娘，吴家婶婶说的你都听见了。"她在床上坐下来，又告诉了她一遍。"姑娘你说怎么样？"问了几遍没有动静，胆子大起来，把她的针线一把抢了过去。"姑娘，说话呀！"

她低着头撕芭蕉扇上的筋纹。

"你说。说呀！"

迸了半天，她猛然一扭身，辫子甩出去老远，背对着她嫂子坐着。"讨厌！"

"好了，姑娘开了金口了。"炳发老婆笑着站起来万福。"恭喜姑娘。"

她走了。这房间仿佛变了，灯光红红的。银娣坐着撕扇子上的筋纹。她嫁的人永远不会看见她。她这样想着，已经一个人死了大半个，身上僵冷，一张脸塌下去失了形，珠子滚到黑暗的角落里。她见到的瞎子都是算命的。有的眼睛非常可怕。媒人的话怎么能相信，但是她一方面警诫自己，已经看见了他，像个戏台上的小生，肘弯支在桌上闭着眼睛睡觉，漂亮的脸搽得红红白白。

她以后一生一世都在台上过，脚底下都是电灯，一举一动都有音乐伴奏。又像灯笼上画的美人，红袖映着灯光成为淡橙色。

她想起小刘。都是他自己不好，早为什么不托人做媒？他就是这样。他这样的人不会有多大出息的。也甚至于是听见人家说她，也有点相信，下不了决心。有这样巧的事，刚赶着今天跟姚家一齐来。也是命中注定的。

邻居婴儿的哭声，咳嗽吐痰声，踏扁了鞋跟当做拖鞋，在地板上擦来擦去，擦掉那口痰，这些夜间熟悉的声浪都已经退得很远，听上去已经渺茫了，如同隔世。没有钱的苦处她受够了。无论什么小事都使人为难，记恨。自从她母亲死后她就尝到这种滋味，父亲死的时候她还小，也还没娶嫂子。可惜母亲不在了，没看到这一天。

她翻来覆去，草席子整夜沙沙作声，床板格格响着。她不知道什么时候睡着了，一会又被黎明的粪车吵醒。远远地拖拉着大车来了，木轮辚辚在石子路上辗过，清冷的声音，听得出天亮的时候的凉气，上下一色都是潮湿新鲜的灰色。时而有个伕子发声喊，叫醒大家出来倒马桶，是个野蛮的吠声，有音无字，在朦胧中听着特别震耳。仿佛全世界只剩下他一个人，所以也忘了怎么说话。虽然满目荒凉，什么都是他的，大喊一声，也有一种狂喜。

她嫂子起来了，她姑娘家不能摸黑出门去。在楼梯口拎了马桶下去，小脚一搁一搁，在楼梯板上落脚那样重，一声声隔得很久，也很均匀，咚——咚——像打桩一样。跟着是撬开一扇排门的声音。在这些使人安心的日常的声音里，她又睡着了。

三

三朝回门那天，店里上了排门，贴出一张红纸，"家有喜事，休业一天。"店堂里摆上供祖先的桌子，墙上挂着旧货摊上买来的画像，炳发拣了长得富泰些的男女，补服的品级较低的。这也不算太过于，现在差不多过得去的人家都捐官。椅帔桌围是租来的，磁器与香炉蜡台都是办喜事现买的，但是这钱花得心安理得。

亲戚已经都到齐了，吴家婶婶忽然来送信，说今天不回门，二爷不大舒服，老太太不让他出来，他向来身体单弱。炳发夫妇猜着这是避免给柴家祖宗磕头，当然客人们也都是这样想，一方面表示关切，也不便多问，话又回到新娘子身上，从小就看得出她为人，又聪明又大方，待人又好，是个有福气的人。吴家婶婶本来今天不肯来，说当着二爷和新二奶奶，没有她的坐处，现在没关系了，炳发夫妇忍着口气，拉着她留吃饭。菜是馆子里叫来的，冷盆已经摆在祭桌上许多时候，给祖宗与苍蝇享受。开饭另外摆上圆桌面，吴家婶婶一吃完就推有事，匆匆走了，不让柴家有机会对她抱怨。

大家都还坐着说话，街上孩子们喊了起来，"看新娘子，看新娘子喔！"

"不是我们家的？"

一担担方糕已经挑到门口，一叠叠装在朱漆描金高柜子里，上面没有盖，露出一片刺眼的深粉红色糕面。柴家忙着放炮仗，撤台面，腾地方，打发挑夫，总算赶上轿子到门放鞭炮。两辆绿呢大轿，现在不大看见轿子了，这是特为雇的，男女仆坐着人力车跟着，下了车黑压压围上来。男佣把新郎抱了出来，背在背上背进去，一个在旁边替他扶着帽子，瓜皮帽镶着红玉帽正，怕掉下地去。炳发这还是第一次看见他妹妹嫁的人，前鸡胸后驼背，张着嘴，像有气喘病，要不然也还五官端正，苍白的长长的脸，不过人缩成一团，一张脸显得太大。眼睛倒也看不大出，眯睐着一双吊梢眼，时而眨巴眨巴向上瞄着，可以瞥见两眼空空，有点像洋人奇异的浅色眼睛。他先怔住了，看见姚家仆人驱逐闲人，他连忙帮着赶，陪笑张开手臂拦着。

"对不起对不起，大家让开点，今天只有自己家里人。"

大家也微笑，仍旧挨挨挤挤踮着脚望，这一会工夫已经围上许多人。新娘子跟在后面，两个喜娘搀着，戴着珍珠头面，前面也是人字式，正罩住前刘海。头上像长上一层白珊瑚壳，在阳光中白灿灿的。累累的珠花珠凤掩映下，垂着眼睛，浓抹胭脂的眼皮与腮颊红成一片，穿着天青对襟褂子，大红百褶裙，每一褶夹着根裙带，吊着个小金铃铛。在爆竹声中也听不见铃声，拜祖先又放了一通炮仗。两个喜娘搀着新娘子，两个男佣人搬弄着新郎，红毡上简直挤不下。

柴家雇来帮忙的人早已关上那扇门板，门口的人还围着不散，女人抱着孩子站着。有两个半大的男孩子叽咕着，"什么稀奇，不给人看。要不要到城隍庙去，三个铜板看一看。"

"三个铜板看一看，三个铜板看一看！"孩子们拍着手跳着唱，小的也跟着起哄。佣人去撵，一窝蜂跑了又回来，远远的在街角跳跳蹦蹦唱着。

里面另摆桌子，一对新人坐在上首，新郎坐不直，直塌下去。相形之下，新娘子在旁边高坐堂皇，像一尊神像，上身特别长。店堂里黑洞洞的，只有他们背后祭桌上的烛火。两个喜娘一身黑，都是小个子，三十来岁，叽哩喳啦应酬女家的亲戚，只听见她们俩说话。炳发老婆捧上茶来，茶碗盖上有只青果。"姑爷姑奶奶吃青果茶，亲亲热热。"

两个喜娘轮流敬糖果。"新郎官新娘子吃蜜枣,甜甜蜜蜜。""吃欢喜团，团团圆圆。""新娘子吃枣子桂圆，早生贵子。"

坐了一会，炳发老婆低声附耳说，"姑奶奶可要上楼去歇歇？"

银娣站起来，跟着她上楼去，看见她自己房里东西都搬空了，只剩一张床，帐子也拆了下来，只铺着一张破席子。桌子椅子都拿到楼下去了，因为今天人多，不够用。她像是死了，做了鬼回来。

"姑奶奶到我房里去，这里没地方坐。"

但是她仍旧进去坐在床上。炳发老婆在她旁边坐下来。她哭了起来。

"姑奶奶不要难过。姑爷虽然身体不好，又不靠他出去挣饭吃，他们那样的人家还愁什么？姑爷样样事靠你照应他，更比平常夫妻不同。姑奶奶向来最要强，别人眼红你还来不及，你不要傻。"

银娣别过身去。

"姑奶奶不要难过，明年你生个儿子，照他们这样的人家，将来还了得？你享福的日子在后头呢。"

银娣脸上的胭脂把湿手帕都染红了。

"姑奶奶不要难过了，脸上又要补粉。我去打个手巾把子。"

正说着，楼下忽然一阵喧哗，似乎是外面来的，吓了她一跳，连忙到窗口去看，是那班轿夫在门口嚷成一片。

"舅老爷高升点！舅老爷高升点！"

有人蹬蹬蹬跑上楼来，是她大儿子。"爸爸说再拿点钱来，"他轻声说，站在门口等着。

"晓得了。我马上下去。"她也等着，等他下去了才到她房里去开箱子。

她走了，银娣才站起来，躲在窗户一边张看。门口围得更多了。灰色的石子路上斑斑点点，都是爆竹的粉红纸屑。一只椅子倚在隔壁墙上，有一个梯级上搭着一件柳条布短衫，挽了个结。是那木匠的梯子，她认识他的衣服。他一定是刚下工回来，刚赶上看热闹。小刘也在，他的脸从人堆里跳出来，马上别人都成了一片模糊。他跟另一个伙计站在对过门口，都背剪着手朝这边望着，也像大家一样，带着点微笑。所有这些一对对亮晶晶的黑眼睛都是苍蝇叮在个伤口上。她不是不知道这一关难过，但是似乎非挺过去不可。先听见说不回门，还气得要死。办喜事已经冷冷清清的。聘礼不过六金六银，据她哥哥说是北边规矩。本地讲究贵重的首饰，还有给一百两金子的，银子论千。没吃过猪肉，也看见过猪跑，就当他们这样没见过世面，没个比较。她哥哥嫂嫂当然是拣好的说，讲起来是他们家少爷身体不好，所以没有铺张，大概也算是体谅女家。替他们代办嫁妆，先送到他们店里，再送到男家，她看着似乎没什么好。等过了门，嫁妆摆在新房里，男家亲戚来看，都像是不好说什么，连佣人脸上的神气都看得出。再没有三朝回门，这还是娶亲？还是讨小？以后在他家怎样做人？

她来到他家没跟新郎说过话。今天早上确实知道不回门，才开口跟他说他家里这样看不起她。

"你坐到这边来。"他那高兴的神气她看着就有气。"我听不见。"

"眼睛瞎，耳朵也聋？"

他沉下脸来，恢复平时那副冷漠的嘴脸，倒比较不可恶。两人半天不说话，她又坐到床上去，坐在他旁边，牵着钮扣上掖着的一条狗牙边湖色大手帕，抹抹嘴唇，斜睨了他一眼，把手帕一甩，掸了掸他的脸。"生气了？"

"谁生气？气什么？"他的手找到她的膝盖，慢慢地往上爬。

"不要闹。嗳——！上床夫妻，下床君子。嗳——再闹真不理你了。你今天不跟我回去给我爹妈磕头，你不是他们的女婿，以后正好不睬你，你当我做不到？"

"又不是我说不去。"

但是她知道他怕出去，人杂的地方更怕。"那你不会想办法跟老太太说？"

"从来没听说过，才做了两天新郎就帮着新娘子说话，不怕难为情？"

"你还怕难为情？都不要脸！"她把他猛力一推，赶紧扣上钮扣，探头望着帐子外面，怕有人进来。

他神气僵硬起来，脸像一张团绉的硬纸。她自己也觉得说话太重了，又加上一句，"男人都是这样，"又把他一推。

他马上软化了。"你别着急，"他过了一会才说。"我知道，这都是你的孝心。"

归在孝心上，好让他名正言顺地屈服。于是他们落到这陷阱里，过了阴阳交界的地方，回到活人的世界来，比她记得的人世间仿佛小得多，也破烂得多，但是仍旧是唯一的真实的世界。她认识的人都在这里——闹烘烘的都在她窗户底下，在日常下午的阳光里。她恨不得浇桶滚水下去，统统烫死他们。

楼下闹得更厉害了。新的一批红封想必已经分派了出去，轿夫们马上表示不满。

"舅老爷高升点！"

"好了好了，你们这些人，心平点，"姚家的男佣七嘴八舌镇压着，更嚷成一片。"舅老爷对你们客气，你们心还不足？""好了好了，舅老爷给面子，你索性上头上脸的，看我们回去不告诉。"

"舅老爷高升点！舅老爷高升点！"

四

老夏妈的阔袖子空垂在两边。她把手臂缩到大棉袄里当胸抱着，这是她冬天取暖的一个办法。在暗黄的电灯泡下，大厨房像地窖子一样冷。高处有一只小窗户，安着铁条，窗外黎明的天色是蟹壳青。后院子里一只公鸡的啼声响得刺耳，沙嗄的长鸣是一只破竹竿，抖呵呵的竖到天上去。

厨子去买菜了。"二把刀"与另一个打杂的在后院子里拖着脚步，在水龙头底下漱口，淘米，打呵欠，吐痰咳嗽，每一个清晨的声音都使老夏颤栗一下，也不无一种快感。

她在姚家许多年，这房派到那房，没人要，因为爱吃大蒜，后来又几乎完全秃了，脑后坠着个洋银大的假发，也只有一块洋钱厚薄。亮晶晶的头顶上抹上些烟煤，也是写意画，不是写实。现在她在二奶奶房里，新二奶奶和别的少奶奶一样有四个老妈子，两个丫头，所以添上她凑足数目。

一个女孩子穿粉红斜纹布棉袄，枣红绸棉裤，揉着眼睛走进来，辫子睡得毛毛的。"夏奶奶早。"她伸手摸摸白泥灶上的黑壳大水壶，水还没热，她看见手指染黑了，做了个鬼脸，想在老夏头上擦手。

"小鬼，你干什么？"老夏一边躲着，叫了起来。

"让我替你抹上。"

"腊梅，别闹！"

腊梅看看手指比以前更黑了。"原来你已经打扮好了，"她咕哝着，在墙上一只钉上挂着的厨子的蓝布围裙上擦手。"不怪你下来得这么早，不叫人看见你装假头发。"

"别胡说，下来晚了还拿得到热水？天天早上打架一样。"

腊梅把袖子往后一捋，去摸灶后另一只水壶。"这只行了。"她拎了起来。

"嗳，那是我的，我等了这半天了。"

"大奶奶等着洗脸呢，耽误了要骂。"

"二奶奶不骂？"

"还是新娘子，好意思骂人？"

"嚇！你没听见她。"

"哦？怎么骂？"腊梅连忙凑过来低声问，被夏妈劈手抢她的水壶。

"还不拿来还我？也有个先来后到的。"

"厨子现在不知道在哪儿买油。在别处买二奶奶不生气？"

"还要瞎说？快还我。"

"你看你看，水泼光了大家没有。你拿那一壶不是一样？都快滚了，嗡嗡响。"

"我怎么不听见？"

"你耳朵更聋了，夏奶奶。"

那女孩子把水拎走了，老夏发现她上了当，另一壶水一点也不热。厨房里渐渐人来得多了，都是不好惹的，不敢再等下去，只好提着壶温吞水上去。楼上一间间房都点着灯,静悄悄半开着门,人影幢幢。少奶奶们要一大早去给老太太请安,老太太起得早。

银娣在镜子里看见老夏进来,别过头来咬着牙低声说,"我当你死在楼底下了。"梳头的替她倒插着一把小象牙梳子,把前刘海掠上去,因为还没有洗脸。

"我等来等去,又让腊梅拎走了。一个个都像强盗一样。"

"谁叫你饭桶,为什么让她拿去,你是死人哪?"银娣不由自主提高了声音。二爷还睡着,放着湖色夏布帐子,帐门外垂着一对大银钩。

夏妈背过身去倒水,嘴唇在无表情的脸上翕动,发出无声的抗议。大清早上口口声声"当你死在楼下,""你是死人,"当着梳头的,也不给人留脸。她比梳头的早来多少年?也不想想,都是自己害底下人为难。不信,明天自己去拎去。

银娣走到红木脸盆架子跟前,弯下腰草草擦了把脸,都来不及嚷水冷。在手心调了点水粉,往脸上一抹,撕下一块棉花胭脂,蘸湿了在下唇涂了个滚圆的红点,当时流行的抽象化樱桃小口。她曾经注意到他们家比外面女人胭脂搽得多,亲戚里面有些中年女人也搽得猴子屁股似的,她猜是北边规矩,在上海人看来觉得乡气,衣服也红红绿绿,所有时行的素淡的颜色都不许穿,说像穿孝,老太太忌讳。脸上不够红,也说像戴孝。她一横心把两只手掌涂红了,按在两边脸上,从眼皮往下一抹。梳头的帮她脱了淡蓝布披肩,两个小丫头等着替她戴戒指,戴金指甲套,又跟在后面跑,替她把紧窄的灰鼠长袄往下扯了扯。

妯娌们坐着等老太太起身的那间外房,已经一个人也没有。里面听见老太太咳嗽打扫喉咙,"啃啃!"第二个"啃"特别提高,听着震心，尤其是今天她来晚了。老太太显然已经起来了，穿着木底鞋，每次站起来总是两只小脚同时落地，磕托一声砸在地板上。她个子矮小，坐着总是两脚悬空。

门钮上挂着块红羽纱。老太太的规矩，进出要用这抹布包着门钮。黄铜门钮擦得亮晶晶的，怕沾了手汗。她进去看见老太太用异样的眼光望了她一眼，才知道她心慌忘了用抹布。

她低声叫了声妈。老太太在鼻子上部远远地哼了哼。媳妇不比儿子女儿，不便当面骂。她的小瘪嘴吸着旱烟，核桃脸上只有一只尖下巴往外抄着。她别过脸来，将下巴对准大奶奶。"人家一定当我们乡下人，天一亮就起来。"

大奶奶三奶奶都用手绢子捂着嘴微笑。

她转过下巴对准了三奶奶。"我们过时了，老古董了。现在的人都不晓得怕难为情了，哪像我们从前。"

没人敢笑了。做新娘子的起来得晚了，那还用问是怎么回事？尤其像她，男人身体这么坏，这是新娘子不体谅，更可见多么骚。银娣脸上颜色变了，突然退潮似的，就剩下两块胭脂，像青苹果上的红晕。老太太本来难得跟她说话，顶多问声二爷身体怎样，但是仿佛对她还不错，常向别的媳妇说，"二奶奶新来，不知道，她是南边人，跟我们北边规矩两样，"其实明知她与她们不同之点并不是地域关系。现在她知道那是因为她还是新娘子。对她客气的时期已经过去了。

老洋房的屋顶高，房间里只有一只铜火盆，架在朱漆描金三脚架上，照样冷。

"那边窗子关上，风转了向了，"老太太对丫头说。她整个是个气象台。"开这边的，开小半扇。"她成天跟着风向调度，使她这间房永远空气流通而没有风。她在红木炕床上敲敲旱烟斗的灰，"这儿冬天不算冷。南京那才冷。第一那边房子是砖地。你们没看见我们南京房子的上房，媳妇们立规矩的地方，一溜砖都站塌了。你们这些人都不知道你们多享福。"

大奶奶的孩子们各自由老妈子带着进来叫奶奶，都缩在房门口，不敢深入。老太太问话，自有各人的老妈子代替回答。下一批是老姨太太们，然后是大爷。三奶奶与银娣喃喃地叫了声"大爷"，他向她们旁边一尺远近点了点头，很快地答应了声"嗳。"他是瘦高个子，大眼睛，眼白太多，有时目空一切的神气。老太太问他看坟的来信与晚上请客的事。他没坐一会就溜走了。

十一点钟，老太太问，"三爷还没起来？"

"不晓得。叫他们去看看。"三奶奶向房门口走。

"不要叫他，让他多睡一会，"老太太说，"昨天又回来晚了？"带着责备的口气。

"他昨天倒早，不过我听见他咳嗽，大概没睡好。"

"咳嗽吃杏仁茶。这个天，我也有点咳嗽。"

"妈吃杏仁茶？我们自己做，佣人手不干净，"大奶奶说。

老太太点点头。"二爷怎么样？气喘又发了？"

皇恩大赦，老太太跟她说话了。银娣好几个钟头没开口，都怕喉咙显得异样，又不便先咳声嗽。"二爷今天好些。这回大夫开的方子吃了还好。"

她站在原处没动，但是周身血脉流通了。

老太太叫丫头们剪红纸，调浆糊，一枝水仙花上套一个小红纸圈，媳妇们也帮着做。买了好些盆水仙花预备过年，白花配着黄色花心，又嫌不吉利，要加上点红。派马车接她娘家的一个侄

124

孙女来玩，老太太房里开饭，今天因为有个小客人，破例叫媳妇们都坐下来陪着吃。一个大砂锅鸡汤，面上一层黄油封住了，不冒热气，银娣吃了一匙子，烫了嘴。老太太喜欢什么都滚烫。

"嚇！这鸡比我老太太还老，他妈的厨子混蛋，赚我老太太的钱，混账王八蛋，狗入的。"她骂人完全官派，也是因为做了寡妇自己当家年数多了，年纪越大，越学她丈夫从前的口吻。骂溜了嘴，喝了口汤又说，"嚇！这鸡比我老太太还咸。"

媳妇们都低着头望着自己的饭碗，不笑又不好。还是不笑比较安全。

吃完饭她叫人带那孩子出去跟她孙子孙女儿玩，她睡中觉。媳妇们在外间围着张桌子剥杏仁，先用热水泡软了。桌上铺着张深紫色毯子，太阳照在上面，衬得一双双的手雪白。

"打麻将？"大奶奶鬼鬼祟祟笑着说。"再铺上张毯子，隔壁听不见。"

"三缺一，"三奶奶说。

"等三爷起来，"银娣说。

"你当三爷肯打我们这样的小麻将？"大奶奶两腿交叠着，跷起一只脚，看了看那只黑纱镂空鞋，挖出一个外国字，露出底下垫的粉红缎子。

"这是什么字？"三奶奶说。

"谁晓得呢？你们三爷说是长寿。我叫他写个外国字给我做鞋。可是大爷看见了说是马蹄子，正配你。"

大家都笑了。"大爷跟你开玩笑，"三奶奶说。

"谁晓得他们？"大奶奶说。"也就像三爷干的事。"

"他反正什么都干得出，"三奶奶也说。

他们两兄弟都学洋文，因为不爱念书，正途出身无望，只好学洋务。姚家请了个洋先生住在家里，保证是个真英国人，住在他们花园里，一幢三层楼小洋房，好让兄弟俩没事的时候就去向他请教声光化电的学问。学生从来不来，洋先生也得整天坐在家里等着。难得去一趟，反而教洋先生几句骂人的中国话，当做大笑话。每年重阳节那天预先派人通知，请他避出去，让女眷们到三层楼上登高，可以一直望到张园，跑马厅，风景非常好。

"你为什么不把这字描下来，叫人拿去问洋先生？"银娣说。

"不行，"大奶奶红了脸。"谁晓得到底是什么字？说不定比马蹄还坏。"

银娣吃吃笑着，"你等哪天外国人在花园里走，你穿着这双鞋出去，他要是笑，一定就是马蹄。"

她们两妯娌自己一天到晚开玩笑，她说句笑话她们就脸上很僵，仿佛她说的有点不上品。她懒得剥杏仁了，剥得指甲底下隐隐地酸胀。她故意触犯天条，在泡杏仁的水里洗洗手，站起来望着窗外。这房子是个走马楼，围着个小天井，楼窗里望下去暗沉沉的，就光是青石板砌的地。可是刚巧被她看见一辆包车从走廊里拉进来，停在院子里。

"咦，看谁来了！"其实他跟大爷兄弟俩长得很像，不过他眉毛睫毛都浓，头发生得低，剃了月亮门，青头皮也还露出个花尖。"我当三爷还没起来呢，这时候刚回来。"

"啊？"三奶奶模糊地说。"那他一定是早上溜出去了。"

"你看三奶奶多贤慧，护着三爷，"银娣向大奶奶说。

"谁护着他？我怎么晓得他出去了没有，我一直跟你们在一起。"

"好了好了，"银娣说，"你不替他瞒着，我们也恨不得替他瞒着，老太太生气大家倒楣。"

三爷下了车走进廊上一个房门。包车座位背后插着根鸡毛掸帚，染成鲜艳的粉红与碧绿，车夫拿下来，得意洋洋掸着琤亮的新包车，上下四只水月电灯。三爷晚上出去喜欢从头到脚照得清清楚楚，像堂子里人出堂差一样。

"是要告诉三爷，他少奶奶多贤慧，他这样没良心，无日无夜往外跑，"银娣说。

"大爷还不也是这样，"大奶奶说。"谁都像二爷，一天到晚在家里陪着你。"

"可不是，我们都羡慕你呵，二嫂，"三奶奶也说。"像二哥这样的男人往哪儿找去。"

银娣早已又别过身去向着窗外。包车夫坐在踏板上吸旱烟，拉拉白洋布袜子。

"这样子像是还要出去，"她说。

"到账房去这半天不出来，"她说。

她的两个妯娌继续谈论过年做的衣服。为什么到账房去这半天，她们有什么不知道？过年谁都要用钱。

一个男仆托着一只大木盘盛着饭菜，穿过院子送进账房。

"这时候才吃饭？两个人吃。"她看见两副碗筷。

然后又打洗脸水来。另一个人送梳头盒子进去。

"他还不如搬进去跟账房住还省事些，"她吃吃笑着。"真是，我们三爷是有奶就是娘。"

三奶奶的陪房李妈进来说，"小姐，姑爷要皮袍子。"她每次叫"小姐"，就提醒银娣她自己没有带陪房的女佣来。

三奶奶伸手解胁下钮扣上系的一串钥匙。"上来了？"

"在底下。叫程贵上来说。"

主仆俩都鬼鬼祟祟的，低声咕哝着。

"三奶奶不要给他，"银娣说。"老不回家，回来换了衣裳就走。"

"三奶奶不在乎嚜，要我们狗拿耗子，多管闲事，"大奶奶说。

"嗳，我这回就是要打个抱不平，我实在看不过去，他欺负你们小姐，"她对李妈说。"你叫他自己来拿。"

李妈笑着站在那里不动。三奶奶也笑，在一串钥匙上找她要的那只。

"三奶奶不要给他。你为什么那么怕他？"

"谁怕他？我情愿他出去，清静点，不像你跟二爷恩爱夫妻，一刻都离不开。"

"我们！像我们好了！你们才是恩爱夫妻。"

"我是不跟他吵架，"三奶奶说，"免得老太太说家里不和气，不怪他在家里待不住。"

"嗳，总是怪女人，"银娣说。"老太太要是知道你替他瞒着，不也要怪你。"

三奶奶听这口气，一定会有人去告诉老太太。她叹了口气。"咳！所以你晓得我的难处。"

"李妈，去告诉三爷老太太问起他好几次，"银娣说。"不上来一趟就走了，等会我们都不得了。"

三奶奶先还不开口。李妈望着她，她终于用下颔略指了指门口。"就说老太太找他。"

李妈这才去了。

五

账房里黑洞洞的，旧藤椅子都染成了油腻的深黄色，扶手上有个圆洞嵌着茶杯，男佣提着黑壳大水壶进来冲茶。三爷占着张躺椅，却欠身向前，两肘搁在膝盖上，挽着手，一副诚恳的神气，半真半假望着账房微笑。

"好了好了，老朱先生，不要跟我为难了。"

他袍子上穿着梅花鹿皮面小背心，黑缎阔滚，一排横钮，扣着金核桃钮子。现在年轻人兴"满天星"，月亮门上打着短刘海，只有一寸来长，直戳出来，正面只看见许多小点，不看见一缕缕头发，所以叫满天星。他就连这样打扮都不难看，头剃得半秃，剃出的高额角上再加这么一排刺。只要时行，总不至于不顺眼，时装这东西就是这样。

老朱先生直摇头，在藤椅上撅断一小片藤子剔牙齿。"三爷这不是要我的好看？老太太说了，不先请过示谁也不许支。"

"你帮帮忙，帮帮忙，这回无论如何，下不为例。"

"三爷，要是由我倒好了。"

"你不会摊在别的项下，还用得着我教你？"

"天地良心，我为了三爷担了不少风险了，这回是实在没法子腾挪。"

"那你替我别处想想办法。你自己是个阔人。"

那老头子发急起来。"三爷这话哪儿来的？我一个穷光蛋，在你们家三十年，我哪来的钱？"

"谁知道你，也许你这些年不在家，你老婆替你赚钱。"

“这三爷就是这样！”老头子笑了起来。

“反正谁不知道你有钱，不用赖。”

“我积下两个棺材本，还不够三爷填牙缝的。”

“不管怎么样，你今天非得替我想办法。拜托拜托，”他直拱手。

“只好还是去找那老西，”老朱先生呻着舌头自言自语。“不过年底钱紧，不知道一时拿得出这些钱吧？”

“好，你马上就去。”他拿起淡青冰纹帽筒上套着的一顶瓜皮帽，拍在老朱先生头上。

“这些人都是山西的回回，这些老西真难说话。你今天找着他，就没的可说，他非要他的三分头。”

“不管他怎么，要是今天拿不到钱我不要他的。”

“三爷总是火烧眉毛一样。”

“快去。我在你这儿打个盹，昨天打了一晚上麻将。”

“你不上楼去一趟？刚才说老太太找你。”

“就说我已经走了。给老太太一捉到，今天出去不成了。”但是他随即明白过来，他在这里不便，老朱先生没法开箱子，拿存摺到钱庄去支钱。当然并没有什么山西回回，假托另一个人，讲条件比较便当，讨债也比较容易。他年纪虽然轻，借钱是老手了。

“好好，我上去看看。你去你的，快点。”

他上楼来，三个女人在外间坐着剥杏仁。他咕噜了一声“大嫂二嫂，”拖着张椅子转了个向，把袍子后身下摆一甩甩起来，骑着张椅子坐下来，立刻抓着杏仁一颗颗往嘴里丢。

“你看他，”银娣说。“人家辛辛苦苦剥了一下半天，都给他吃了。”

“是谁假传圣旨？老太太不在睡中觉？”

"就快醒了，"三奶奶说。

"三爷，你写给我的洋字到底是什么字？"大奶奶说。

"什么字？"他茫然。

"还要装佯，你骂人，给人家鞋上写着马蹄，"大奶奶说。

他忍不住噗哧一笑，她就骂：

"缺德！好好糟蹋人家一双鞋子。"

"可不是，"三奶奶说，"这镂空的花样真费工。今年还带着就兴这个。"

"幸亏没穿出去，叫人看见笑死了。"大奶奶站起来出去了。

"去换鞋去了，"银娣低声说。

"穿在脚上？"他笑了起来。

"还笑！"三奶奶说。

"嗳，我的皮袍子呢？"他大声问她。

"你先不要发脾气，"银娣抢着说，"是我一定不让她拿给你。到这时候才回来，回来换件衣裳又出去。"

"天冷了不换衣裳？我冻死了二嫂不心疼？"

她笑着把三奶奶一推。"要我心疼？心疼的在这儿。"

"除非你跟二爷是这样，"三奶奶说。

"我可没替二爷扯谎，替他担心事背着罪名。三爷你都不知道你少奶奶多贤慧。"

三奶奶把那碗杏仁挪到他够不着的地方。"好了，留点给老太太椿杏仁茶。"

"这东西有什么好吃，淡里呱唧的，"银娣正说着，他站起来捞了一大把。"嗳，你看！三奶奶也不管管他！"

"她管没用，要二嫂管才服，"他说。

"三奶奶你听听!"她作势要打他,结果只推了三奶奶一下,扑在她颈项上笑倒了。她拨弄着三奶奶钮扣上挂着的金三事儿,揣着捏着她纤瘦的肩膀,恨不得把她捏扁了。

三奶奶受不了,站起来抽出胁下的手绢子擦擦手,也不望着三爷,说,"要开箱子趁老太太没起来。要什么皮袍子自己去拣。"她走了。

"叫你去呢,"银娣说。

他不作声,伸手把水仙花梗子上的红纸圈移上移下,眼睛像水仙花盆里的圆石头,紫黑的,有螺旋形的花纹,浸在水里,上面有点浮光。

"咦,我的指甲套呢?"她只有小指甲留长了,戴着刻花金指甲套。

"都是你打人打掉了,"他说。

"快拿来。"

"咦,奇怪,怎么见得是我拿的?"

"快拿来还我,不还我真打了。"她又扬起手来。

"还要打人?"他把一只肩膀凑上来。"要不就真打我一下,这样子叫人痒痒。"

"你还不还?"她睨着他。

"二嫂唱个歌就还你。"

"我哪会唱什么歌?"

"我听见你唱的。"

"不要瞎说。"

"那天在阳台上一个人哼哼唧唧的不是你?"

她红了脸。"没有的事。"

"快唱。"

"是真不会。真的。"

"唱，唱，"他轻声说，站到她跟前低着头看着她。她也不知道怎么，坐着不动。他的脸从底下望上去更俊秀了。站得近是让她好低低地唱，不怕人听见。他的袍子下摆拂在她脚面上，太甜蜜了，在她仿佛有半天工夫。这间房在他们四周站着，太阳刚照到冰纹花瓶里插着的一只鸡毛帚，只照亮了一撮柔软的棕色的毛。一盆玉花种在黄白色玉盆里，暗绿玉璞雕的兰叶在阳光中现出一层灰尘，中间一道摺纹，肥阔的叶子托着一片灰白。一只景泰蓝时钟坐在玻璃罩子里滴答滴答。单独相处的一刹那去得太快，太难得了，越危险，越使人陶醉。他也醉了，她可以觉得。

"你看，我拣来的，还不错？"他翘起小指头，戴着她的金指甲套在她面前一晃。她要是扑上去抢，一定会给他搂住了。她斜睁了他一眼，在水碗里浸了浸手，把两寸多长凤仙花染红的指甲向他一弹，溅他一脸水。

她看见他一躲，同时听见背后的脚步声。大奶奶进来，他已经坐下了。她飞红了脸，幸亏胭脂搽得多，也许看不出。

"老太太还没起来？"大奶奶坐了下来。

"仿佛听见咳嗽，"他说。"我去看看。"他把袍子后襟唰地一甩甩上去，站起来顺手抓了把杏仁。

"嗳——！"大奶奶连忙拦着。"真的，不剩多少了。"

他丢回碗里去，向老太太房里一钻，大红呢门帘在他背后飞出去老远。

大奶奶把杏仁缓缓倒在石臼里，用一只手挡着。"这是什么？咦？"她笑了。"这副药好贵重，有这么些个金子。"

"嗳，是我的，"银娣说，"我正奇怪指甲套不见了，一定是溜到碗里去了。"

"看看还有没有，"大奶奶抄起杏仁来在手指缝里滤着。"这回我留着。"

银娣把那小金管子抖了抖，用手绢子擦干了。本来她还怕他拿去不好好收着，让别人看见了，上面的花纹认得出是她的。还了给她，她倒又若有所失。就像是一笔勾销，今天下午这一切都不算，不过是胡闹，在这里等得无聊，等不及回去找他堂子里的相好。大奶奶可不会忘记。她到底看见了多少？

她后来听见说不让三爷出去，才心平了些。有男客来吃饭，要他在家里陪客。是老太爷从前的门生，有两个年纪非常大，还要见师母磕头，老太太没有下去。这是三爷最头痛的那种应酬，可是她在房里吃饭，听见楼下有胡琴声，在唱京戏。家里请客不能叫堂差，一问佣人，说是叫了几个小旦来陪酒，倒也还不寂寞。

她两只手抄在衣襟下坐着。房里没有生火。哮喘病最怕冷，不过老太太更怕火气，认为全宅只有她年纪够大，不会上火，所以只有老太太房有个炭盆。房间大，屋顶又高，只有正中一盏黄黯的电灯远远照下来，房间整个像只酱黄大水缸，装满了许久没换的冷水。动作像在水底一样费力，而且方向不一定由自己做主。钟声滴答，是个漏水的龙头，一点一滴加进去，积水更深。刚吃完饭，她冻得脸上升火，热敷敷的，仿佛冰天雪地中就只有这点暖气、活气，自己觉得可亲。

二爷袖着手横躺在床上，对着烟盘子。他抽鸦片是因为哮喘，老太太禁烟，只好偷偷地抽，其实老太太也知道。结婚以后不免又多抽两筒，希望精力旺盛些。他一双布鞋底雪白，在昏黄的灯下白得触目。从来不下地，所以鞋底永远簇新。

"今天笑死了，三爷一夜没回来，三奶奶说还没起来——"她特地坐到床上去，喊喊喳喳讲给他听。"回来就往账房里一钻，一坐几个钟头，一块吃饭，还不是为了筹钱？说是连大爷都过不了年。老太太相信大爷，其实弟兄俩还不都是一样？照这样下去，我们将来靠什么过？"

他先没说什么。她推推他。"死人，不关你的事？"

"也还不至于这样。"

她就最恨他别的不会，就会打官话。他反正有钱也没处花，乐得大方。也许他情愿只够过，像这样白看着繁华热闹，没他的份，连她跟着他也像在闹市隐居一样。

楼下胡琴又在伊哑着。她回到原处，坐得远远的，摸着皮袄的灰鼠里子，像抚摸一只猫。她那天在阳台上真唱了没有，还是只哼哼？刚巧会给三爷听见了，又还记得。他记得。她的心突然胀大了，挤得她透不过气来，耳朵里听见一千棵树上的蝉声，叫了一夏天的声音，像耳鸣一样。下午的一切都回来了，不是一件件的来，统统一齐来。她望着窗户，就在那黑暗的玻璃窗上的反光里，栗色玻璃上浮着淡白的模糊的一幕，一个面影，一片歌声，喧嚣的大合唱像开了闸似的直奔了她来。

二爷在枕头底下摸索着。"我的佛珠呢？"老太太鼓励他学佛，请人来给他讲经。他最喜欢这串核桃念珠，挖空了雕出五百罗汉。

她没有回答。

"替我叫老郑来。"

"都下去吃饭了。"

"我的佛珠呢？别掉了地下踩破了。"

"又不是人人都是瞎子。"

一句话杵得他变了脸，好叫他安静一会——她向来是这样。他生了气不睬人了，倒又不那么讨厌了。她于是又走过来，跪在床上帮他找。念珠挂在里床一只小抽屉上。她探身过去拎起来，从下面托着，让那串疙里疙瘩的核子枕在黄丝穗子上，一点声音都没有。

"不在抽屉里？"他说。

她用另一只手开了两只抽屉。"没有嚜。等佣人来。我是不爬在床底下找。"

"奇怪，刚才还在这儿。"

"总在这间房里，它又没腿，跑不了。"

她走到五斗橱跟前，拿出一只夹核桃的钳子，在桌子旁边坐下来，把念珠一只一只夹破了。

"吃什么？"他不安地问。

"你吃不吃核桃？"

他不作声。

"没有椒盐你不爱吃，"她说。

淡黄褐色薄薄的壳上钻满了洞眼，一夹就破，发出轻微的爆炸声。

"叫个老妈子上来，"他说。"她们去了半天了。"

"饭总要让人吃的。天雷不打吃饭人。"

他不说话了。然后他忽然叫起来，喉咙紧张而扁平，"老郑！老郑！老夏！"

"你怎么了？脾气一天比一天怪。好了，我去替你叫她们。"她夹得手也酸了，正在想剩下的怎么办，还有这些碎片和粒屑。念珠穿在一根灰绿色的细丝绳子上，这根线编得非常结实。一拿起来，剩下的珠子在线上轻轻地滑下去，唳啦塔一响。她看见他吃了一惊，忍不住笑出声来。她用手帕统统包起来，开门出去。

过道里没有人。地方大，在昏黄的灯光下有一种监视的气氛，所有的房门都半开着，擦得玲亮的楼梯在她背后。她开了门闩，推开一扇玻璃门，阳台上漆黑，她也没开灯。冷得一下子透不过气来。有两扇窗子里漏出点灯光，她回头看了看，怕有人看见，随即快步穿过廊上，那古老的地板有两块吱吱响着。到了T形的阳台上突出的部份，铺着煤屑，踩着也有点声响。花瓶式的水门汀栏杆，每根柱子顶着个圆球，黑色的剪影像个和尚头，晚上看着吓人一跳。她走到栏杆角上，俯身把手帕里的东西小心地倒在水管子里。

下面是红砖穹门，站在洋式雕花大柱子上，通向大门。大门口灯光雪亮，寂静得奇怪。那条沥青路在这里转弯，做半圆形。路边的冬青树每一只叶子都照得清清楚楚，一簇簇像浅色绣球花一样。在这里反而不听见人声与唱京戏的声音，只偶然听见划拳的发声喊。但是她尽管冷得受不住，老站着不走。仿佛门房那边有点人声。要是快散了，她要等着看他们出来。

第一辆马车蹄声得得，沿着花园的煤屑路赶过来，又有许多包车挤上来。客人们谦让着出来，老头子扶着虬曲的天然杖，戴着皮里子大红风帽，小旦用湖色大手帕捂着嘴笑，脸上红红白白，袍子上穿着大镶大滚的小黑坎肩。三爷的声音在说话，他站在阶前，看不见。她紧贴在栏杆上，粗糙的水门汀沙沙地刮着缎面袄子。

客都走了。

"阿福呢？我出去，"他说。

拍拍的脚步声跑开了，一个递一个喊着阿福。

"三爷，这时候坐包车太冷，还是坐马车，也快些。"

"快——？套马就得半天工夫。好吧，叫他们快点。"

又有人跑着传出去。阶上寂静了下来。是不是进去了在里边等着？不过没听见门响。

她低声唱起《十二月花名》来。他要是听见她唱过，一定就是这个，她就会这一支。西北风堵着嘴，还要唱真不容易，但是那风把每一个音符在口边抢了去，倒给了她一点勇气，可以不负责。她唱得高了些。每一个月开什么花，做什么事，过年，采茶，养蚕，看龙船，不管忙什么，那女孩子夜夜等着情人。灯芯上结了灯花，他今天一定来。一双鞋丢在地下卜卦，他不会来。那呢喃的小调子一个字一扭，老是无可奈何地又回到这个人身上。借着黑暗盖着脸，加上单调重复，不大觉得，她可以唱出有些句子，什么整夜咬着棉被，留下牙齿印子，恨那人不来。她被自己的喉咙迷住了，蜷曲的身体渐渐伸展开来，一条大蛇，在上下四周的黑暗里游着，去远了。

她没听见三爷对佣人说，"这个天还有人卖唱。吃白面的出来讨钱。"

她唱到六月里荷花，洗了澡穿着大红肚兜，他坐马车走了。

六

因为是头胎，老太太请她嫂子来住着，帮着照应。生下来是个男孩子，银娣自进了他家门，从来没有这样喜欢。是她嫂子说的，"姑奶奶的肚子争气。"

老太太也高兴，她到现在才称得上全福，连个残废儿子也有

138

了后代根。吃素的人不进血房，虽然她只吃花素，也只站在房门口发号施令，一边一个大丫头托着她肘弯，更显得她矮小。

"快关窗子，那边的开条缝。今天东风，这房子朝东北。这时候着了凉，将来年纪大点就觉得了。想吃什么，叫厨房里做。就是不能吃鸭子，产后吃鸭子，将来头抖，像鸭子似的一颠一颠。"

她向炳发老婆道谢。"只好舅奶奶费心，再多住些时，至少等满了月。不放心家里，叫人回去看看。住在这儿就像自己家里一样，要什么叫人去跟他们要。"

孩子抱到门口给她看，用大红绸子打着"蜡烛包"，绑得直挺挺的。孩子也像父亲，有哮喘病，有人出主意给他喷烟，也照他父亲一样用鸦片烟治，老太太听见说，也装不知道。

二爷搬到楼下去住，银娣顿时眼前开阔了许多。她喜欢一样样东西都给炳发老婆看。一张红大木床是结亲的时候买的，宽坦的踏脚板上去，足有一间房大。新款的帐檐是一溜四只红木框子，配着玻璃，绣的四季花卉。里床装着十锦架子，搁花瓶、茶壶、时钟。床头一溜矮橱，一叠叠小抽屉嵌着罗钿人物，搬演全部水浒，里面装着二爷的零食。一抹平的云头式白铜环，使她想起药店的乌木小抽屉，尤其是有一屉装着甘草梅子，那香味她有点怕闻。床顶用金链条吊着两只小珐琅金丝花篮，装着茉莉花，褥子却是极平常的小花洋布。扫床的小麻秸扫帚，柄上拴着一只粗糙的红布条穗子。

"真可以几天不下床，"她嫂子说。

他可不是不下床，这是他的雕花囚笼，他的世界。她到现在才发现了它，晚上和她嫂子拉上帐子，特别感到安全，唧唧哝哝谈到半夜，吃抽屉里的糕饼糖果，像两个小孩子。她再也没想到她会跟她嫂子这样好，有时候诉苦诉得流眼泪。

她要整天直挺挺坐着，让"秽血"流干净。整匹的白布绑紧在身上，热得生痱子。但是她有一种愉快的无名氏的感觉，她不过是这家人家一个做月子的女人。阳光中传来包车脚踏的铃声，马蹄得得声，一个男人高朗的喉咙唱着，"买……汰衣裳板！"一只拨啷鼓懒洋洋摇着，"得轮敦敦。得轮敦敦。"推着玻璃柜小车卖胭脂花粉、头绳、丝线，虬曲的粗丝线像发光的卷发，编成湖色松辫子。"得轮敦敦——"用拨啷鼓召集女顾客，把女人当小孩。

梳妆台的镜子上蒙着块红布，怕孩子睡觉的时候魂灵跑到镜子里出不来。满月礼已经收到不少，先送到老太太房里去看过了，再拿到这里来，梳妆台上搁不下，摆了一桌子。金锁、银锁、翡翠锁片，都是要把孩子锁在人世上。炳发老婆有点担心，值钱的东西到处摊着。

"新来的不知道靠得住靠不住。"背后这样叫奶妈。

"她不要紧，"银娣马上护着她。"刚从乡下出来，都吓死了，别人还没来得及教坏她。"

奶妈新来，不知道底细，所以比别人尊敬她。他们家难得用个新人，银娣就喜欢她一个新鲜。她奶又多，每天早上还挤一碗给老太太吃。老太太不吃牛奶，人奶最补的。

大奶奶三奶奶和老姨太太们进来看礼物。三奶奶又带两个表嫂来看。"这是舅舅的？"有人指着一盘衣服问。

"不是。还没来呢，"三奶奶只低声咕哝了一声，眼睛望到别处去，仿佛有点窘。

她们走了，银娣不能不着急起来。"还不来，"她轻声对她嫂子说。

"明天再不来，我再回去一趟。"

"你听见这些人说。"

"这些人都是看不得人家。"

"嗳，有些来了多少年连屁都没放一个，不要说养儿子了。她们的男人又还不是棺材瓤子。"

三奶奶没有孩子。

第二天她娘家的礼没来，炳发倒来了。男亲戚向来不上楼的，这次是例外，佣人领他到银娣房里。

"舅老爷带来的，"郑妈在他背后拎着一只提篮盒。

"嗳呀，干什么？哥哥真是，还又费事，"银娣坐在床上说。

他老婆揭开一看，上屉是荷叶包肉，下面一大砂锅全鸡炖火腿。

"老郑，拿点给奶妈吃，"银娣说。

炳发穿着黑纱马褂，摇着一把黑纸扇。他老婆把孩子抱来给他看。

"家里都好？"他老婆等女佣走了才问。"满月礼呢？我们都急死了。"

"所以我着急。没办法，只好来跟姑奶奶商量。"

都是低声说话，坐得又远，都向前伛偻着，怕听不见，连扇子也不摇了。每句中间隔着一段沉默。

"嫂嫂知道我没钱，"银娣说。"现在她自己看见了。"她到底看见了什么？只看见他们这里过得多享福，谁相信她一个月才拿几块钱月费钱？

"姑奶奶手里没钱，"炳发老婆说。

"我到处想办法。都去过了。"

"王家里不肯？"夫妻俩对瞅着，一问一答都只咕哝一声。

摇摇头一霎眼。"昨天去找冯金大。"

"谁？"

"还是小无锡的来头。"

她哥哥的难处不用说她也知道，她就是不懂，听他们说姚家怎样了不起，讲起来外面谁不知道，难道姚家少奶奶的娘家会借不到钱？她哥哥虽然是老实人，到底在上海土生土长的，这些年也混过来了。这回想必是夫妻商量好了，看准了她非要这笔礼不行，要她自己拿出来。

"姑奶奶跟姑爷商量商量看，"她嫂嫂说。

"他！"像吐了口唾沫。

"姑爷住在楼下？"炳发说。

"可不是，这两天送信也难，"他老婆说。

她也知道这不是叫人传话的事，要银娣自己对他说。

银娣不开口。他向来忌讳提钱。他是护短，这辈子从来没有钱在他手里过。逼急了还不是打官话，说送什么都一样，不过是点意思。

"姑爷可能想法子在账房里支？"她嫂子听惯了三爷在账房支钱的事。

"不行呃，"她皱着眉，"他从来没有过，还不闹得大家都知道。"

"不是有这话，'瞒上不瞒下'？"她嫂子隔了半天，嗫嚅着陪笑说。

"谁也瞒不了。这些人正等着扳我的错处，这下子有的说了。"

"姑奶奶向来要强，"她嫂子向她哥哥解释。

"礼不全，也许不要紧，老太太不是不知道我们的难处，"炳发说。

"老太太是不会说什么，别人还得了？"

"也是——。头胎，又是男孩子，"她嫂子说。

其实她并不是没想到去跟老太太说，趁着老太太这时候喜欢。不过她喜欢向来靠不住，今天宠这个，明天又抬举那个，好让这些媳妇谁也别太自信。为这事去诉苦也叫人见笑，老太太那副声口已经可以听得见："叫你哥哥不要打肿脸充胖子。这有什么要紧，都是自己人。"然后给她一笔钱，不会多，老太太不知道外面市价——姚家替她办的嫁妆就是那样，不过换了他们自己去买，就又有的说了，等买了来东西粗糙，又不齐全，正好怪他们不会买东西，不懂规矩。

"还是问姑爷，"她嫂子说。"都是姑奶奶的面子，也是他的面子。"

"也不是我一个人的事，"她说。背了债应酬亲戚的又不是他们第一个。将来他们这些儿子一个个的前程都在这上面，做官都有份。她是不愿意说，她做不了主的事，也不便许愿，但是他们有什么不知道的？不趁热打铁，她这时候刚生了儿子，大家有面子，下股子劲硬挺过去，处处要人家特别担待，谁拿你们当正经亲戚？她恨他们不争气，眼光小，只会来逼她。

奶妈吃了饭进来了。才把她支使出去，又有佣人进进出出。

"我走了，"他说。

迸了这半天，还是丢给她不管了。

"拿我的头面去当，"她望着空中说。"这时候不好拿，明天嫂嫂送回来。"

她嫂子苦着脸望着她半天。"……姑奶奶满月那天不要戴？"

"就说不舒服，起不来。"

他们显然不愿意。什么不能当，偏拣一个不久就非还她不可的。

"头面至少平时用不着。戒指几天不戴老太太就要问。皮衣裳要到冬天才用得着，不过太累赘，怎么拿出去？"

"这要赎不回来怎么办？"她嫂子终于说。

"怎么办，我上吊就是了，这日子也过够了，"她说着眼泪直淌下来。

"姑奶奶快不要这样。"

"你们晓得我过的什么日子？你们真不管了。"她更呜咽起来。

"姑奶奶，给人听见了。"

"本来也都是为你打算，"他说。"我们有什么好处？"

"噢，你现在懊悔了。早晓得还是卖断了干净。"

他老婆急得只叫姑奶奶。他已经站了起来。"我走了。"

"走了再也不要来了。情愿你不来。"一见面更提起她的心事来，他到底是她哥哥，就只有这一个亲人。

"谁再来不是人。嫌我丢脸，皇帝还有草鞋亲呢。"

他老婆连忙说，"你这是什么话？过年过节不来，不叫姑奶奶为难？"

"有什么为难？"她说。"就说我家里都死光了。"

"你不用咒人，从今天起你没有我这哥哥。"

他老婆把他往房门口直推。"嗳呀，你要走快走，在这儿就光叫姑奶奶生气。"

到了晚上关了房门，银娣拿出首饰箱来，把头面包起来，放在她哥哥带来的提篮盒下屉。她嫂子第二天早上拿回家去，下午又回来。再过了两天，礼送来了，先拿到楼上外间，老太太还没起来。大奶奶三奶奶第一个看见，把金锁在手心里掂着，估有几两重，又批评翡翠锁片颜色太淡，又把绣货翻来翻去细看。

"还是苏绣呢。"

"其实苏绣的针脚板，湘绣的花比较活。"

"反正羊毛出在羊身上。人家本事大，提篮盒拿出拿进，谁晓得装着什么出去？"

"嗳，我也看见。来来去去，总有一天房子都搬空了。"

奶妈照例到外间来挤奶，让老太太趁热吃。

她站在房门外等老太太起来，都听见了，回去告诉银娣姑嫂，又把银娣气个半死。

满月前两天，三奶奶叫了个穿珠花的来，替她重穿一朵珠花。

"她知道我要什么花样，"她告诉老李。"就照鲍家孙少奶奶那样。就在这儿做，你不跟她说话，不会吵醒三爷，不过你不要走开，晓得吧？"

"我知道。这一向人杂。"

三奶奶到老太太房里去了，照例打粗的老妈子进来倒痰盂扫地。老李在桌上铺了块小红毡子，珠花衬着棉花，用一条绸手帕包着，放在毡子上。她叠起三奶奶的衣服，收拾零碎东西。粗做的扫到床前，扫帚拨歪了三爷的拖鞋，正弯下腰去摆齐整，倒吓了一跳，他打着呵欠掀开帐子，两只脚在地下找拖鞋。

"三爷不睡了？"老李诧异地问。

"吵死了，还睡得着？"

"我去打洗脸水。"粗做的连忙拿着脸盆去了，唯恐他气出在她身上。

他站在衣橱前面把裤带系紧些，竹青板带从短衫下面挂下来，排须直拂到膝盖上。"快点，我吃早饭，吃了出去。"

"三爷吃什么？"

"你去看有什么。快点。"

老李叫了声如意没人应，那丫头想必也在楼下吃饭。别人不是在吃饭就是跟着三奶奶。她只好自己下去，年纪又大，脚又小，又是个胖子，他还直催。他似乎从来不记得她不比寻常的女佣，是他少奶奶娘家来的，几乎是他丈母娘的代表。她一直气她的小姐受他的气。

她拿他的碗筷到厨房去盛了碗粥，等着厨子配几色冷盆，忽然听见找阿福。

"阿福这时候哪在这儿？"厨房里人说。

三爷的包车夫向来要到下午才上班。

"三爷今天怎么这么早？"粗做的在灶前等脸水，向她说。

"嗳，这样等不及。"她只咕噜了一声，不愿意让别房的人听见他这样一大早失魂落魄往外跑，还不是又迷上了个新的。

一会又听见说"下来了"，"给三爷叫车。"

"早饭不吃，连脸都不洗就出去了？"她忍不住说，然后忽然想起来，三爷要是走了，房里没人，连忙又气喘吁吁上楼去，看见房门半开着，帐子放着，两只拖鞋踢在地板中央，桌上铺着小红毡子，毡子上什么也没有。她心里卜咚一响，像给个大箱子撞了一下，脚都软了，掀开帐子看看没有人，只好开抽屉乱找，万一是她自己又把珠花收了起来。粗做的打了脸水上来，把水壶架在痰盂上，也帮着找。

"也真奇怪，三爷一走我马上上来，才这一会工夫，怎么胆子这么大？"老李轻声说。

"可会是三爷拿的？"粗做的说。

"快不要说这话，让这些人听见了，说你们自己房里的人都这样说。"

她只好去告诉三奶奶。先找她们自己房里的老妈子，跟了来在老太太门外伺候着的，问知里面正开早饭，在门帘缝里张望着，等着机会把三奶奶暗暗叫了出来。三奶奶跟她回去，又兜底找了一遍，坐在一堆堆乱七八糟的东西中间哭了起来。

"青天白日，出了鬼了，"老李说。

"我叫你别走开嚜。"

"三爷等不及要吃早饭，叫如意也不在，只好我去。孙妈去打洗脸水去了。"

"他也奇怪，起这么个大早出去了。"

"三爷是这脾气，大概这两天家里有事，晚了怕走不开。"

两人沉默了一会。

"小姐，这要报巡捕房，不查清楚了我担当不起，跳到黄河也洗不清，"说着也哭了。

"要先告诉老太太。"

"嗳，请老太太把大门关起来，楼上搜到楼下，这时候多半还在这儿，等巡捕房来查已经晚了。"

"他们胆子越来越大了，"三奶奶咬着牙说。"是那嫂子。"

"再也没有别人。"

"不是那奶妈，她在老太太那儿挤奶。"

"是那嫂子。"

三奶奶匆匆回到老太太房去，大奶奶看见她神气不对，眼泡红红的，低声问怎么了。她要说不说的，大奶奶就藉故避了出去，丫头们一个个也都溜了。老太太两脚悬空，坐在红木炕床边沿上，摇着团扇，皱着眉听她哭诉，报巡警的话却马上驳回，只略微摇了摇头，带着睞了睞眼，望到别处去，就可见绝对没有可能。

三奶奶还是哭。"老李跟了我妈三十年了，别的也都是老人，丫头都是从小带大的，都急得要寻死，一定要查个明白，不然责任都在她们身上。"

"那全在你跟她们说，好叫她们放心，别出去乱说。不管上头人底下人，这话不好说人家。真要查出来又怎么着？事情倒更闹大了，传出去谁也没面子。东西到底是小事，丢了认个吃亏算了。"

三奶奶还站在那里不走。

"别难受了，以后小心点就是了。家里人多，自己东西要留神点。你去告诉你房里的人，别让他们瞎说。"老太太在炕床上托托敲着旱烟管的烟灰。

三奶奶只好回去，跟老李说了，叫她等那穿珠花的来了回掉她，就说不必重穿了。老李气得呼嗤呼嗤，在楼下等那女人，一见面再也忍不住，嘁嘁促促都告诉了她，越说越气，在厨房里嚷起来："我们小姐可怜，打落牙齿往肚子里咽。我是不怕，拚着一身剐，皇帝拉下马。我们做佣人的，丢了东西我们都背着贼名。我算管我们小姐的东西，叫我怎么见我们太太？谁想到今天住到贼窝里来了。只有千年做贼的，没有千年防贼的。他们自己房里东西拿惯了，大包小裹往外搬，怎么怪胆子不越来越大，偷起别人来了。谁叫我们小姐脾气好，吃柿才拣软的捏。"

三奶奶后来听见了骂老李，"你这不是跟我为难么？我受的气还不够？"

但是已经闹得大家都知道，传到银娣耳朵里，气得马上要去拉着三奶奶，到老太太跟前当面讲理，被炳发老婆拚命扯住不放。

"你一闹倒是你理亏了，反而说你跟佣人一样见识。这种话老太太怎么会相信？反正老太太知道就是了。"

银娣没作声。坏在老太太也跟别人一样想。

她哭了一夜，炳发老婆也一夜没睡。第二天满月，她的头面当了，只好推病不出来，倒正像是心虚见不得人。老太太派了个老妈子来看她，也没多问话，就请大夫来开了个方子。炳发在楼下坐席，并不知道出了事，当晚接了他老婆回去。他老婆虽然在这里度日如年，这时候回去倒真有点不放心，看银娣沉默得奇怪，怕她寻短见，多给了奶妈几个钱，背后嘱咐她晚上留神着点，好在二爷明天就搬上来了。那天晚上，老太太叫人给二奶奶送点心来，又特为给她点了几样清淡的菜，总算是给面子，叫她安心。炳发老婆临走，又送整大篓的西瓜水果，自己田上来的，配上两色外国饼干，要她带回去给孩子们吃。

人散了，三奶奶在房里又跟三爷讲失窃的事，以前一直也没机会说，说说又淌眼抹泪起来。

"他们佣人不肯就这么算了，要叫人来圆光，李妈出一半钱，剩下的大家出一份。"

他皱着眉望着她。"这些人就是这样。他们赚两个钱不容易的，拿去瞎花。"圆光的剪张白纸贴在墙上，叫个小男孩向纸上看，看久了自会现出贼的脸来。

"是他们自己的钱，我们管不着。他们说一定要明明心迹。"

"不许他们在这儿捣鬼。我顶讨厌这些。"

"他们在厨房里，等开过晚饭，也不碍着什么。老太太也知道，没说什么。"

他虽然不相信这些迷信,心里不免有点嘀咕。为安全起见,"宁可信其有,不可信其无。"第二天在堂子里打麻将,就问同桌的一个帮闲的老徐,"圆光这东西到底有点道理没有?"

老徐马上讲得凿凿有据,怎样灵验如神,一半也是拿他开玩笑,早猜着他为什么这样关心。少爷们钱不够花,偷家里的古董出来卖是常事。

"有什么办法破法,你可听见说?"

"据说只有这一个办法,用猪血涂在脸上,就不会在那张纸上漏脸。"

圆光那天,他出去在小旅馆里开了个房间,那地方不怕碰见熟人。他叫茶房去买一碗猪血,茶房面不改色,回说这时候肉店关门了,买不到新鲜的猪血,要到天亮才杀猪。但是答应多给小账,不久就拿了一碗深红色的黏液来。他有点疑心,不知道是什么血。要了一面镜子,用手指蘸着浓浓地抹了一脸。实在腥气得厉害,他躺在床上老睡不着。仰天躺着,不让面颊碰着枕头,唯恐擦坏了面具。血渐渐干了,紧紧地牵着皮肤。旅馆里正是最热闹的时候,许多人开着房间打麻将,哗啦哗啦洗牌的声音像潮水一样。别的房间里有女人唱小调。楼窗下面是个尿臊臭的小衖堂,关上窗又太热,怕汗出多了,冲掉了猪血。

一个小贩在旅馆甬道里叫卖鸭肫肝、鸭十件。

"买白兰花!"娇滴滴的苏州口音的女孩子,转着他的门钮。门锁着,她蓬蓬蓬敲门。"先生,白兰花要哦?"

跑旅馆的女孩子自然也不是正经人,有人拉她们进来胡闹,顺手牵羊会偷东西的。

到了后半夜渐渐静下来了。有两个没人要的女人还在穿堂里跟茶房打情骂俏，挨着不走，回去不免一顿打。有人大声吐痰，跟着一阵拖鞋声，开了门叫茶房买两碗排骨面。

他本来没预备在这里过夜。这时候危险早已过去了，就开门叫茶房打脸水来。洗了脸，一盆水通红的。小房间里一股子血腥气，像杀了人似的。

他带了几只臭虫回来，三奶奶抓着痒醒了过来，叫李妈来捉臭虫。李妈扯着电线辘轳，把一盏灯拉下来在床上照着，惺忪地跪在踏板上，把被窝与紫方格台湾席都掀过来，到处找。

"他们圆光怎么样？"三奶奶问。"闹到什么时候？"

"早散了，还不到十一点。暖，不要说，倒是真有点奇怪——在人堆里随便拣了个小孩，是隔壁看门的儿子，才八岁，叫他看贴在墙上那张白纸。"小孩"眼睛干净"，看得见鬼。童男更纯洁。

"看见什么没有？"

"先看不见。过了好些时候，说看见一个红脸的人。"

"红脸——那是谁？可像是我们认识的人？"

"就是奇怪，他说没有眼睛鼻子，就是一张大红脸。"

"暖哟，吓死人了，"三奶奶笑着说。"还看见什么？"

"别的没有了。"

"红脸，就光是脸红红的，还是真像关公似的？"

"说是真红。"

"做贼心虚，当然应当脸红。是男是女？"

"他说看不出。"

"这孩子怎么了？是近视眼？"

三爷忽然吃吃笑了一声。"也许他不是童男子，眼睛不干净。"

"你反正——"三奶奶啐了他一声。

他高兴极了，想想真是侥幸，幸亏预先防备，自己还觉得像个傻子似的，在那臭虫窝里受了半天罪。

七

在浴佛寺替老太爷做六十岁阴寿，女眷一连串坐着马车到庙里去，招摇过市像游行一样。家里男人先去了。银娣带着女佣，奶妈抱着孩子，同坐一辆敞篷车。她的出锋皮袄元宝领四周露出银鼠里子，雪白的毛托着浓抹胭脂的面颊。街上人人都回过头来看，吃了一惊似的，尽管前面已经过了好几辆车，也尽有年轻的脸，嵌在同样的珍珠头面与两条通红的胭脂里。在头面与元宝领之间，只剩下一块菱角形的脸，但是似乎仍旧看得出分别来。那胭脂在她脸上不太触目，她皮肤黑些。在她脸上不过是个深红的阴影，别人就是红红白白像个小糖人似的，显得乡气。她们这浩浩荡荡的行列与她车上的婴儿表出她的身分，那胭脂又一望而知是北方人，不会拿她误认为坐马车上张园吃茶的倌人。但是搽这些胭脂还是像唱戏，她觉得他们是一个戏班子，珠翠满头，暴露在日光下，有一种突兀之感；扮着抬阁抬出来，在车马的洪流上航行。她也在演戏，演得很高兴，扮做一个为人尊敬爱护的人。

马路两边洋梧桐叶子一大阵一大阵落下来，沿路望过去，路既长而又直，听着那萧萧的声音，就像是从天上下来的。她微笑着几乎叫出声来，那么许多黄色的手飘下来摸她，永远差一点没碰到。黄包车、马车、车缝里过街的人，都拖着长长的影子，横在街心交错着，分外显得仓皇，就像是避雨，在下金色的大雨。

一条蓝布市招挂在一个楼窗外，在风中膨胀起来，下角有一抹阳光。下午的太阳照在那旧蓝布上，看着有点悲哀，看得出不过是路过，就要走的。今天天气实在好。好又怎样？也就跟她的相貌一样。

一行僧众穿上杏黄袍子，排了班在大门外合十迎接，就像杏黄庙墙上刻着的一道浮雕。大家纷纷下车，只有三个媳妇是大红裙子，特别引人注目。上面穿的紧身长袄是一件青莲色，一件湖色，一件杏子红。三个人都戴着"多宝串"，珠串绞成粗绳子，夹杂着红绿宝、蓝宝石，成为极长的一个项圈，下面吊着一只珠子穿的古卍字坠子，刚巧像个＄字样，足有四寸高，沉甸甸挂在肚脐上，使她们娇弱的腰身仿佛向前荡过去，腆着个肚子。老太太最得意的是亲戚们都说她的三个媳妇最漂亮，至于哪一个最美，又争论个不完。许多人都说是银娣，也有人说大奶奶甜净些，三奶奶细致些，皮肤又白。她不过是二奶奶，人家似乎从来不记得她丈夫是谁。很少提到他，提到的时候总是放低了声气，有点恐怖似的，做个鬼脸，"是软骨病——到底也不知道他是什么毛病。"他们家不愿意人多问，他也很少出现，见是总让人见过，不然更叫人好奇。她喜欢出去，就是喜欢做三个中间的一个。

今天他们包下了浴佛寺，不放闲人进来。偏殿里摆下许多桌麻将。今年他们亲戚特别多，许多人从内地"跑反"到上海来。大家都不懂，那些革命党不过是些学生闹事，怎么这回当真逼得皇上退位？一向在上海因为有租界保护，闹得更凶些，自己办报纸，组织剧团唱文明戏，言论老生动不动来篇演说，大骂政府，掌声不绝。现在非常出风头，银娣是始终没看见过。姚家从来不看文明戏。唱文明戏的都是吊膀子出名的，名声太坏。难道就是这批人叫皇上退位？都说是袁世凯坏，卖国。本来朝事越来越糟，姚家就连老太爷在世的时候也已经失势了，现在老太太讲起来，在愤懑中也有点得意，但是也不大提起。

"跑反"虽然是一劫，太普遍了，反而不大觉得，年轻的媳妇们当然更不放在心上。银娣倒是有点觉得姚家以后不比从前了。本来他家的儿子一成年，就会看在老太爷面上赏个官做。大爷做过一任道台，三爷是不想做官，老太太也情愿他们安顿点待在家里，宦海风波险恶。银娣总以为她的儿子将来和他们不同。现在眼前还是一样热闹，添了许多亲戚更热闹些，她却觉得有一丝寒意。她哥哥那些孩子将来也没指望了。她的婚姻反正整个是个骗局。

在庙里，她和一个表弟媳卜二奶奶站在走廊上，看院子里孩子们玩，小丫头们陪着他们追来追去。一个孩子跌了一跤，哇！哭了。领他的老妈子连忙去扶他起来，揉手心膝盖。

"打地！打地！"她打了石板地两巴掌。"都是地不好。"

三奶奶在月洞门口和李妈鬼头鬼脑说话。仿佛听见说"还没来……叫陈发去找了……""陈发没用……"

"又找我们三爷了，"银娣说。

三奶奶走过来倚着栏杆，卜二奶奶就笑她，"已经想三爷了？"

"谁像你们，一刻都离不开，好得合穿一条裤子。"

"我们真不了，天天吵架。"

"吵架谁不吵？"

"你跟三爷相敬如宾。"

"我们三奶奶出名的贤慧，"银娣说。难得出门一趟，再加上这么许多年貌相当的女伴聚在一起，似乎有一种奇异的魔力，连她们妯娌们都和睦起来。"我们三爷欺负她。"

"连老太太都管不住他，叫我有什么办法？"

"还好，你们老太太不许娶姨奶奶。只要不娶回来，眼不见为净，"卜二奶奶说。

"所以我情愿他出去，"三奶奶说。"难得有天在家吃饭，我吃了饭回到老太太房里，头发毛了点都要骂，"她低声说，大家都吃吃笑了起来。"青天白日，谁这么下流？"

"你们三爷的事，不敢保，"卜二奶奶说。

"我们难得的。"

她们这些年轻的结了婚的女人的话，银娣有点插不上嘴去，所以非插嘴不可。"你这话谁相信？"

三奶奶马上还她一句话，"我们不像你跟二爷，恩爱夫妻。"一提二爷，马上她没资格发言了。

"我们才真是难得。"她红了脸，仿佛大家同时看见他跟她在床上的情形。那两个女人脸上也确是顿时现出好奇的笑容。"我敢赌咒，你敢赌么？三奶奶你敢赌咒？"

卜二奶奶笑。"你刚生了个儿子，还赌什么咒？"

"老实告诉你，连我都不知道是怎么生出来的。"话一出口她就懊悔了，看见那两个女人一面笑，眼睛里露出奇异的盘算的神气，已经预备当做笑话告诉别人。她们彼此开玩笑向来总是这一套，今天似乎太过分了，不好意思再往下说，但是仍旧在等着，希望她还会说下去，再泄漏些二爷的缺陷。刚巧有个没出嫁的表妹来了，这才换了话题。

"老太太叫，"一个老妈子说。

两个媳妇连忙进去。老太太在和三奶奶的母亲打麻将。

"三爷呢？怎么叫了这半天还不来？亲家太太惦记着呢。"

"三爷打麻将赢了，他们不放他走，"三奶奶说。

"别叫他，让他多赢两个，"她母亲说。

她的小弟弟走到牌桌旁边，老太太给了他一块戳着牙签的梨，说：

"到外边去找姐夫，姐夫赢钱了，叫他给你吃红。"

"姐夫不在那儿。"

"在那儿。你找他去。"

"我去找他，他们说还没来。"

老太太马上掉过脸来向三奶奶说："什么打麻将，你们这些人捣的什么鬼？"

三奶奶的母亲连忙说，"他小孩子懂得什么，外头人多，横是闹糊涂了。"

"到这时候还不来，自己老子的生日，叫亲家太太看着像什么样子？你也是的，还替他瞒着，怎么怪他胆子越来越大。"

三奶奶不敢开口，站在那里，连银娣和丫头老妈子们都站着一动也不动，唯恐引起注意，把气出在她们身上。三奶奶母亲因为自己女儿有了不是，她不便劝，麻将继续打下去，不过谁也不叫出牌的名字。直到七姑太太摊下牌来，大家算胡子，这才照常说话。老太太是下不来台，当着许多亲戚，如果马虎过去，更叫人家说三爷都是她惯的。

一圈打下来，大奶奶走上来低声说，"三爷先在这儿，到北站送行去了，老沈先生回苏州去。"

她们用老沈先生作藉口，已经不止一次了。他老婆不在上海，身边有个姨奶奶，但是姨奶奶们不出门拜客，所以她们无论说他什么，不会被拆穿。他这时候也许就在这庙里，老太太反正无从知道。她正看牌，头也不抬。大奶奶在亲家太太椅子背后站着，也被吸引进桌子四周的魔术圈内，成为另一根矗立的棍子。

"吃！"老太太抓住一张好久没出现的五条。

空气松懈了下来。连另外几张牌桌上说话都响亮得多。大奶奶三奶奶尝试着走动几步，当点小差使。银娣看见她房里的奶妈抱着孩子，在门口踱来踱去。

"你吃了面没有？"她走出去问。"去吃面。"她把孩子接过来。"叫夏妈抱着他。夏妈呢？小和尚，我们去找夏妈。"孩子叫小和尚。他已经在这庙里记名收做徒弟，像他父亲和叔伯小时候一样，骗佛爷特别照顾他们。

她抱他到前面院子里，斜阳照在那橙黄的墙上，鲜艳得奇怪，有点可怕。沿着旧红栏杆栽的花树，叶子都黄了。这是正殿，一排白石台阶上去，雕花排门静悄悄大开着。没有人，她不带孩子去，怕那些神像吓了他。月亮倒已经出来了，白色的，半圆形，高挂在淡青色下午的天上。今天这一天可惜已经快完了，白过了，有一种说不出的怅惘，像乳房里奶胀一样。她把孩子抱紧点，恨不得他是个猫或是小狗，或着光是个枕头，可以让她狠狠的挤一下。

廊上来了个挑担子的，系着围裙，一个跟着一个，侧身垂着眼睛走过，看都不看她。扁担上挑着白木盒子，上面写着菜馆名字，是外面叫来的荤席。不早了，开饭她要去照应。

院心有一座大铁香炉，安在白石座子上。香炉上刻着一行行蚂蚁大的字，都是捐造香炉的施主，"陈王氏，吴赵氏，许李氏，吴何氏，冯陈氏……"都是故意叫人记不得的名字，密密的排成大队，看着使人透不过气来。这都是做好事的女人，把希望寄托在来世的女人。要是仔细看，也许会发现她自己的名字，已经牢铸在这里，铁打的。也许已经看见了，自己不认识。

她从月洞门里看见三爷来了，忽然这条卍字栏杆的走廊像是两面镜子对照着，重门叠户没有尽头。他的瓜皮帽上镶着披霞帽正，穿着骑马的褂子，赤铜色缎子上起寿字绒花，长齐膝盖，用一个珍珠扣子束着腰带，下面露出沉香色扎脚裤。他走得很快，两臂下垂，手一半捏成拳头，缩在紧窄的袖子里，仿佛随时遇见长辈可以请个安。他看见了她也不招呼，一路微笑着望着她，走了许多里路。她有点窘，只好跟孩子说话。

"小和尚，看谁来了。看见吗？看见三叔吗？"

"二嫂你怎么一个人在这儿？"他走到跟前才说话。"在等我？"

"呸！等你，大家都在等你——出去玩得高兴，这儿找不到你都急死了。"

"怎么找我？不是算在外边陪客？"

"还说呢，又让你那宝贝小舅子拆穿了，老太太发脾气。"

他伸了伸舌头。"不进去了，讨骂。"

"你反正不管，一跑，气都出在我们头上，又是我们倒楣。小和尚，你大了可不要学三叔。"

"二嫂老是教训人。你自己有多大？你比我小。"

"谁说的？"

"你不比我小一岁？"

"你倒又知道得这样清楚。"她红了脸白了他一眼，低下头来逗孩子。孩子舞手舞脚，心神不定起来。她颠着他哄着他，"噢，噢，噢！不要我抱，要三叔，嗯？要三叔抱？"

她把孩子交给他，他的手碰着她胸前，其实隔着皮袄和一层层内衣、小背心，也不能确定，但是她突然掉过身去走了。他怔了怔，连忙跟着走进偏殿，里面点着香烛，在半黑暗中大大小小许多偶像，乍看使人不放心，总像是有人，随时可以从壁角里走出个香伙来。上首的佛像是个半裸的金色巨人，当空坐着。

"二嫂拜佛？"

"拜有什么用，生成的苦命，我只求菩萨收我回去。"她绕到朱漆描金蜡烛架子那边，低下头去看了看孩子。"现在有了他，我算对得起你们姚家了，可以让我死了。"她眼睛水汪汪的，隔着一排排的红蜡烛望着他。

他望着她笑。"好好的为什么说这样的话？"

"因为今天在佛爷跟前，我晓得今生没缘，结个来世的缘吧。"

"没缘你怎么会到我家来？"

"还说呢，自从到你们家受了多少罪，别的不说，碰见这前世冤家，忘又忘不了，躲又没处躲，牵肠挂肚，真恨不得死了。今天当着佛爷，你给我句真话，我死也甘心。"

"怎么老是说死？你死了叫我怎么办？"

"你从来没句真话。"

"你反正不相信我。"他到了架子那边，把孩子接过来，放在地下蒲团上，他马上大哭起来。他不让她去抱他，一只手臂勒得她透不过气来，手插在太紧的衣服里，匆忙得像是心不在焉。她这时候倒又不情愿起来，完全给他错会了意思。衬衫与束胸的小背心都是一排极小而薄的罗钿钮子，排得太密，非常难解开，暗中摸索更解不开。也只有他，对女人衣服实在内行。但是只顾努力，一面吻着她都有点心神不属。她心里乱得厉害，都不知道剖开胸膛里面有什么，直到他一把握在手里，抚摩着，揣捏出个式样来，她才开始感觉到那小鸟柔软的鸟喙拱着他的手心。它恐惧地缩成一团，

159

圆圆的，有个心在跳，浑身酸胀，是中了药箭，也不知是麻药。

"冤家，"她轻声说。

孩子嚎哭的声音在寂静中震荡，狭长的殿堂石板砌地，回声特别大，庙前庙后一定都听见了，简直叫人受不了，把那一刹那拉得非常长，仿佛他哭了半天，而他们俩魇住了，拿它毫无办法。只有最原始的欲望，想躲到山洞里去，爬到褪色的杏子红桌围背后，挂着尘灰吊子的黑暗中，就在那蒲团上的孩子旁边。两个人同时想起《玉堂春》，"神案底下叙恩情。"她就是怕他也想到了，她迟疑着没敢蹲下来抱孩子，这也是一个原因。

"有人来了，"他预言。

"我不怕，反正就这一条命，要就拿去。"

她马上知道说错了话，两个人靠得这样近，可以听见他里面敲了声警钟，感到那一阵阵的震动。他们这情形本来已经够险的，无论怎样小心也迟早有人知道。在他实在是不犯着，要女人还不容易？不过到这时候再放手真不好受，心里实在有气。

"二嫂，今天要不是我，嗨嗨！"他笑了一声。

"你不要这样没良心！"她攀着蜡烛架哭了起来，脸靠在手背上。

"没良心倒好了，不怕对不起二哥。"

"你二哥！也不知道你们祖上做了什么孽，生出这样的儿子，看他活受罪，真还不如死了好。"

"又何必咒他。"

"谁咒他？只怪我自己命苦，扒心扒肝对人，人家还嫌血腥气。"

"是你看错人了，二嫂，不要看我姚老三，还不是这样的人。"他伸直了手臂朝下，把袖子一甩走了，缎子唿啦一声响。

她终于又听见孩子的哭声。她跪在蓝布蒲团上把他抱起来，把脸埋在他大红绸子棉斗篷里，闻见一股子奶腥气与汗酸气。他永远衣服穿得太多，一天到晚出汗。过了一会，她拣起小帽子来给他戴上，帽子上一个老虎头，突出一双金线织的圆眼睛，擦在她潮湿的脸上有点疼。

她出来到走廊上，天黑了，晚钟正开始敲，缓慢的一声声蓬！蓬！充塞了空间，消灭一切思想，一声一声跟着她到后面去。

饭桌已经都摆出来了，他们自己带来的银器。大奶奶三奶奶正忙着照应。她找到奶妈把孩子交给她。三爷站在老太太背后看打牌，和他丈母娘说话。也许他今天晚上会告诉三奶奶。——这话他大概不敢说。——他怎么舍得不说？今天这件事干得漂亮，肯不告诉人？而且这么个大笑话。哪儿熬得住不说？熬也熬不了多久。

等着打完八圈才吃晚饭。座位照例有一番推让争论，全靠三个少奶奶当时的判断，拉拉扯扯把辈份大、年纪大、较远的亲戚拖到上首，有些已经先占了下首的座位，双手乱划挡架着，不肯起来。有许多亲戚关系银娣还没十分摸清楚，今天更觉得费力，和别人交换一言一笑都难受。她们是还不知道她的事。未来是个庞然大物，在花布门帘背后藏不住，把那花洋布直顶起来，顶得高高的，像一股子阴风。庙里石板地晚上很冷，门口就挂着这么个窄条子花布帘子。屋梁上装着个小电灯泡，一张张圆台面上的大红桌布，在那昏黄的灯光下有突兀感。以后的事全在乎三奶奶跟她房里的人，刀柄抓在别人手里了。

她一直站着给人夹菜。

"你自己吃。坐下，二奶奶坐。"别人捺着她坐下，她一会又站起来。

她一个人照应几张桌子，地方太大太冷，稀薄的笑语声，总热闹不起来。

打了手巾把子来，装着鸭蛋粉的长圆形大银粉盒，绕着桌子，这个递到那个手里，最后轮到她用，镜子已经昏了，染着白粉与水蒸气。鲜艳的粉红丝绵粉扑子也有点潮湿，又冷又硬，更觉得脸颊热烘烘的。

麻将打到夜里一两点钟才散。在马车上奶妈告诉她孩子吃了奶都吐出来，受了凉了。回去二爷听见了发脾气，他今天整天一个人在家里。

"一直好好的，"奶妈说，"就我走开那一会，二奶奶叫我去吃面，后来吃奶就存不住。"

"你走了交给谁抱？"

"交给谁？谁也不在那儿，"银娣接口说。"我抱着他到处找夏妈，也不知道她死到哪儿去了。来喜那小鬼，跟着那些小孩起哄，都玩疯了。"

据夏妈说，她也在找二奶奶。二爷把跟去的人都骂了一顿。银娣起初心不在焉，他的雌鸡喉咙听得她不耐烦起来。

"好了好了，哪个孩子不伤风着凉。打鸡骂狗的，你越是稀奇越留不住。"她存心叫他生气，省得再跟他说话。

"你还要咒他？也是你自己不当心，这么点大的孩子，根本不应当带他去。"

"是我叫他去的？老太太要他去拜师傅，你有本事不叫去？"

"奶妈，把门开着，夜里他要是咳嗽我听得见。"

"噢，我也听着点，"奶妈说。

他们的声音都离她很远，像点点滴滴的一行蚂蚁，隔着衣服有时候不觉得，有时候觉得讨厌。她能知未来，像死了的人，与活人中间隔着一层，看他们忙忙碌碌，琐碎得无聊。但是眼看着他们忙着预备睡觉，对明天那样确定，她实在受不住。不知道自己怎样。这不是人所能忍受的。目前这一刹那马上拖长了，成为永久的，没有时间性，大钳子似的夹紧了她，苦痛到极点。他们要拿她怎么样？向来姨奶奶们不规矩，是打入冷宫，送到北边去，不是原籍乡下，太惹人注目，是北京，生活程度比上海低，家里现成有房子在那里，叫看房子的老佣人顺便监视着。正太太要是走错一步路呢？显然她们从来不。这些人虽然喜欢背后说人家，这话从来没人敢说。

她并没有真怎么样，但是谁相信？三爷又是个靠得住的人。马上又都回来了，她怎么说，他怎么说，她又怎么说，她怎么这样傻。她的心底下有个小火熬煎着它。喉咙里像是咽下了热炭。到快天亮的时候，她起来拿桌上的茶壶，就着壶嘴喝了一口。冷茶泡了一夜，非常苦。窗子里有个大月亮快沉下去了，就在对过一座乌黑的楼房背后。月亮那么大，就像脸对脸狭路相逢，混沌的红红黄黄一张圆脸，在这里等着她，是末日的太阳。在黑暗中房间似乎小得多。二爷带着哮喘的呼吸与隔壁的鼾声，听上去特别逼近，近得使人吃惊。奶妈带着孩子跟老郑睡一间房，今天晚上开着门，就像是同一间房里的一个角落。两个女佣的鼾声有点参差不齐，使人不由自主期待着那一上一落，神经紧张起来。一个落后半步，两个都时而沙嗄，时而浓厚，咕嘟咕嘟冒着泡沫，然后渐趋低微，偶尔还吁口气，或是吹声哨子。听上去人人今天晚上都过不了这一关。夜长如年，现在正到了最狭窄的一个关口。

格辣一响，跟着一阵沙沙声。是什么？她站着不动，听着。是老郑在枕上转侧，枕头装着绿豆壳，因为害红眼睛，绿豆清火的。

她披上两件衣裳，小心地穿过海上的船舱。黑洞洞的，一只只铺位仿佛都是平行排列着。一个个躺在那里，在黑暗中就光剩这一口气，每次要再透口气都费劲，呼嗤呼嗤响，是一把乱麻绷紧在一个什么架子上，很容易割断。每一只咽喉都扯长了横陈在那里，是暴露的目标。她自己的喉咙是一根管子扣着几只铁圈，一节节匝紧了，酸疼得厉害，一定要竖直了端来端去。她转动后面箱子房的门钮，一进去先把门关上再开灯。一开灯，那间大房间立刻围了上来，在温暖的黄色灯光里很安逸。用不着的家具，一叠叠的箱子，都齐齐整整挨着墙排列着。

二爷不会看见门头上小窗户的光。老妈子们隔着间房，也看不见。她搬了张凳子放在他的旧床上。坏在床板太薄，踢翻了凳子咕咚一声。比地板上更响。门头上的横栏最合适，不过那要开着门。另一扇门通向甬道，是锁着的。她四面看看，想找张床毯或是麻包铺在床上，但是什么都收起来了。还是宁可快点，不必想得太周到。孩子随时可以哭起来，吵醒他们。反正要不了一会工夫，她小时候有个邻居的女人就是上吊死的。她多带了一条裤带来，这种结实的白绸子比什么绳子都牢。能够当做一件家常的工作来做，仿佛感到一点安慰似的。

上面有灰尘的气味，也像那张床一样，自成一个小房间。如果她夏天上吊，为了失窃的事，那是自己表明心迹，但是她知道这些人不会因为她死了，就看得起她些。他们会说这是小户人家的女人惫赖，吵架输了，赌气干的事。现在她是不管这些人说什么了。如果她还有点放不下，至少她这一点可以满意：叫人看着似乎她生命里有件黑暗可怕的秘密——说是他也行，反正除了二爷她还有个人。

其实她并没有怎样想到身后的情形——不愿意想。人死如灯灭。眼不见为净。就算明天早上这世界还在这里，若无其事，像正太太看不见的姨奶奶，照样过得热热闹闹的。随它去，一切都有点讨厌起来，甚至于可憎。反正没有她的份了，要她一个人先走了。

八

绿竹帘子映在梳妆台镜子里，风吹着直动，筛进一条条阳光，满房间老虎纹，来回摇晃着。二爷的一张大照片配着黑漆框子挂在墙上，也被风吹着磕托磕托敲着墙。那回是他叫起来，把她救下来的。他死了她也没穿孝，因为老太太还在，现在是戴老太太的孝。她站着照镜子，把一只手指插在衣领里挖着，那粗白布戳得慌。

十六年了。好死不如恶活，总算给她挺过去了。当时大家背后都说："不知道二奶奶为什么上吊。"照二爷说，那天晚上讲了她几句，因为孩子从庙里回来受了凉，怪她不小心。有人说还是为了头两个月家里闹丢东西的事。还真有佣人说听见夫妻吵架的时候提起那回事。

三房是不是给她吓住了，没敢说出去？三爷如果漏了点风声出去——他是向来爱讲人的："卜二奶奶靠不住，""刘家的两个都靠不住。"亲戚里面凡是活泼点的都在可疑之列。讲她又有人信些，因为她的出身。她寻死就是凭据。是不是因为这罪名太大了，影响太大，所以这话从来没人敢说？这都是她后来自己揣测的，当时好久都不知道自己的命运。就连一年以后还不能确定，他们家也许在等着抓到个藉口再发放她。老太太算是为了她上吊跟她生气。真要是吊死了成什么话？她在自己房里养息了几天，再出去伺候老太太，这话从来没提过，不过老太太从此不大要她在跟前。讲起来是二爷身体更差了，要她照应。

那年全家到普陀山进香，替二爷许愿，包了一只轮船，连他都去了，就剩下她一个人看家。可是调兵遣将，把南京芜湖看房子的老人都叫了回来，代替跟去的人，在宅子里园子里分班日夜巡逻，如临大敌。还怕人家不记得那年丢珠花的事？

她是灰了心，所以跟着二爷抽上了鸦片烟。两人也有个伴，有个消遣。他哮喘病越发越厉害，吸烟也过了明路了。他死了，她没他做幌子，比较麻烦。女人吃烟的到底少，除了堂子里人，又不是年纪大的老太太，用鸦片烟治病。

男人就不同。其实他们又不是关在家里，没有别的消遣，什么事不能干，偏偏一个个都病恹恹整天躺着，对着个小油灯。大爷三爷因为老太太最恨这个，直到老太太的丧事才公然在孝幔里面摆着烟盘子，躺在地下吸，随时匍匐着还礼。

楼下摆满了长桌子，裁缝排排坐着，赶制孝衣孝带。原匹粗布簇新的时候略有点臭味，到处可以闻见。七七还没做完，大门口的蓝白纸花牌楼淋了雨，白花上染上一道道宝蓝色。每次吊客进门，吹鼓手"吱……"一齐吹起来，弯弯扭扭尖厉的鼻音，有高有低，像一把乱麻似的，并成一声狂喜的嘶吼，怪不得是红白喜事两用的音乐。她明知道迟早有这样一天，也许会来得太晚了。她每次看见有个亲戚，大家叫她大孙少奶奶的，总有一种异样的感觉。大孙少奶奶辈份小，已经快六十岁的人，抱孙子了，还是做媳妇，整天站班，还不敢扶着椅背站着，免得说她卖弄脚小。替婆婆传话，递递拿拿，挨了骂红着脸陪笑。银娣是还比不上她，婆婆跟前轮不着她伺候。再过两年也就要娶媳妇了，当然是个阔小姐。上头老是给她没脸，怎么管得住媳妇？等到老太太死了，分了家，儿子媳妇都不小了，上一代下一代中间没有她的位子。

其实她这时候她拿到钱又怎样？还不是照样过日子。不过等得太久，太苦了，只要搬出去自己过就是享福了。可以分到多少也无从知道，这话向来谁也不便打听。就连大奶奶三奶奶每天替换着管账，也不见得知道——一向不要她管账，藉口是二爷要她照应。她们也顶多偶尔听见大爷三爷说起。大爷算是能干，老太太许多事都问他。三爷常在账房里混，多少也有点数。只有二爷这些事一窍不通。老太太一死，大奶奶把老太太房里东西全都锁了起来，等"公亲"分派。一方面三爷还在公账上支钱。

本来不便马上分家，但是这一向家里闹鬼，大家都听见老太太房里咳嗽的声音，"啃啃！"第二声向上，特别提高，还有她的旱烟袋在红木炕床磕着敲灰的声音。房门锁着，钥匙早交了出去了。晚上大爷在楼下守灵，也听见楼板上老是磕托一响，是老太太悬空坐着，每次站起来，一双木底鞋一齐落地。银娣疑心是大奶奶弄鬼，也有人疑心她自己，不过大家还是一样害怕。

"这房子阴气太重，"他们舅老太爷说。"本来也是的，三年里头办了两件丧事。你们还是早点搬出去，不必等过了七七，在庙里做七也是一样。"

今天提前请了公亲来，每房只有男人列席，女人只有她一个。总算今天出头露面了。她揿了揿发髻，她的脸不打前刘海她始终看不惯。规矩是一过三十岁就不能打前刘海。老了，她对自己说。穿孝不戴耳环，耳朵眼里塞着根茶叶蒂，怕洞眼长满了。眼皮上抹了点胭脂，像哭得红红的，衬得眼睛也更亮。一身白布衣裙，倒有种乡下女人的俏丽。楼下客都到齐了，不过她还要等请，才能够下去。她牵了牵衣服，揭开盖碗站着喝茶，可以觉得一道宽阔的热流笔直喝下去，流得奇慢，浑身冰冷，一颗心在热茶里扑通扑通跳。

"大爷请二奶奶下去，"老郑进来说。

大厅里三张红木桌子拼成一张长桌子，大家围着坐着，只向她点点头，半欠了欠身，只有三爷与账房先生站起来招呼了她一声。他们留了个位子给她，与大爷三爷老朱先生同坐在下首，老朱先生面前红签蓝布面账簿堆得高高的。满房间的湖色官纱熟罗长衫，泥金洒金扇面，只有他们家三个是臃肿不合身的孝服，那粗布又不甚白。三个有了些日子的雪人，沾着泥与草屑，坐在一起都有点窘境，三个大号孤儿。三爷自从民国剪辫子，剪了头发留得长长的，像女学生一样，右耳朵底下两寸长，倒正像哀毁逾恒，顾不得理发。她这些年都没有正眼看过他一眼。他瘦多了，嘴部突出来，比较有男子气。老太太临死又找不到他，派人在堂子里大找。

九老太爷开口先解释为什么下葬前应当把这件事办了。他行九是大排行，老太爷从前只有他这一个兄弟，跟着哥哥，官也做得不小，也像在座的许多遗老，还留着辫子，折衷地盘在瓜皮帽底下，免得引人注目。他生得瘦小，一张白净的孩儿面，没有一点胡子渣子，真看不出是五十多岁的人，偏着身子坐在太师椅上，就像是过年过节小辈来磕头，他不得已，坐在那里"受头"的那副神气。

老朱先生报账，喃喃念着几亩几分几厘，几户存摺，几箱银器，几箱磁器，念得飞快，简直叫人跟不上。他每次停下来和上边说话，一定先把玳瑁边眼镜先摘下来。戴眼镜是倚老卖老，没有敬意。现在读到三爷历年支的款子，除了那两次老太太拿出钱来替他还债不算，原来他支的钱算是他借公账上的，银娣本来连这一点都不确定。看他若无其事，显然早已预先知道，拿起茶碗来喝了一口，从下嘴唇上摘掉一片茶叶。今天是他总算账的日子，他这些年都像是跟它赛跑一样，来不及地花钱。现在这一天到底来了，一座山似的当前挡着路。她也在这里，对面坐着。两个人白布衣服相映着，有一种惨淡的光照在脸上，她不由得想起戏上白盔白甲，阵前相见。她力竭捺下脸上的微笑，但是她知道他不是不觉得。他们难道什么都不给他留下？不会吧？老太太在的时候不见得知道？也难说。越到后来，她有许多事都宁可不知道。也许谁也不晓得到时候是个什么情形。照理当然不能都给他拿去还债——他外面欠了那么许多。不过大爷想必还是很费了番手脚。他自己当然不便说这话，长辈也都不肯叫人家儿子一文无着。

他还剩下四千多块，折田地给他。

"田地是中兴的基本，万一有个什么，也有个退步，"九老太爷说。

芜湖最好的田归他。她的在北边。他母亲的首饰照样分给他做纪念，连金条金叶子都算在内。

"股票费事，二房没有男人，少拿点股票，多分点房地产，省心。"

账房读得告一段落，后来才知道是完了。渐渐有人低声谈笑两句，抹鼻烟打喷嚏，抖开扇子。

她是硬着头皮开口的，喉咙也僵硬得不像自己。

"九老太爷，那我们太吃亏了。"

突然宁静下来，女人的声音显得又尖又薄，扁平得像剃刀。

"现在这种年头，年年打仗，北边的田收租难，房子也要在上海才值钱。是九老太爷说的，二房没有男人。孩子又还小，将来的日子长着呢，孤儿寡妇，叫我们怎么过？"

骇异的寂静简直刺耳，滋滋响着，像一张唱片唱完了还在磨下去。所有的眼睛都掉过去不望着她。

九老太爷略咳了声嗽。"二奶奶这话，时世不好是真的。现在时世不同了，当然你们现在不能像老太太在世的时候。现在这时候谁不想省着点？你还好，家里人少，人家儿女多的也一样过，没办法。你们三房是不用说，更为难了。今天的事并不是我做主，是大家公定的，也还费了点斟酌。亲兄弟明算账，不过我们家向来适可而止，到底是自己骨肉，一只笔写不出两个姚字来。子耘你觉得怎么样？你是他们的舅舅，你说的话有份量。"

舅老太爷连连哈着腰笑着。"今天有九老太爷在这儿，当然还是要九老太爷操心，我到底是外人。"

"你是至亲，他们自己母亲的同胞兄弟。"

"到底差一层，差一层。今天当着姚家这些长辈，没有我说话的份。"

"景怀你说怎么样？别让我一个人说话，欺负孤儿寡妇，我担当不起。"

她红了脸，眼泪汪汪起来。"九老太爷这话我担当不起。我是实在急得没办法，不要得罪了长辈。一个寡妇守着两个死钱，往后只有出没有进。不是我吃不了苦，可怜二爷才留下这点骨血，不能耽误了他，请先生，定亲娶亲，一桩桩大事都还没有办。我要是对不起他，我死了怎么见二爷？"

"二奶奶你非说不够，叫我怎么着？"他嚷了起来。"真不够又怎么？就这么点，你多拿叫谁少拿？"

她哭了。"我哪敢说什么，只求九老太爷说句公道话。老太太没有了，只好求九老太爷替我们做主。老太太当初给二房娶亲，好叫二房也有个后代，难道叫他过不了日子，替家里丢人？叫我对他奶奶对他爹怎么交代？"

"我不管了。"他个子不大，身段倒机灵，一脚踢翻了镶大理石红木椅子，走了出去。

大家面面相觑，只有大爷三爷向空中望着。然后不约而同都站了起来，纷纷跟了出去劝九老太爷，就剩她一个人坐在那里哭。

"我的夫呀，亲人呀，你好狠心呀，丢下我们无依无靠，"她哭得拍手拍膝盖，"你可怜一辈子没过一天好日子，前世做的什么孽，还没受够罪，你就这一个儿子也给人家作践。你欠的什么债，到现在都还不清，我的亲人哪！"

只有老朱先生不好意思走，一来他的账簿都还在这儿。"二奶奶，二奶奶，"他站在旁边低声恳求着。

"我要到老太太灵前去讲清楚，老太太阴灵还没去远呢，我跟了去。小和尚呢？叫他来，我带他去给老太太磕头。他爸爸就留下这点种子，我站在旁边眼看着人家把他踩下去，我去告诉老太太是我对不起姚家祖宗，我在灵前一头碰死了，跟了老太太去。"

"二奶奶，"他哀求着，又不敢动，又不好叫女佣来伺候，或是叫人倒杯茶来，都仿佛是不拿她当回事。急得他满头大汗，围着她团团转，摘下瓜皮帽来扇汗，又替她扇。"二奶奶，"他低声叫。"二奶奶。"

九

"挨到下了葬，还是照本来那样分。"搬了家她哥哥嫂嫂第一次来，她轻声讲给他们听，舞台上的耳语，嘘溜溜射出去，连后排都听得清清楚楚。虽然现在不怕被人听见了，她也像一切过惯大家庭生活的人，一辈子再也改不过来，永远鬼鬼祟祟，欠身向前嘁嘁促促。"九老太爷不来，还有人说叫我替他递碗茶。我问这话是谁说的，这才不听见说了。我不管，逢人就告诉。我们是分少了嘤！只要看他们搬的地方，大太太姨太太一人一个花园洋房，整套的新家具，铜床。连三爷算是没分到什么，照样两个小公馆。"

"姑奶奶这房子好。"她嫂嫂说。

"我这房子便宜。"

她也是老式洋房，不过是个阁堂，光线欠佳，黑洞洞的大房间。里外墙壁都是灰白色水泥壳子，户外的墙比较灰，里面比较白。没有浴室，但是楼下的白漆拉门是从前有一个时期最时行的，外国人在东方的热带式建筑。她好容易自己有了个家，也并不怎样布置，不光是为了省钱，也是不愿意露出她自己喜欢什么，怕人家笑暴发户。"这些人别的不会，就会笑人，"她常这样说他们姚家的亲戚。

就连现在分到的东西，除了用惯的也不拿出来，免得像是拣了点小便宜，还得意得很。她原有的红木家具现在搁在楼下，自己房里空空落落的。那张红木大床太老古董，怕人笑话，收了起来，虽然不学别人买铜床，宁可用一张四柱旧铁床。凑上一张八仙桌，几只椅凳，在四十支光的电灯下，一切都灰扑扑的。来了客大家坐得老远，灯下相视，脸上都一股子黑气，看不大清楚，倒像是劫后聚首一堂，有点悲喜交集，说不出来的况味。她自己坐在烟铺上，这是唯一新添的东西。老太太在日，家里没有这样东西，所以尽管简单，仍旧非常触目，榻床上铺着薄薄一层白布褥子，光秃秃一片白，像没铺床，更有种逃难的感觉。

"这儿好，地方也大，"炳发老婆说。"等姑奶奶娶了媳妇，多添几个孙子，也是要这点地方。"

"那还有些时呢。"

"今年十七了吧？跟我们阿珠同年。"

表兄妹并提，那意思她有什么听不出的。"现在不兴早定亲，他堂兄弟廿几岁都还没有。"一提起姚家的弟兄，立刻他们中间隔了道鸿沟。

"男孩子好在年纪大点不要紧，"她嫂子喃喃地说。"到时候姑奶奶可要打听仔细了，顶好大家都知道的，姑奶奶也有个伴。"

"那当然，我自己上媒人的当还不够？"

"就是这话啰，"她嫂子轻声说。"最难得是彼此都知道，那就放心了。"

阿珠牵着小妹妹进来。他们今天只带了几个小的来。她儿子在隔壁教那小男孩下棋。

"不看下棋了？"炳发老婆问。

"看不懂。"阿珠笑着说。

"这丫头笨。"她母亲说。"还是妹妹聪明。"

"来，来给姑妈捶背。"银娣叫那小女孩子。"来来来。"她拉着她摸了摸她颈项背后。"嗳哟，鲇鱼似的。"

"洗了澡来的嘛。"她母亲说。"又皮出一身汗。"

那孩子怕痒，一扭，满头的小辫子在银娣身上刷过，痒丝丝的。她突然痉挛地抱着那孩子吻她。

"这些孩子里就只有她像姑妈，不怪姑妈疼她。"她母亲说。"你给姑妈做女儿好不好？不带你回去了，嗯？姑妈没有女儿，你跟姑妈好不好？"

"吃糖，姐姐拿糖来我们吃。"银娣说。阿珠把桌上的高脚玻璃盘子送过来，她抓了把递给那孩子。"拿点到隔壁去给弟弟，去去去！"她在那孩子屁股上拍了一下。

孩子走了，她躺下来装烟。房间里的视线集中点自然是她的脚，现在裤子兴肥短，她虽然守旧，也露出纤削的脚踝。穿孝，灰布鞋，白线袜，鞋尖塞着棉花装半大脚，不过她不像有些人装得那么长。从前裹脚，说她脚样好，现在一双脚也还是伶伶俐俐的。她吃上了烟这些年，这还是第一次当着她哥哥躺下来抽烟。炳发有点不安，尤其是自己妹妹。没有人比老式生意人更老式。他老婆和女儿轻声谈笑了几句，又静默下来。

"几点了？"他说。"我们早点回去，晚了叫不到车。"

"嗳，一听见城里都不肯去。"他老婆说。

"现在城里冷静，对过的汤团店也关门了，一年就做个正月生意。"

"对过的店都开不长。"显然他们夫妇俩常用这话安慰自己。

"对过哪有汤团店？"银娣说。

"喏，就是从前的药店。"她嫂子说。

"药店关门了？"

"关了好几年了，姑奶奶好久没回来了。"

"现在这生意没做头，我们那爿店有人要我也盘了它。"

"其实早该盘掉的，讲起来姑奶奶面上也不好看。"

到现在这时候还来放这马后炮，真叫她又好气又好笑。"现在这时世真不在乎了。"她说。"能混得过去就算好的了。"

"现在是做批发赚钱。"他先已经提过有个朋友肯带携他入股，就缺两个本钱，她没接这个碴。

"药店关门，那小刘呢？"

"嗳，"炳发老婆说："那天我看见二舅妈还问，小刘先生在哪里上生意，他娘还在吧？好笑，还叫他小刘先生，他也不小了。"

"属蛇的，"银娣说。

炳发吃了一惊。当然是因为从前提过亲，所以知道他的岁数。但是她躺在那里微笑着，在烟灯的光里眼睛半开半闭，远远地向他们平视着。

"那木匠还在那儿？"

"哪个木匠？"炳发低声问他老婆。

"还有哪个？那天晚上来闹的那个，"银娣说。

她哥哥嫂嫂都微窘地笑了。他们都记得那人拉着她手不放，被她用油灯烧了手。

"谁？谁？"她侄女儿追问母亲，母亲不予理睬。

"那家伙，吃饱了老酒发酒疯。"炳发说。

"什么发酒疯，一向那样，"银娣说。"不过不吃酒没那么大胆子。"

"那人就是这样没清头。"她嫂子说，"前一向他乡下老婆找了来了，打架，店里打到街上，街上又打到店里，骂他没钱寄回家去，倒有钱打野鸡。"

这话她听着异常刺耳。她说，"他从前不是这样。"她还以为他给她教训了一次，永远忘不了。他不但玷辱了她的回忆，她根本除了那天晚上不许他有别的生活。连他老婆找了来，她都听不进去。

她嫂子讲得高兴，偏说，"一向是这样。大家都劝他，四十多岁望五十的人了，还不收心？总算把他老婆劝回去了。"

银娣不作声，以后一直没大说话。她嫂子也不知道什么地方得罪了她，再坐了会，问炳发，"我们走吧？"和自己丈夫说话，忍不住声音粗厉起来，露出失望灰心的神气。

"还早呢，不到十一点。"银娣说。

"晚了怕叫不到车。"

"还早呢。……那么下趟早点来。"

她送到楼梯口，她儿子送下楼去。他现在大了，不叫小和尚了，她叫他学名玉熹。他跟舅舅家的人没什么话说，今天借着教小表弟下棋，根本不理别人。送了客，她不看见他，一问少爷睡觉了。要照平日她一定会不高兴，今天她实在是气她哥哥嫂嫂，这样等不及，恨不得马上用她的钱，又还想把女儿挜她做媳妇，大的不要，还有小的，一定要她拣一个。长江后浪推前浪。到她手里才几天？就想把她挤下去。玉熹就在隔壁，也不怕给他听见了。在他这年纪，一听见给他提亲，还不马上心野了？——也说不定听见了，不愿意，所以赌气不进来。这孩子总算还明白，一向也还好，也知道怕她。她这些年来缩在自己房里，身边的人如果不怕她还了得？连佣人都会踩到她头上来。儿子更不必说了，不怕怎么管得住？还不跟那些堂兄弟们学坏了？大房的几个，就怕奶奶，见了老太太像小鬼似的，背后胆子不知有多大。玉熹倒是一向不去惹他们。不过男孩子们到了这年纪，大家一起进书房，楼上哪晓得他们跑到哪儿去？实在是个心事。分了家出来，她给他请了个老先生，顺便代写写信，先生有七十多岁了，住在家里，她寡妇人家免得人家说话。好在他也念不了两年书了。

乍清静下来，倒有点过不惯，从前是隔墙有耳，现在家里就是母子俩对瞅着。他从小是这脾气，阴不峭峭的，整天厮守着也还是若即若离。今天晚上她倒是想他陪着说说话，他们从来不提他舅舅家的，讲点别的换换口味，不然嘴里老不是味。她哥哥嫂嫂就是这样，每回来一趟，总搅得她心里乱七八糟。她不想睡，叫老妈子给她篦头。老郑现在照管少爷，她用的都是老人，要是一搬出来就换人，又有的说了。被辞歇的佣人会到别房与亲戚家去找事，讲她的坏话。她实在厌倦了这些熟悉的脸，她们看见过许多事都是她想忘记的。不过留着她们也有桩好处，否则也不大觉得现在是她的天下了。

"还是北边佣人好。"她说。"第一没有亲戚找上门来，不像本地人。现在家里地方小，厨房里有些闲人来来往往，更不方便。"

她比他们哪一房都守旧。越是歧视二房，更要争口气。

半夜了，还一点风丝都没有，她坐在窗前篦头，楼窗下临一个鸽子笼小衖堂，一股子热烘烘的气味升上来，缓缓的一蓬一蓬一波一波往上喷。一种温和郁塞的臭味，比汗酸气浓腻些。小衖的肘弯正抵着她家楼下，所以这房子便宜。现在到处造起这些一楼一底的白色水泥盒子，城里从来没有这样挤，房子小，也是老房子，不论砖头木头都结实些，沉得住气，即使臭也是粪便，不是油汗与更复杂的分泌物。

忽然有人吵架，窗外墨黑，盖着这层暖和的厚黑毯子，声音似乎特别近，而又嗡嗡的不甚清楚。也说不定是在街上，这么许多人七嘴八舌，衖堂里仿佛没这么大地方。她就听见一个年轻的女人的嚎叫：

"我不要呀！我不要呀！我没给人打过。我是他什么人，他打我？"像小孩子已经哭完了还硬要哭下去的干嚎。

"先回去再说，时候不早了，你年纪轻，在外头不方便，有话明天再说。"是个南京口音的女人，老气横秋。这些旁观者七张八嘴劝解，只有她的声音训练有素，老远都听得见。

老妈子有点聋。"太太，从前老房子花园大，听不见街上打架。"

银娣正苦于听不清楚，又被她打断了，不由得生气，"老房子自己窝里反。"

"我不要呀！我不要呀！"那年轻的女人一直叫着，似乎已经去远了。

"嗳，有话回去跟他讲。"那南京女人劝告着，仿佛是对看热闹的人说，那一对男女显然已经不在这里。"他也是不好，张口就骂，动手就打。"

大家还在议论着，嚎哭声渐渐消逝，循着一条垂直线的街道上升。城市在黑暗中成为墙上挂着的一张地图。

她从前在娘家常听到这一类的事，都是另有丈夫有老婆在乡下的。不知道为什么，在穷人之间似乎并不是坏事。生活困苦，就仿佛另有一套规矩。有的来往一辈子，拆开也没有闹翻。不过一定要大家都没有钱，尤其是女人。不然男人可以走进来就打，要什么拿什么。把身体给了人，也就由人侮辱抢劫。

她从小生长在那拥挤的世界里，成千成万的人，但是想他们也没用。

她叫老妈子去睡了，仍旧坐在那里晾头发。天热头发油腻，黏成稀疏的一绺绺，是个黑丝穗子披肩。她忽然吓了一跳，看见自己的脸映在对过房子的玻璃窗里。就光是一张脸，一个有蓝影子的月亮，浮在黑暗的玻璃上。远看着她仍旧是年轻的，神秘而美丽。她忍不住试着向对过笑笑，招招手。那张脸也向她笑着招手，使她非常害怕，而且她马上往那边去了。至少是她头顶上出来的一个什么小东西，轻得痒咝咝的，在空中驰过，消失了。那张脸仍旧在几尺外向她微笑。她像个鬼。也许十六年前她吊死了自己不知道。

她很快地站起来，还躺到烟炕上去，再点上烟灯。就连在热天，那小油灯也给人一种安慰。可惜这些烟炕都是预备两个人对躺着的。在耀眼的灯光里，仿佛二爷还在，蜷曲着躺在对过。其实他在与不在有什么分别？就像他还在这里看守着她。

再吃烟更提起神来睡不着了。她烧烟泡留着明天抽。因为怕上床，尽管一只只织出那棕色的茧子，瞌睡得生烟渐渐地淋到灯里，才住了手。这里仍旧是灯光底下的公众场所。一上床就是一个人在黑暗里，无非想着白天的事，你一言我一语，两句气人的话颠来倒去，说个不完。再就是觉得手臂与腿怎样摆着，于是很快地僵化，手酸腿酸起来。翻个身再重新布置过，图案随即又明显起来，像丑陋的花布门帘一样，永远在眼前，越来越讨厌。再翻个身换个姿态，朝天躺着，腿骨在黑暗中划出两道粗白线，笔锋在膝盖上顿一顿，踝骨上又顿一顿，脚底向无穷尽的空间直蹬下去，费力到极点。尽管翻来覆去，颈项背后还是酸痛起来。有时候她可以觉得里面的一只喑哑的嘴，两片嘴唇轻轻的相贴着，光只觉得它的存在就不能忍受。老话说女人是"三十如狼，四十如虎。"

她就光躺在那里留恋着那盏小灯，正照在她眼睛里。整个的城市暗了下来，低低的卧在她脚头，是烟铺旁边一带远山，也不知是一只狮子，或是一只狗躺在那里。这天也许要下雨了。外面每一个声音都是用湿布分别包裹着，又新鲜又清楚。熟悉的一声响，撬开一扇排门的声音，跟着噗咯一声，软软胖胖的，一盆水泼在街沿上，是衒口小店倒洗脚水。

"嗳呵……赤豆糕！白糖……莲心粥！"卖消夜的小贩拉长了声音，唱得有腔有调，高朗的嗓子，有点女性化，远远听着更甜。那两句调子马上打到人心坎里去，心里顿时空空洞洞，寂静下来。她眼睛望着窗户。歌声越来越近了。她怕，预先知道那哀愁的滋味不好受。他弯到衒堂里去了。她从来没听见它这样近，都可以扪出那嗓子里一丝丝的沙哑，像竹竿上的梗纹。一个平凡和悦的男人喉咙，相当年轻，大声唱着，"嗳呵……赤豆糕！白糖……莲心粥！"那声音赤裸裸拉长了，挂在长方形漆黑的窗前。

十

每年夏天晒箱子里的衣服，前一向因为就快分家了，上上下下都心不定，怕有人乘乱偷东西，所以耽搁到现在才一批批拿出来晒。簇新的补服，平金裙子，大镶大滚宽大的女袄，像彩色帐篷一样，就连她年轻的时候已经感到滑稽了。皮里子的气味，在薰风里觉得渺茫得很。有些是老太太的，很难想像老太太打扮得这样。大部份已经没人知道是谁的了。看它们红红绿绿挤在她窗口，倒像许多好奇的乡下人在向里面张望，而她公然躺在那里，对着违禁的烟盘，她有一种异样的感觉。

除了每年拿出来晒过，又恭恭敬敬小心摺叠起来，拿它毫无办法。男人衣服一样花花绿绿，三镶三滚，不过腰身窄些，袖子小些。二爷后来有些衣裳比较素净，蓝色，古铜色，也许可以改给她和玉熹穿。这是她第一次觉得他跟别人的丈夫一样，是一种方便，有种安逸感。现在亲戚间的新闻永远是夫妻吵架，男人狂嫖滥赌，宠妾灭妻。

"还是你好。"女太太们对她说。现在这倒是真话了。

躺在烟炕上，正看见窗口挂着的一件玫瑰红绸夹袍紧挨着一件孔雀蓝袍子，挂在衣架上的肩膀特别瘦削，喇叭管袖子优雅地下垂，风吹着胯骨，微微向前摆荡着，背后衬着蓝天，成为两个漂亮的剪影。红袖子时而暗暗打蓝袖子一下，仿佛怕人看见似的。过了一会，蓝袖子也打还它一下，又该红袖子装不知道，不理它。有时候又仿佛手牵手。它们使她想起她自己和三爷。他们也是刚巧离得近。他老跟她开玩笑，她也是傻，不该认真起来。他没那个胆子。不过是这么回事。她现在想到他可以不觉得痛苦了，从此大家不相干，而且他现在倒楣了，也叫她心平了些。有一点太阳光漏进来，照在红袖子的一角上。这都是多少年前的事了。

家里吃的西瓜，老妈子把瓜子留下来，摊在筅箩盖上，搁在窗台上晒。对过的红砖老洋房，半中半西，比这边房子年代更久，鸽子笼小衖堂直造到它膝前。一只蜜蜂在对面一排长窗前飞过，在阳光中通体金色。有只窗户不住地被风吹开又砰上，那声音异常荒凉。

"怎么一个人都没有，都出去了？"她对老妈子说。"干什么的？"

"住小家的。"老妈子说。

分租给几家合住，黄昏的时候窗户里黑洞洞的，出来一支竹竿，太长了，更加笨拙，游移不定地向这边摸索一个立足点。一件淡紫色女衫鬼气森森，一蹶一蹶地跟过来，两臂张开穿在竹竿上，坡斜地，歪着身子。她伸头出去看，幸而这边不是她家的窗户。

她反正不是在烟铺上就是在窗口，看磨刀的，补碗的，邻居家的人出出进进，自己不给人看见，总是避立在一边。晚上对过打牌，金色的房间，整个展开在窗前，像古画里一样。赤膊的男人都像画在泥金笺上。看牌的走来走去，挡住灯光，白布裤子上露出狭窄的金色背脊。

这都是笼中的鸟兽，她可以一看看个半天。现在把仇人去掉了，世界上忽然没有人了。她这里只有三节有人上门。这些年她在姚家是个黑人，亲戚们也都不便理睬她，这时候也不好意思忽然亲热起来，显得势利。她也不去找他们。再不端着点架子，更叫这些人看不起。所以就剩下她哥哥一家。炳发老婆下次来是一个人来，便于借钱。

姑嫂对诉苦，讲起来各有各的难处。各说各的，幸而老妈子进来打断了。

"太太，三爷来了。"

"哦？"都是低声，仿佛有点恐怖似的，其实不过是大家庭里保密的习惯。"我就下去。"

"他来干什么？"她轻声和她嫂子说。

自从分家闹那一场，大家见面都有点僵。三爷当然又不同，不过只有她自己知道。他来决没有好事。她倒要看他怎样讹她。事隔多年，又没有证人。固然女人家名声要紧，他自己也不能叫人太不齿，现在越是为难，越是靠个人缘。不过到底也说不准，外面跑跑的人到底路数多，有些事她也还是不知道。反正兵来将挡，把心一横，她下楼来倒很高兴似的。大概人天生都是好事的，因为到底喜欢活着。实在不能有好事，坏事也行。坏事不出在别人身上，出在自己身上也行。

"咦，三爷，今天怎么想起来来的？"她笑着走进来。"三奶奶好？"

"她不大舒服，老毛病。"

"一定又是给你气的。你现在没人管了，我真替三奶奶担心。"

"其实她现在倒省心了，不用在老太太跟前替我交代。"

"总算你说句良心话。"一坐下来相视微笑，就有一种安全感。时间将他们的关系冻成了化石，成了墙壁隔在中间，把人圈禁住了，同时也使人感到安全。

"二嫂这房子不错。"

"这房子便宜，不然也住不起。那天你看见的，分家那个分法，我一个女人拖着个孩子，怎么不着急？不像你三爷，大来大去惯了的。"

"我是反正弄不好了。"他用长蜜蜡烟嘴吸着香烟。

"你是不在乎。钱是小事，我就气他们不拿人当人。你们兄弟三人都是一个娘肚子里爬出来的，怎么一死了娘就是一个人的天下。长辈也没有人肯说句话。"

"他们真不管了。"

"都是顺风倒。"

他笑。"二嫂厉害，那天把九老太爷气得呼噜呼噜的。一向除了我们老太太那张嘴喳啦喳啦的，他见了这位嫂子有点怕。老太太没有了，也还就是二嫂，敢跟他回嘴。"

她明知这话是讨她的喜欢，也还是爱听。"我就是嘴直，说了又有什么用，"她只咕哝了一声。

"他老人家笑话多了。那回办小报捧戏子，得罪了打对台的旦角，人家有人撑腰，叫人打报馆，编辑也挨打，老太爷吓得一年多没敢出去。"

"是仿佛听说九老太爷喜欢捧戏子。四大名旦有一个是他捧起来的。"

"他就喜欢兔子。镜于不是他养的。"

"哦？"他随口说着，她也不便大惊小怪。九老太爷只有一个儿子叫镜于，已经娶了少奶奶了。"这倒没听见说。"——虽然这些女人到了一起总是背后讲人。她没想到她们没有一个肯跟她讲心腹话。她只觉得她是第一次走进男人的世界。

"是他叫个男底下人进去，故意放他跟他太太在一起。""放"字特别加重，像说"放狗"一样。

"太太倒也肯。"

"他说老爷叫我来的。想必总是夫妻俩大家心里明白，要不然当差的也没这么大的胆子。"

"这人现在在哪儿？"

"后来给打发了。据说镜于小时候他常在门房里嚷，少爷是我儿子。"

她不由得笑了。想想真是，她自己为了她那点心虚的事，差点送了命，跟这比起来算得了什么？当然叔嫂之间，照他们家的看法是不得了。要叫她说，姘佣人也不见得好多少。这要是她，又要说她下贱。

"倒也没人敢说什么，"她说。譬如三爷现在，倒不想争这份家产？九老太爷除了捧戏子，非常省俭，儿子又管得紧，所以他那份家私纹风未动。想必是他有财有势，没人敢为了这么件事跟他打官司，徒然败坏家声，叫所有的亲戚都恨这捣乱的穷极无赖。

"这是老话了。"他不经意地说。

"想起来九老太爷也是有点奇怪……"阴气森森不可捉摸。她从来看不出他是个什么样的人，除了分家那回发脾气——火气那么大，那么个小个子，一脚踢翻了太师椅，可又是那么个活乌龟，有本事把那当差的留在身边这些年，儿子也有了，还想再养一个才放心？难道是敷衍太太，买个安静？

"从前官场兴这个，"他说。"因为不许做官的嫖堂子，所以吃酒都叫相公唱曲子。不过像他这样讨厌女人的倒少。"

"九老太太从前还是个美人。"

"他也算对得起她了。其实不就是过继太太的儿子？"

她笑了。"这是你们姚家。"

"也不能一概而论，像我就没出息。人家那才是胆子大。我姚老三跟他们比起来，我不过多花两个钱。其实我傻，"他微笑着说，表情没有改变，但是显然是指从前和她在庙里那次，现在懊悔错过了机会。她相信这倒是真话，也是气话，因为这回分家，当然他是认为他们对他太辣手了些。

有短短的一段沉默。她随即打岔，微笑着回到原来的话题上，"怪不得都说镜于笨。"她以前是没留神，人家说这话总是鬼头鬼脑的，带着点微笑，若有所思。现在想起来，才知道是说他不是读书种子。他念书念不进去，其实大爷三爷不也是一样？

"他自己知道不知道？"她轻声问。

他略摇摇头，半眯了眯眼睛，仿佛镜于就在这间房里，可能听得见。"他老先生的笑话也多。"镜于怕父亲怕得出奇——当然说穿了并不奇怪，而且理所当然——但是虽然胆子小，外边也闹亏空，出过几回事。

"我还笑别人，"他说，"自己不得了在这里。二嫂借八百块钱给我，芜湖钱一来了就还你。"

虽然她早料到这一着，还是不免有气。跟他说说笑笑是世故人情，难道从前待她这样她还不死心，忘不了他？当然他是这样想，因为她没有机会遇见别人。"嗳哟，三爷，"她笑着说，"我直抱怨，你还不知道二嫂穷？你不会去找你的阔哥哥阔嫂嫂？"

"老实告诉你，有些人我还不愿意问他们。"

"我知道你这是看得起我，倒叫我为难了。搬了个家，把钱用得差不多了，我也在等田上的钱。"

"二嫂帮帮忙，帮帮忙！我姚老三尽管债多，这还是第一次对自己人开口。"

"是你来得不巧了，刚巧这一向正闹不够用。"

"帮帮忙，帮帮忙！二嫂向来待我好。"

这是话里有话，在吓诈她？

她斜瞪了他一眼，表示她不怕。"待你好也是狗咬吕洞宾。"

"所以我情愿找二嫂，碰钉子也是应当的。碰别人的钉子我还不犯着。"

他尽管嘻皮笑脸，大概要不是真没办法，也不会来找她。他分到的那点当然禁不起他用，而且那些债主最势利的，还不都逼着要钱？这回真要他的好看了。她这回可不像分家那天，坐着现成的前排座位。不但看不见，住在这里这样冷清，都要好些日子才听得见。她先不要说关门话，留着这条路，一刀两断还报什么仇？有钱要会用，才有势力，给不给看你高兴，不能叫人料定了。她突然决定了，也出自己意料之外。自己心里也有点知道，这无非都是藉口。

"我是再也学不会你们姚家的人，"她摇着头笑，"只要我有口饭吃，自己人总不好意思不帮忙。"

"所以我说二嫂好。"

她白了他一眼。"你刚才说多少？"

"八百。"

"谁有这么些在家里？"

"二嫂压箱底的洋钱包你不止这些。"

"我去看看可凑得出五百。"

"七百，七百，"他安慰地说。"也许我七百可以对付过了。"

"有五百你就算运气了。"

她到了楼梯上才想起来，炳发老婆还在这里。当着她的面拿钱不好意思。一向对她抱怨姚家人，尤其恨三房，自从闹珠花的事，连她嫂子都受冤枉。这时候掉过来向着他们，未免太没志气。别的不说，一个女人给男人钱——给得没有缘故，也照样尴尬。实在说不过去，她把心一横；也好，至少让她知道我的钱爱怎么就怎么，谁也不要想。

炳发老婆坐在窗口玩骨牌，捉乌龟。

"这三爷真不得了，黑饭白饭，三个门口，"她一面拿钥匙开橱门一面说。"开口借钱，没办法，只好敷衍他一次。"

她背对着她嫂子数钞票，她嫂子假装不看着她。数得太快。借钱给人总不好意思少给十廿块，只好重数一次，耳朵都热辣辣起来，听上去更多了。

"他下回又要来了，"她嫂子说。

"哪还有下回？谁应酬得起？"

缺五十块。床头一叠朱漆浮雕金龙牛皮箱，都套着蓝布棉套子。她解开一排蓝布钮扣，开上面一只箱子，每只角上塞着高高一叠银皮纸包的洋钱，压箱底的，金银可以镇压邪气，防五鬼搬运术。

一包包的洋钱太重，她在自己口袋里托着，不然把口袋都坠破了。他再坐了会就走了，喃喃地一连串笑着道谢，那神气就像她是个长辈亲戚，女太太们容易骗，再不然就是禁不起他缠，面子上下不去，给他借到手就溜了。这倒使她心安理得了些。本来第一次是应当借给他的。即使怕人说话，照规矩也不能避这个嫌疑。在宗法社会里，他是自己人，娘家是外亲。她也就仗着这一点，要不然她哥哥与嫂子又不同，未免使她心里有点难过。她哥哥晚饭后来接她嫂嫂，她提起三爷来过，没说为什么。还怕他老婆回去不告诉他？

十一

越是没事干的人，越是性子急。一到腊月，她就忙着叫佣人掸尘，办年货，连天竹蜡梅都提前买，不等到年底涨价。好在楼下不生火，够冷的，花不会开得太早，不然到时候已经谢了。

过年到底是桩事。分了家出来第一次过年，样样都要新立个例子，照老规矩还是酌减。迄今她连教书先生的饭菜几荤几素，都照老公馆一样。不过楼上楼下每桌的菜钱都减少了，口味当然差些。她是没办法，只好省在看不见的地方。看看这时势，仿佛在围城中，要预备无限制地支持下去。

她自己动手包红包。只有几家嫡亲长辈要她自己去拜年，别处都由玉熹去到一到就是。她在灯下看着他在红封套上写"长命百岁"、"长命富贵"，很有滋味，这是他们俩在一起过第一个年。

她叫王吉把锡香炉蜡台都拿出来擦过了。祖宗的像今年多了两幅，老太太与二爷，都是照片。

她除了吃这口烟，样样都照老太太生前。过年她这间房要公开展览，就把烟铺搬走了，房里更空空落落的。忙完了到年初又空着一大截子，她把两只手抄在衣襟底下，站在窗口望出去，是个阴天下午，远远的有只鸡啼，细微的声音像一扇门吱呀一响。市区里另有两只鸡遥遥响应。许多人家都养着鸡预备吃年饭，不像姚家北边规矩，年菜没有这一项。衖堂给西北风刮得干干净净，一个人也没有。一只毛毧毧的大黑狗沿着一排后门溜过来，嗅嗅一只高炭篓子，站在后腿上扒着往里面看，把篓子绊倒了，马上钻进去，只看见它后半身。它衔了块炭出来，咀嚼了一会，又吐出来仔细看。它失望地走开了，但是整个衖堂里什么都找不到。它又回来发掘那只篾篓，又衔了根炭出来，哐嚓哐嚓大声吃了它。她看着它吃了一块又一块，每回总是没好气似地挑精拣肥，先把它丢在地下试验它，又用嘴拱着，把它翻个身。

"太太，三爷来了，"老郑进来说。

哦，她想，年底给人逼债。相形之下，她这才觉得是真的过年了，像小孩子一样兴奋起来。

"叫王吉生客厅里的火。"

她换了身瓦灰布棉袄袴，穿孝滚着白辫子。脸黄黄的，倒也是一种保护色，自己镜子里看看，还不怎么显老。

"咦，三爷，这两天倒有空来？"

"我不过年。从前是没办法，只好跟着过。"

"嗳，是没意思。今年冷清了，过年是人越多越好。"

"我们家就是人多。"

"光是姨奶奶们，坐下来三桌麻将。"

"哪有这么些？"

"怎么没有？前前后后你们兄弟俩有多少？没进门的还不算。"老太太禁烟之外又禁止娶妾，等到儿子们年纪够大了，一开禁，进了门的姨奶奶们随即失宠，外面瞒着老太太另娶了新的，老太太始终跟不上。有两个她特别抬举，在她跟前当差，堂子出身的人会小巴结，尤其是大爷的四姨奶奶，老太太一天到晚"四姨奶奶""四姨奶奶"不离口，连大奶奶三奶奶都受她的气，银娣更不必说了。这时候她是故意提起她们，让他知道她现在对他一点意思也没有。"你现在的两位我们都没看见。"

"她们见不得人。"

"你客气。你拣的还有错？"

"其实都是朋友开玩笑，弄假成真的。"

她瞅了他一眼。"你这话谁相信？"

"真的。我一直说，出去玩嚜，何必搞到家里来。其实我现在也难得出去，我们是过时的人了，不受欢迎了。"

"客气客气。"

"这时候才暖和些了。二嫂怎么这么省？"

"嗳呀三爷你去打听打听，煤多少钱一担。北边打仗来不了。"

他们讲起北边的亲戚，有的往天津租界上跑，有的还在北京。他脱了皮袍子往红木炕床上一扔，来回走着说话，里面穿着青绸薄丝棉袄裤，都是穿孝不能穿的，他是不管。襟底露出青灰色垂须板带，肚子瘪塌塌的，还是从前的身段。房里一暖和，花都香了起来。白漆炉台上摆满了红梅花、水仙、天竹、蜡梅。通饭厅的白漆拉门拉上了，因为那边没有火。这两间房从来不用。先生住在楼下，所以她从来不下楼。房间里有一种空关着的气味，新房子的气味。

"玉熹在家?"

"他到钟家去了。他们是南边规矩,请吃小年饭。钟太太是南边人。"

"那钟太太那样子,"他咕噜了一声。钟太太是个胖子,戴着绿色的小圆眼镜。

"钟太太不能算难看,人家皮肤好。"

"根本不像个女人,"他抱怨。

她也笑了。对一个女人这么说,想必是把她归入像女人之列。不能算是怎样恭维人,但还是使他们在黄昏中对坐着觉得亲近起来。

"下雪了,"她说。

像蟜虫一样在灰色的天上乱飞。怪不得房间里突然黑了下来。附近店家"闹年锣鼓",伙计学徒一打烊就敲打起来。沙哑的大锣敲得特别急,呛呛呛呛呛呛,时而夹着一声洋铁皮似的铙钹。大家累倒了暂停片刻的时候,才听见鼓响,蹬蹬蹬像跑步声,在架空的戏台上跑圆场。这些店家各打各的,但是远远听来也相当调和,合并在一起有一种极大的仓皇的感觉,残冬腊月,急景凋年,赶办年货的人拎着一包包青黄色的草纸包,稻草扎着,切破冻僵了的手指。赶紧买东西做菜祭祖宗,好好过个年,明年运气好些。无论多远的路也要赶回家去吃团圆饭,一年就这一天。

"嗳,下雪了,"他说。他们看着它下。她这次不会借给他的,他也知道。跟他有说有笑,不过是她大方,他借钱也应酬过他一次。难道每次陪她谈天要她付钱?反而让他看不起。他诉苦也没用,只有更叫她快心。

他不跟她开口,也不说走。有时候半天不说话,她也不找话说,故意给他机会告辞。但是在半黑暗中的沉默，并不觉得僵，反而很有滋味。实在应当站起来开灯，如果有个佣人走过看见他们黑魃魃对坐着，成什么话？但是她坐着不动，怕搅断了他们中间一丝半缕的关系。黑暗一点点增加，一点点淹上身来，像蜜糖一样慢，渐渐坐到一种新的原素里，比空气浓厚，是十廿年前半冻结的时间。他也在留恋过去，从他的声音里可以听出来。在黑暗中他们的声音里有一种会心的微笑。

她去开灯。

"别开灯，"他忽然怨怼地迸出一句，几乎有孩子撒娇的意味。

她诧异地笑着，又坐了下来，心里说不出的高兴。

等到不能不开灯的时候，不得不加上一句，"三爷在这儿吃饭，"免得像是提醒他时候不早了，该走了。

"还早呢，你们几点钟开饭？"

"我们早。"

留人吃饭，有时候也是一种逐客令，但是他居然真待了下来。难道今天是出来躲债，没地方可去？来了这半天，她也没请他上楼去吃烟。虽然说吃烟的人不讲究避嫌疑，当着人尽可以躺下来，究竟不便，她也不犯着。好在他们家吃烟向来不提的，她也就没提。

饭厅没装火炉，他又穿上了皮袍子。

"三爷吃杯酒，挡挡寒气。"

"这是玫瑰烧？不错。"

"就是衖堂口小店的高粱酒，掺上玫瑰泡两个月，预备过年用的。还剩下点玫瑰，我叫他们去打瓶酒来给你带回去。"

她喝了两杯酒，房间越冷，越觉得面颊热烘烘的，眼睛是亮晶晶沉重的流质，一面说着话，老是溜着，有点管不住。

"给我拿饭来。"她对女佣说。

"二嫂不是不能喝的，怎么只吃这点？"

"老不喝，不行了。从前老太太每顿饭都有酒。三爷再来一杯。"

老妈子替他斟了酒，他向她举杯。"干杯。"

她剩下的半杯一口喝了下去，无缘无故马上下面有一股秘密的热气上来，像坐在一盏强光电灯上，与这酒吃下去完全无干。她连忙吃饭，也只夹菜给他，没再劝酒。

打杂的打了酒来，老妈子送进来，又拿来一包冰糖，一包干玫瑰。她打开纸包，倒到酒瓶里，都结集在瓶颈。干枯的小玫瑰一个个丰艳起来，变成深红色。从来没听见说酒可以使花复活。冰糖屑在花丛漏下去，在绿阴阴的玻璃里缓缓往下飘。不久瓶底就铺上一层雪，雪上有两瓣落花。她望着里面奇异的一幕，死了的花又开了，倒像是个兆头一样，但是马上像噩兆一样感到厌恶，自己觉得可耻。

饭后回到客厅里喝茶，锣鼓敲得更紧，所有的店家吃完晚饭都加入了。他伛偻着烤火，捧着茶杯渥着手，望着火炉上小玻璃窗上的一片红光。

"到过年的时候不由得想起从前，"他忽然说。"我是完了。"

"三爷怎么了？酒喝多了？"

"怪谁？只好怪自己。难道怪你？"

她先怔了怔，还是笑着说，"你真醉了。"

"怎么？因为我说真话？你是哪年来的？跑反那年？自从你来了我就在家待不住，实在受不了。我们那位我也躲着她，更成天往外跑。本来我不是那样的。"

"这些话说它干什么，"她掉过头去淡淡的笑着，只咕哝了一声。

"我不过要你知道我姚老三不是生来这样。不管人家怎么说我，只要二嫂明白，我死也闭眼睛。"

"好好的怎么说这话？难道你这样聪明的人会想不开？"她笑着说。

"你别瞎疑心。我只要你说你明白了，说了我马上就走。"

"有什么可说的？到现在这时候还说些什么？"

"我忍了这些年都没告诉你，我情愿你恨我。给人知道了你比我更不得了。"

"你倒真周到。害得我还不够？我差点死了。"

"我知道。你死了我也不会活着。当时我想着，要死一块死，这下子非要告诉你。到底没说。"

"你这时候这样讲，谁晓得你对人怎么说的？"

"我要说过一个字我不是人。"

她掉过头去笑笑。其实这一点她倒有点相信。这些年过下来，看人家不像是知道，要不然他们对她还不是这样。

"我知道你不会相信我。也真可笑，我这一辈子还就这么一次是给别人打算。大概也是报应。"他站起来去拿皮袍子。"你真心狠，"他站着望着她微笑。"我也是的——就喜欢心狠的女人。"他又伸手去拉她的手，一面笑着答应着，"我走。马上就走。"

她不相信他，但是要照他这样说，她受的苦都没白受，至少有个缘故，有一种幽幽的宗教性的光照亮了过去这些年。她的头低了下去，像个不信佛的人在庙里也双手合十，因为烧着檀香，古老的钟在敲着。她的眼睛不能看着他的眼睛，怕两边都是假装。但是她两只冰冷的手握在他手里是真的。他的手指这样瘦，奇怪，这样陌生。两个人都还在这儿，虽然大半辈子已经过去了。

"这要给人听见了。"他去关门。

她不能坐在那里等他。她站起来拦他。叫佣人看见门关着还得了？也糟蹋了刚才那点。她要在她新发现的过去里耽搁一会，她需要时间吸收它。

他们挣扎着，像缝在一起一样，他的手臂插在她的袖子里。

"你疯了。"

"我们有笔账要算。年数太多了。你欠我的太多，我也欠你太多。"

她一听见这话，眼泪都涌了上来堵住了喉咙。她被他推倒在红木炕床上，耳环的栓子戳着一边脸颊，大理石扶手上圆滚滚的红木框子在脑后硬帮帮顶上来。没有时间，从来没有。四周看守得这样严，难怪戏上与弹词里的情人，好容易到了一起，往往就像猫狗一样立即交尾起来，也是为情势所迫。尤其是他们俩，除非现在马上，不然决不会再约会在一个较妥当的地方。他们中间隔的事情太多了，无论怎么解释也是白说。

她仍旧拚命支拄着，仿佛她对他的抵抗力终于找到了一个焦点，这些年来的积恨，使她宁可任何男人也不要他。抢夺着的裤带在她腰间勒出一道狭窄的红痕，是看得见的边界。他压着她的手，整个身体的重量支在一只肘弯上，弓起身来扯下自己的裤子，胳膊肘子杵痛了她。她同时可以感到房间外面的危险越来越大，等于极大的压力加在一只火柴盒上，一个玻璃泡上。他们头上有个玻璃罩子扣下来，比房间小，罩住里面抢虾似的挣扎。有人在那里看——也许连他也在看。她的手腕碰着炕床上摊着的皮袍子，毛茸茸的，一种神秘的兽的恐怖，使她不知道哪里来的一股子劲，一下子摔开了他，也没来得及透口气，一站起来就听见外面的人声，先还当是耳朵里的血潮嗡嗡的巨响。

是做成的圈套，她心里想。他也听见了。她不等他来拉她，赶紧去开门。没开门，先摸摸头发，拉拉衣服。把门一开，还好，外面没人。也说不定没给人看见门关着。

王吉的声音在厨房里大声理论。

"王吉！什么事？"她叫了声。

"有人找三爷。"

两个人在昏暗的穿堂里直走进来，都戴着尖顶瓜皮帽，耳朵鼻子冻得通红。黑哔叽袍子，肩膀上的雪像洒着盐一样。

"这是你们太太？"有一个问王吉，他跟在他们后面。

"王吉你怎么这么糊涂，晚上怎么放生人进来？"

"我直拦着——"他说。

"我们跟三爷来的，请三爷出来。"

她不理他们。"叫他们出去等着。年底，晚上门户还不小心点，不认识的人让他们直闯进来？"

"三爷来了！"两个都叫了起来。"嚇呀，三爷，叫我们等得好苦，下这么大雪。""冻僵了，脚也站酸了，一个在前门，一个在后门，一步都不敢走开，等到这时候饭也没吃。""当你走了，都急死了，叫我们回去怎么交代？"

"嗳，你们外边等着，"三爷一只手拉着一个，送他们出去。"外边等着，我马上就来。去叫黄包车，先坐上等着，我就来。"

"嗳，三爷，这好意思的？"他们正色和他理论着。"好容易刚找到你，又把我们撵出去，下这么大雪。"

"什么人？"她这话不是问任何一个人。

"我们跟三爷来的，三爷跟我们号里有笔账没清。这位翁先生是元丰钱庄的。"

"我们也是没办法。"翁先生说。"年底钱紧，到三爷府上去，见不到他，楼底下好些收账的，都带着铺盖住在那里，我们只好也打地铺。等了好些天，今天三爷下来，答应出去想办法，大家公推我们俩跟着去。"

"好了好了，你们现在知道我在这儿，没溜，这可不是我家，你们不能在这儿闹。你们先走一步，我马上就来。"

"三爷不要叫我们为难了，要走大家一块走。苦差使，没办法，三爷最体谅人的。"

"都给我滚，"她说。"再不走叫警察了。这时候硬冲到人家家里来，知道他们是什么人？王吉去叫警察！"

"出去出去，"王吉说。"我们太太说话了！"

三爷把手臂兜在他们肩膀上推送着，一面附耳说话。他们仍旧恳求着，"三爷再明白也没有，我们的苦处三爷有什么不知道。我们回去没有个交代，还不当我们得了三爷什么好处，放三爷走了？"

她岔进来说，"你们到别处讲去，这儿不是茶馆。别人欠你们钱，我们不欠你们钱，怎么不管白天晚上就这么跑进来，还赖着不走？"

"二嫂，"他第一次转过脸来对着她，被她打了个嘴巴。他正要还手，王吉拼命拉着他，低声求告着，"三爷。三爷。"

两个债主摸不着头脑，也拉着他劝，"好了好了，三爷，都是自己人，有话好说。"

他隔着他们望着她。"好，你小心点。小心我跟你算账。"

他走了，后面跟着那两个和王吉。她不愿意上去，楼上那些老妈子。她回到客厅里，灯光仿佛特别亮，花香混合着香烟气，一副酒阑人散的神气。王吉不会进来的。她没有走近火炉。里面隐隐约约的轰隆一声响，是烧断的木柴坍塌声。炉上的小窗户望进去，是一间空明的红色房间，里面什么都没有。

她站了一会，桌上那瓶酒是预备给他带回去的。她拔出瓶塞，就着瓶口喝了一口。玫瑰花全都挤在酒面上，几乎流不出来。有点苦涩，糖都在瓶底。闹年锣鼓还在呛呛呛敲着。

十二

老二房的公愚大老爷六十岁生日做寿，有堂会。现在上海这样大做生日的，差不多只有大流氓。在姚家这圈子里似乎不大得体。虽然大家不提这些，到底清朝亡了国了，说得上家愁国恨，托庇在外国租界上，二十年来内地老是不太平，亲戚们见了面就抱怨田上的钱来不了。做生意外行，蚀不起，又不像做官一本万利，总觉得不值得。政界当然不行，成了投降资敌，败坏家声。其实现在大家都是银娣说的，一个寡妇守着两个死钱过日子，只有出没有进。有钱的也不花在这些排场上，九老太爷是第一个大阔人，每年都到杭州去避寿。

"老太爷兴致真好。"大家背后提起来都带着酸溜溜的微笑。

"说是儿子们一定要替他热闹一下。"

"当然总说是儿子。"

"你去不去？"

仿佛是意外的问题，使对方顿了一顿，有点窘，又咕噜了一声，"去呀，去捧场。你去不去？"

仍旧像是出人意表，把对方也问住了，马上掉过眼睛望到别处去，嘴里嗡隆了一声，避免正面答覆。

谁肯不去？四大名旦倒有两个特为从北京来唱这台戏，在粉红的戏码单上也不争排名。戏台搭在天井里芦席棚底下，点着大汽油灯。女眷坐在楼上，三面阳台，栏杆上一串电灯泡，是个珠项圈，围在所有的脸底下，漂亮的马上红红白白跃入眼底。银娣在这些时髦人堆里几乎失踪了。刚过四十岁的人，打扮得像个内地小城市的老太太，也戴着几件不触目的首饰，总之叫人无法挑眼。但是她下意识地给补偿上了，热热闹闹大声招呼熟人，几乎完全不带笑容，坐下来又发表意见：

"哦，现在旗袍又兴长了，袖子可越来越短。不是变长就变短，从来没个安静日子，怎么怪不打仗？几时袍子袖子都不长不短，一定天下太平了。"

"亏你怎么想起来的？"卜二奶奶一面笑，眼睛背后有一种心不在焉的神气，银娣看惯了的，知道又在背诵这套话，去当做笑话告诉人，又成了出名的笑话。每回时局变化，就又翻出来大家研究，这回可太平了。他们倒也有点相信她。

她现在是不在乎了，一面看戏，随手拉拉侄女儿的辫子。大奶奶的女儿跟前面的一个女孩子说话，两只肘弯支在前排椅背上。

"嗳哟，小姐怎么掉了这些头发？从前你辫子一大把。一定是姑娘想婆家了。"

那女孩子红着脸把辫子抢了回去。"二婶就是这样。"

"真的，等我跟大太太说，叫王家快点来娶吧。"

她们妯娌都晋了一级，称太太了。

"不跟二婶说话了。"那女孩子扭过身去，拉着自己的辫子不放手。

"你倒好，还留着头发。"卜二奶奶说。"现在的小姐们都剪了。"

"是王家不叫剪吧？我们大太太自己都剪了。"银娣说。

"剪了省事。"卜二奶奶说。

大奶奶的女儿已经站起来，搬到前排去了。

"你也真是——"卜二奶奶笑着轻声说。"我还直打岔。"

"你当她生气了，小姐心里感激我呢。定了亲还不早点过门，猫儿叫瘦，鱼儿挂臭。"

卜二奶奶一面笑一面骂，"你真是——！你现在是倚老卖老了。"

"老要风流少要稳嘤。"

"她哥哥要出洋了？"卜二奶奶继续打岔。

"现在都想出洋。我们玉熹我倒不是舍不得他，不犯着叫他去充军。现在这时世，你就是中了洋状元回来，还不是坐在家里？不像人家有阔老子的又不同。""阔"字是他们这些人家通用的代名词，因为忌讳说做官，轻描淡写说某某人"阔了。"大爷新近出山，也有人说落水。北边亲戚与北洋政府近水楼台，已经有两个不甘寂寞的，姚家还是他第一个。

"你们玉熹你哪舍得？"卜二奶奶喃喃地笑着说，唯恐被人听见跟她讲大爷。卜二奶奶向来胆子小，当着大奶奶，三奶奶，偶尔说声"那天跟你们二太太打牌，"都心虚，像犯了法似的，怕人家当做又跟她搬是非了。

"看见大太太没有？"银娣问。

"坐在那边。"

"大爷来了没有？"

"不晓得，大概还没来吧？"一提起大爷都把声音低了低，带着神秘的口吻。"嗳，你看粉艳霞。"

那女戏子正在楼下前排走过，后面跟着一群捧场的。她回过头来向观众里的熟人点头，台前一排电灯泡正照着她一张银色的圆脸，朱红的嘴唇。下了装，穿着件男人的袍子，歪戴着一顶格子呢鸭舌帽，后面拖着根大辫子。

"这就是刚才那个？打着大辫子，倒像我们年轻的时候的男人。后头跟着的是他家五少爷？"

"嗳，说是老五跟今天的戏提调吵架，非要把她的戏挪后。"

"不怪他们说是儿子们一定要唱这台戏。请了这些大角儿来捧她。从前是小旦，现在是女戏子，都喜欢打扮得不男不女的。"

她看见她儿子在楼下。从远处忽然看见朝夕相对的人，总有一种突兀感，仿佛比例不对。其实玉熹长得不错，不过个子小些，白净的小长脸，鼓鼻梁，架着副金丝眼镜，穿着马褂，在一排座位前面挤过去，不住的点头为礼，像个老头子一颗头颤动个不停。他那些堂兄弟们顶坏，老是笑他。到了他们这一代，大家都一身西装，一口京片子夹着英文，也会说两句上海话，只有他们二房保守性，还是一口家乡的侉话。亲戚们背后也说他们一家都是高个子，怎么独有他这样瘦小，都怪她的菜太咸。因为省俭，就连老太太在世的时候，要在月费里省下钱来买鸦片烟，所以母子俩老是吃腌菜咸菜咸鱼，孩子长不大，又有哮喘病，是吃得太咸，"吼"住了。她听了气死了，哮喘病是从小就有，遗传的。他爹从前个子多小，连他们老太太也矮。不过大家从来不想到二爷，也是他们家向来忌讳，亲戚们被训练到一个地步，都忘了他。

"我们玉熹。"她笑着解释她为什么弯着腰向前看。

"噢……嗳。大人了。"口气若有所思，她听着有点不是味。又在估量着他个子矮，吃咸菜吃的？

"都二十岁了，还是像小孩子，怕人，"她说。

"所以他们说的那些实在可笑，"卜二奶奶带笑咕哝了一声。

"说什么？"她也笑着问，心里突然知道不对。

"笑死人了，说你们玉熹请吃花酒。"

"我们玉熹？你没看见他见了女人眼观鼻鼻观心的样子。"

"所以好笑。"

"你在哪儿听见的？"

"是谁在那儿说——看我这记性！——说是有人碰见三爷——"提起三爷来，眼睛不望着她，但是她知道人家特别注意她脸上的表情有没有变化。大家都晓得他们闹翻了，她打过他嘴巴子。据说是为借钱。就是借钱，这事情也奇怪，外头话多得很。要说真有什么，那她也不敢，三爷也还不至于这样穷极无聊，自己的嫂子，而且望四十的人了。

"——说是三爷拉他去吃饭，说玉熹第一次请客，认识的人少，台面坐不满。他没去。"

"这话更奇怪了。我们跟三爷这些年都没来往。"

"我也听着不像。"

"怎样想起来的，借着个小孩子的名字招摇。"

卜二奶奶笑。"你们三爷的事——"

"这是什么时候的事？"

"没多少时候前头吧？这些话我向来左耳朵进，右耳朵出，也是这话实在好笑，所以还记得。"

"第一他从来不一个人出去。"

"其实男孩子出去历练历练也好。"

"跟着他三叔学——好了！"

"至少有个老手在旁边，不会上当。"

这句笑话直戳到她心里像把刀。"我就是奇怪这话不知道哪儿来的。"

"你可不要认真，不然倒是我多嘴了。"

"三爷现在怎么样？"

"不晓得，没听见说。三太太今天来了没有？"

"没看见。三太太现在可怜了。"

"她还好，"卜二奶奶低声说。"是我对她说的，还是这样好，也清静些。"

"她搬了家你去过没有？"

"去打牌的。房子小，不过她一个人也要不了多少地方。"

"三爷从来不来？"

"不来也好，不是我说。"

"这些年的夫妻，就这样算了？为了他在老太太跟前受了多少气。"

"你们三太太贤慧嘤。"

"就是太贤慧了，连我在旁边都看不过去。"

话说到这里又上了轨道，就跟她们从前每次见面说的一样。在这里停下来可以不着痕迹，于是两人都别过头去看戏。

她第一先找玉熹。刚才他坐的地方不看见他。她在人堆里到处找都不看见，心慌意乱，忽然仿佛不认识他了。现在想起来，他这一向常到陈家去听讲经，陈老太爷是个有名的居士，从前做过总督，现在半身不遂，办了个佛学研究会，印些书，玉熹有时候带两本回来。老太爷吃烟的人起得晚，要闹到半夜。怪不得……

三爷也不在楼下。不看见他。这两年亲戚知道他们吵翻了，总留神不让他们在一间房里。想必玉熹是在男客中间碰见了他，给他带了出去，也像今天一样，去了又回来，也没人知道。她就是最气这一点，他们两个人串通了，灭掉她。他要是自己来找她，虽然见不到她，到底不同。他这也是报仇，拖她儿子落水。上次她也是自己不好，不该当着人打他。当然传出去了叫人说话。幸而现在大家住开了，也管不了这许多。大房有钱，对二房三房躲还来不及。现在大爷出来做官，又叫人批评，更不肯多管闲事。这到底不像南京老四房的二爷，跟寡妇嫂子好，用她的钱在外头嫖。本来没分家，跟他太太住在一起，也不瞒人。大家提起来除了不齿，还有一种阴森的恐怖感。她事实是一年到头一个人坐在家里，佣人是监守人也是见证。外头讲了一阵子也就冷了下来。她又没有别人。不然要叫他抓住把柄，真可以像他临走恫吓的，名正言顺来赶她出去。就怕他有一天真到穷途末路，抽上白面，会上门来要钱，不放他进来就在门口骂，什么话都说得出，晚上就在衖堂里过夜，一闹闹上好几天。他们姚家亲戚里也有这样的一个。

她听见说三爷的两个姨奶奶打发了一个，又有了个新的，住在麦德赫司脱路。

"这一个有钱，"人家说着嗤的一笑。

"三爷用她的钱？"她问。

"那就不晓得了——他们的事……这些堂子里的人，肯出一半开销就算不得了了。"

"长得怎么样？"

"说是没什么好。"

"年纪有多大？"

"大概不小了，嫁了人好几次又出来。"

"他们说会玩的人喜欢老的。"越是提起他来，她越是要讲笑话，表示不在乎。

到底给他找到了个有钱的。也不见得是完全为了钱。虽然被人家说得这样老丑，到他们小公馆去过的都是男人，这些人向来不肯夸赞别人的姨奶奶，怕人家以为自己看上了她。她相信他对这女人多少有点真心。仿佛替她证明了一件什么事，自己心里倒好受了些。

但是这些堂子里的人多厉害，尤其是久历风尘的，更是秋后的蚊子，又老又辣，手里的钱一定扣得紧。那他还是要到别处想办法，何况另外还有个小公馆。三奶奶那里他是早已绝迹不去了，自从躲债，索性躲得面都不见。亲戚们现在也很少看见他。她可以想像他一条条路都断了，又会想到她，也就像她老是又想到他，没有脑子，也没有感情，冷冷地一趟趟回去。这时候就又觉得那冰凉的死尸似的重量蠕蠕爬上身来，交缠着把她也拖着走，那么长，永远没有完，两条大蛇有意无意把彼此绞死了。

他有没有跟玉熹讲她？该不至于，既然这些年都没告诉人。——那是从前，现在老了，又潦倒，难保不抬出来吹两句。正在拉拢玉熹，总不能开口侮辱人家母亲？也难说，在堂子里什么话不能讲？留他多坐一会，"怕什么？她又是个正经人。"她这一向并没有觉得玉熹对她有点两样，难道他这样深沉？他这一点像他爸爸，够阴的。她为什么上吊，二爷到底猜到了多少，她一直都不知道。

"呃！"楼下后排一声怪叫,把"好"字压缩成一个短促的"呃",像被人叉住喉咙管。

那年在庙里做阴寿那天又回来了,她一个人在热闹场中心乱如麻,举目无亲,连根铲,连站脚的地方都没有。他哪里来的钱?没学会借债,写"待母天年"的字据?不过她不是从前老太太的年纪,家里也不是从前那样出名的有钱。偷了什么东西没有?她今天出门以前开首饰箱,没看见缺什么。可会是房地契?

"呃！""呃！"叫好声此起彼落。

她不能早走。有些男客向来不多坐,大家都知道他们是吃烟的人,要回去过瘾。那是男人。她也不愿意给卜二奶奶看见她匆匆忙忙赶回去。今天开饭特别晚,好容易吃完了,又看戏。她这次坐的离卜二奶奶远,坐了一会就去找女主人告辞。跟来的女佣下楼去找少爷,去了半天,回来说宅里的男佣找不到他,问人都说没看见。

"我们回去了,不等他了。"她说。

楼下已经给雇了黄包车。这两年汽车多了,包车不时行了,她反正难得出去,也用不着。而且包车夫最坏,顶会教坏少爷们。前两年玉熹出去总派个人跟着,不过现在的少爷们都是一个人出去,他也有这么大了,不能不顾他的面子,就有今天的事。

她一到家马上开柜子拿出个红木匣子,在灯下查点房地契,又都锁了起来。古董字画银器都装箱堆在三层楼上,这时候晚了,不便开箱子,要是他刚巧回来看见了,反而露了眼,生了心。而且她看见也没有用,应当叫古董商来,对着单子查,万一换了假的。这些本事不怕他不懂,有人教。

她把佣人一个个叫上来问,都说不知道。这些人还不都是这样,不但怕事,等到事情过去了,他们自己人还是母子,反正佣人倒楣。

而且这些年跟着她冷冷清清的，家里东西都不添一件，佣人也都无精打采的，虽然不敢对她阴阳怪气，谁肯多句嘴？

她亲自去搜他的房间。在黯淡的灯光下，房间又空又乱，有发垢与花露水的气味。墙角堆着一大叠电影说明书，有三尺高。他每次看电影总拿着一大叠，因为印得讲究，纸张光滑可爱，又不要钱。他喜欢范朋克与彭开女士，说她文雅大方，所以明星里只有她称女士。是个黄头发女人，脑后坠着个低低的髻，倒像中国人梳的头。她有点疑心他是喜欢她不像他母亲。他喜欢坐在一排靠外的末端，近太平门，万一戏院失火，便于脱逃。他一向胆子小，这回都是给人教的，更可恨，没出息。

她在烟铺上看见他走进来，像仇人相见一样，眼睛都红了。

"妈怎么先回来了？没有不舒服？"他还假装镇定，坐了下来。

"你到哪儿去了？"

"这时候刚散戏，一问妈已经走了，怎么不看完？什么时候走的？"

"刚才到处找你找不到，你跑哪儿去了？"

"没到哪儿去，除非是在后台看他们上装。"

"还赖，当别人都是死人，一天到晚跑出去鬼混，什么去听讲经，都是糊鬼。你说，到哪儿去的？说！"她坐了起来。"走过来。问你话呢。说，到哪儿去的？好样子不学，去学你三叔，他惹得？不是引鬼上身嚜？为了借钱恨我，这是拿你当傻子，存心叫你气死我，你这样糊涂？"

他不开口，坐着不动。她一阵风跑过去搜他身上，搜出三十几块钱。

"你哪儿来的钱？说！哪来的钱？"连问几声不应，拍拍两个嘴巴子，像审贼似的。他气得冲口而出：

"三叔借给我的。"他知道她最恨这一点。

"好，好，你三叔有钱，你去给他做儿子去。你要像了他，我情愿你死，留着你给我丢人。打死你——打死你——"一面说一面劈头劈脸打他。"他的钱好用的？一共借了多少，带你到哪儿去，要你自己说，不说打死你。"

他又不作声了，两只手乱划护着头，打急了也还起手来。老郑连忙进来，拼命拉着他。"嗳，少爷！——太太，今天晚了，太太明天问他。少爷向来胆子小，这是吓糊涂了，没看见太太发这么大脾气。少爷还不去睡觉去？"

她也就藉此下台，让老郑把他推了出去。打这样大的儿子，到底不是事。要打要请出祠堂的板子打。就为了他出去玩，也说不过去。年轻人出去溜溜，全世界都站在他那边。

她叫人看着他不放他出去，第二天再问他，说："不怪你，是别人弄的鬼。你说不要紧。"他还是低着头不答。追问得紧了，她又哭闹起来。对他好一天坏一天，也没用，他像是等她闹疲了，也像别的母亲们一样眼开眼闭。过了一向又想溜出去，要把他锁起来，又不是一天两天的事，叫亲戚们听见，第一先要怪她不早点给他娶亲。男孩子一出了书房就管不住，他的老先生去年年底辞馆回家去了。现在不考秀才举人，读古书成了个漫漫长途，没有路牌，也没有终点，大都停止在学生结婚的时候。但是现在结婚越来越晚，他的几个堂兄表兄都是吊儿郎当，一会又是学法文德文，一会又说要进一家教会中学。二十四五岁的人去考中学。教会学校又比国立的好些，比较中立。大爷现在出来做官了，大房当然是不在乎了。反正到了他们这一代，离上代祖先远些，又无所谓些，有些儿女多的亲戚人家顾不周全，儿子也有进国立大学的，甚至有在国立银行站柜台的。做父母的抗声把这项新闻淡淡地宣布出来，听者往往不知所措，只好微弱地答应一声，"好哇……银行好哇，"或是"进大学啦？"买得起外汇的可以送儿子出洋，至少到香港进大学，是英属地。

近两年来连女孩子都进学堂了——小些的。大些的女孩子顶多在家里请个女先生教法文，弹钢琴，画油画。只有银娣这一房一成不变，还守着默契的祖训。再看不起他们二房，他们是烟台姚家嫡系，用不着充阔学时髦攀高。玉熹顶了他父亲的缺，在家里韬光养晦出不去。她情愿他这样。她知道他出去到社会上，结果总是蚀本生意。并不是她认为他不够聪明，这不过是做母亲的天生的悲观，与做母亲的乐观一样普遍，也一样不可救药。她仍旧相信她的儿子一定与众不同，他可以像上一代一样蹲在家里，而没有他们的另一面，他们只顾得个保全大节，不忌醇酒妇人，个个都狂嫖滥赌，来补偿他们生活的空虚。她到现在才发现那真空的压力简直不可抵抗，是生命力本身的力量。

她所知道的堂子，不过是看那些堂子里出身的姨奶奶们，有些也并不漂亮。一嫁了人，离开了那魅丽的世界的灯光，仿佛就失去了她们的魔力。在她，那世界那样壁垒森严，她对于里面的人简直都无从妒忌起来。她们不但害了三爷，还害他绝了后。堂子里差不多都不会养孩子，也许是因为老鸨给她们用药草打胎次数太多了。而他一辈子忠于她们，那是唯一合法的情爱的泉源，大海一样，光靠她们人多，就可以变化无穷，永远是新鲜的。她们给他养成了"吃着碗里，看着锅里"的习惯。他跟她在一起的时候老是有点心不在焉。现在她就这一个儿子，剩下这点她们也要拿去了。

十三

她叫了媒人来给儿子说媳妇。

"以后他有少奶奶看着他，我管不住了。"

他结婚是他们讲家世的唯一的机会，这是应当的，不像大房利用祖上的名字去做民国的官。但是亲戚们平日大家在一起热热闹闹的，到了这时候就看出来了——谁都不肯给。他们家二房，老子是个十不全，娘出身又低，要是个姨太太倒又不要紧，她是个十足的婆太太，照她那脾气还了得？说是他们有钱，也看不出来，过得那样省。做媒的只好到内地去物色，拿了无为州冯家一个小姐的照片来，也是老亲，门当户对，相貌就不能挑剔了。

"嘴这么大，"玉熹说，但是他没有坚决反对，照规矩也就算是同意了。结了婚他就是大人了，可以自由了。他母亲这两天已经对他好得多，他也就将计就计哄着她。

"你替我烧个烟泡，这笨丫头再也教不会，"她说："你小时候就喜欢烧着玩。"

"我是喜欢这套小玩意，"他捻着白铜挖花小盾牌，滴溜溜的转。

"你现在坐小板凳太矮了，躺下舒服点。"

他躺着替她装了两筒。

"一口气吸到底，"她吃了说。"所以烟泡要大，要松，要黄，要匀，不像那死丫头烧得漆黑的。你一定是在外头玩学会的。"

这是她第一次提起他出去玩没发脾气。他喃喃地笑着说没有。

"这一筒你抽。闹着玩不要紧，只要不上瘾。你小时候病发了就喷烟。"

他接过烟枪，噗噗噗像个小火车似的一气抽完了。

"你一定在外边学会了。"

"没有。"

"玩归玩，这一向不要往外跑，先等冯家的事讲定了。不然他们说你年纪这样轻，倒已经出去玩。"

难怪人家在堂子里烟铺上谈生意，隔着那盏镂空白铜座小油灯对躺着，有深夜的气氛，松懈而亲切。不过他并不在乎这头亲事成功与否，她也知道，接着就说：

"我就看中冯家老派，不像现在这些女孩子们，弄一个到家里来还了得？讲起来他们家也还算有根底。你四表姑看见过他家小姐，不会错到哪里。你要拣漂亮的，等这桩事办了再说。连我也不肯叫你受委屈。我就你一个。"

别的父母也有像这样跟儿子讲价钱的，还没娶亲先许下娶妾，出于他母亲却是意外。他不好意思有什么表示，望着他们中间那盏烟灯，只有眼镜边缘的一线流光透露他的喜悦。

"自己可是要放出眼光来拣，不要像你叔叔伯伯那样垃圾马车。你三叔自己招牌做坏了，你不犯着跟着他在一起混。一个人穷极无赖，指不定背后拿成头，揩你的油剪你的边。这些堂子里人眼睛多厉害，给她们拿你当瘟生，真可以把人一吊吊几年，吊你的胃口。"

他脸上有一种控制着的表情，她觉得也许正被她说中了。他要是尝到了甜头，早就花了心，这次关在家里这些时，没这么安静。烟灯比什么灯都亮，因为人躺着，眼光是新鲜的角度，离得又近。

头部放大了，特别清晰而又模糊。一张脸许多年来渐渐变得不认识了，总有点怪异可怖，但是她自己也不是他从前的年轻的母亲了。他们在一起觉得那么安全，是骨肉重圆，也有点悲哀。她有一刹那喉咙哽住了，几乎流下泪来，甘心情愿让他替她生活。他是她的一部份，他是个男的。

他脸上现出一种胆怯的好奇的微笑，忽然使他的脸瘦得可怜。这些年来他从来对她没有什么指望，而她现在忽然心软了，仿佛被他摸着一块柔软的地方。她也觉得了，马上生气起来，连自己的儿子都是这样，惹不得，一亲热就要她拿出钱来。

她岔开来谈论亲戚们，引他说话。他有时候很会讽刺，只有跟她说话才露出来。

"那天大爷去了没有？"他们还在讲那天做寿。

"就到了一到。"

一提起来就有一种阴森之感。究竟现官现管，就连在自己家里说话，声音自会低了下来。

"马靖方没去？"她仍旧是悄悄地问。大奶奶的哥哥马靖方做过吴佩孚的秘书长，吴佩孚倒了，又回上海来了。提起外围的亲戚，向来是连名带姓，略带点轻视的口吻。

"他一直没出来吧？有人去找他，也不见客，说老爷不舒服。"

"所以现在这时势，怎么说得定？"

"呃！小报上照样捧。人家是'诗人马靖方'。新近还印诗集子，我们这儿也送了一本。老吴那些歪诗都是他打枪手。"

"也真是——刚巧他们郎舅两个。都出在他们那房。"那是她最快心的一件事。这还是老太太最得力的一个儿子。

"捧吴佩孚捧得肉麻，什么儒将，明主。"

"他们马家向来不要脸，拍你们家马屁。大爷又不同。大爷不犯着。所以老太太福气，没看见。"

"要是老太太在，大概也不至于。"

"那当然。那天是谁——？还说'他本来从前做过道台'，好像他自己在前清熬出资格来，这时候再出来，不是沾老太爷的光。真是！他哪回上报，没把老爹爹提着辫子又牵出来讲一通？"

"他大概也是没办法，据说是亏空太大。"他学着一副老气横秋的口吻，字斟句酌的。

"他那个花法——！"她只咕哝了一声。她向来说他们兄弟俩都是一样，但是她暂时不想再提起三爷。其实大爷不过顾面子些，老太太在世的时候算给他弥缝了过去。一到了自己手里，马上铺开来花，场面越拉越大，都离了谱子，不然怎么分了家才几年，就闹到这个地步？但是遗产这件事，从来跟玉熹不提的。

"小丰要出洋了，"他的口气有点妒羡。

"大太太倒放心，不要娶个洋婆子回来。人家都是娶了亲去。"

"结了婚回来也会离婚的，不是脱了裤子放屁，多费一道手续？"

"这样喜欢小普，总算没送小普出洋。"

"舍不得他嘛。"

她做了个鬼脸。"那小普那讨厌哪——！"大爷就是这样，自己有儿子，还要在族里过继一个，表示他对族里的事热心，而且刚巧他祖父也认过一个族侄做干儿子，就是后来的二老太爷，行二，因为本来已经有儿子。大爷就喜欢人家说他有祖风。"说是小普坏，"她说。二老太爷也坏。做官出名的要钱，做公使带了个法国太太回来，本来已经收集了一大堆姨太太。现在这小普当然不比从前了，一个穷孩子跟着大爷跑跑腿，居然也嫖堂子，长得又难看，矮胖、黑油油的一张脸，老是嘟着嘴不服气的神情，还又有点鬼鬼祟祟。大爷是这脾气，越是大家都讨厌这人，想必对他更忠心。弄上这么个儿子，好更觉得自己的威权，不像自己的儿子是天生的、应该的。三爷这些地方比他还明白些，花的钱也值些。他长驻在一个小公馆里，也就是官第，小普一天到晚在跟前当差，大概也是因为自己儿子到底有点不便。大奶奶有时候好久见不到大爷，然后由小普带个信来。"大奶奶恨死他了，"银娣说。

"姨奶奶倒给他拍上了马屁。"

"噯，他要是太漂亮倒又不好了。"她打开一只图章形的小白铜盒子，光溜溜的没有接缝，挑出一点生烟，就着烟灯烧。"那天堂会，王家姊妹俩出风头，打扮得像双生子。你看见没有？"

"看见。"他不屑地掉过眼睛去淡笑着。她们是他表姊妹里最漂亮的，也最会笑人，一提二表婶、熹哥哥，就笑得前仰后合。

"这两个——"银娣说。"讲起来没爹没娘，跟着寡妇婶娘过，王三太太自己没钱，就不沾小姐们的光，人家当她总也省点。嚇！一天到晚闹着要婶娘请客。算是带着小姐们做针线，陪着出去，吃馆子听戏当然是婶娘会账，难道叫孩子们给钱？噯，别看人家阔小姐，就喜欢占小便宜。男朋友送礼，送得越重越喜欢。这些男朋友也肯下本钱，可把王三太太吓死了，说闹得简直不像样。"

"那位太太哪管得住她们？"他脸红红地嗤笑着。

"年纪轻轻的这样刮皮，嘴又刻薄，不是我说，不是长寿相。老子娘都是痨病死的。"

"她们也有肺病？"他似乎吃了一惊。

"都有，忌讳说。不过说良心话，要不是老子死得早，也不会有钱丢下来。所以她们家就是她们那房有钱。说我们二房没有男人，我们二房也还幸亏没有男人。"

现在有了。她这话一出口就想到，他倒似乎没想到自己身上。他还是喜气洋洋的，又有点羞意，包围在一层玫瑰色的光雾里。

"刘二爷当上银行经理了，"他说。

"还不是要他入股子？"上海这地方，有点钱投资的人，再危险也没有。谁像她憋得住？这些男人都是随心所欲惯了的，这时候也是报应，落得都跟她一样，困住了一动都不敢动。有的憋了多少年，闷狠了又大花一阵，或是又弄个人，或是赌钱，做生意，一看去了一大截子，又吓得安静下来。

"他做股票赚了点钱。"

"他有钱，"她只咕哝了一声，就此把刘二爷撇下不提。他本来有钱。

"陈家还住在静安寺路？"

"嗳，他们的小骈说是喜欢跳舞。"

"陈家现在靠什么？"

"他们老太太有钱，"她咕噜了一声。

只要提起个名字就使人做会心的微笑，这些人一个个供在自己的小天地里，各自有他的一角，还不肯安静，就像死了闹鬼似的，无论出了什么新闻都是笑话奇谈。亲戚们自从各自分成小家庭，来往得不那么勤，但是在这一点上是互相倚赖的，听到一个消息，马上眼睛一亮，脸上泛起了微笑，人也活动些，浑身血脉流通起来，这新闻网是他们唯一的血液循环。自己没事干，至少知道别处还有事情发生，又是别人担风险。外面永远是风雨方殷，深灰色的玻璃窗，灯前更觉得安逸。这一套人名与亲戚关系，大家背得熟极而流,他是从小跟她学会了的。点名从来点不到他父亲,也不提她娘家。他没有父母,她没有过去,但是从来觉都不觉得,他们这世界这样丰富而自给。

又讲起那天的堂会。

"他们家老五看上了粉艳霞,"他笑着说。

"我看见他们,她刚下了装出来。"

"下了装可没什么好看。"

"风头不错。"

"还活泼,"他承认,又赶紧加上一句,"在台上。"

"嗳,这些女戏子在台下有时候板得很,其实她们比现在这些小姐们管得紧,自己的娘跟出跟进。差不多唱戏的人家都是北边人,还是老规矩。"

"她们家累重,还要养活自己的琴师、班底,多少人靠着一个人吃饭。老五要是娶粉艳霞,该要多少钱?"

"老五不要想。第一他爸爸不肯,太招摇了。所以她们唱戏的嫁人也难,都是给流氓做姨奶奶。她们也可怜,不要看出风头。人家有真心对她们,她们也知道感激。有个汪老太太戏迷,捧女戏子,认干女儿,照样送行头送桌围。干女儿倒也孝顺,老是接来住,后来就嫁了他们家少爷做姨奶奶。"

他红了脸。"是谁?在上海唱过?"又问,"哪个汪家?"

只有讲到哪个女孩子,他心里才进得去。

"叫什么的?——是杭州大世界的台柱。"

他不由得格吱一笑。上海的大世界已经是给乡下人观光的,杭州的大世界想必更像乡下赛会。

"他们的京戏班子算好的。她唱青衣,说是漂亮得很,嗓子也好。"

"粉艳霞的嗓子没什么好，"他说。

"唱花旦本来用不着，连小翠花都是哑嗓子。女孩子向来声音窄，所以人家说男人唱旦角反而嗓子好。等到破了身，喉咙又宽些。"

"粉艳霞大概有二十多岁了吧？不见得喉咙还要变？"他脸红红地笑着。

"哦，这些女戏子家里看得她们多紧，你不要看她们跟小五这批人混着，那是应酬。"

他们把她和别的一个个比着。有的腰比她细，但是她腰身灵活。她的脸太圆，看得出脸上贴的片子一直贴到前面来。她穿男装漂亮，反串想必出色。银娣自己觉得有点可笑，两人并肩站着，两张痴痴的脸浴在一个遥远的太阳的光辉里，恋恋地评头品足说个不完，又还老是遗憾的口吻。但是试探他是有刺激性的，她可以觉得年轻人的欲望的热力。只要她肯跟他讲粉艳霞，她自己就是开天辟地第一个女人，因为只有她是真的，她在这里，她有经验。

其实她对京戏知道得不比他多，不过向来留心听人说。她这一代的女人的公敌是长三妓女，都会唱两句戏。唱戏的这行是越过她们头上去，更高级的魅艳。她是本地人，京戏的唱词与道白根本听不大懂，但是刚巧唱花旦的那身打扮也就是她自己从前穿的袄裤，头上的亮片子在额前分披下来作人字式，就像她年轻的时候戴的头面。脸上胭脂通红的，直搽到眼皮上，简直就是她自己在梦境中出现，看了很多感触。有些玩笑戏，尤其是讲小家碧玉的，伶牙俐齿，更使她想起自己当初。真要是娶这么一个到家里来，那她从前在黑暗的阳台上偷听楼下划拳唱戏，那亮晶晶的世界从来不容她插足的，现在到底让她进去了，即使只能演太后的角色。向来老太太们喜欢漂亮的女孩子，是有这传统的。像《红楼梦》里的老太太，跟前只要美人侍奉。就连他们自己家的老太太不也是这样？娶媳妇一定要拣漂亮的，后来又只喜欢儿子的姨奶奶们，都是被男人搁在一边的女人，组成一个小朝庭，在老太太跟前争宠。她要是给儿子纳妾，那当然又两样，娶个名美人来，小两口子是观音身边的金童玉女，三个人之间有一种神秘的微笑，因为她知道他们关上房门以后的事，是她作成他们，骨肉之情有了一重新的关系，活跃起来了。但是她知道这都是假的，自骗自。有些女人实在年纪大了，可以就中取得满足。

"我晓得你喜欢粉艳霞，"她微笑着说。

"我没资格，"他微笑着咕哝了一声。

"要是真要也有办法。要认识她们还不容易？要找人跟她们老子娘讲价钱比较费事。譬如黄三爷喜欢玩票，有名的戏子都认识。差不多的女戏子都讲究拜他们做师傅，师傅讲句话有份量。九老太爷就是出名捧角的，当然我们不犯着找他。要找人，多的是。有人认识开戏馆的，那都是流氓，要不然在租界上也开不了戏园子。这些唱戏的人家，不是流氓也拿不住他们。"

听她闲闲地说来，轻言慢语的，头头是道，他像孩子们听神话似的，相信，而又不甚信。他们家还有多大势力他完全没有数。至于钱，当然他知道总比她一向口气里要多些。难道她瞒着他是因为他还小，现在他大了才告诉他？难道她省下钱来都是预备花在这一项大冒险上，给他买爱情与名望，作为一个名伶的护花主人？一样做小，当然情愿嫁个少爷，年纪轻，又是名门之后，又不像老五他们在外边玩惯了的。如果讲明以后不再有别人……可惜先要娶亲，娶了亲又还要再等一个时期。但是一个人年轻的时候反正无论什么事都要老等着，没办法，也等惯了。

"就是这一点麻烦：刚红起来，老子娘不肯放她们走的，总要等赚足几年再说。好在还年轻。她们这些人嫁人也难，"她喃喃地娓娓说下去，织着她的鸦片梦。在他的年纪，他需要一个梦想，才能够约束自己。让他以为他要是听话，她真肯拿出钱来替他娶粉艳霞。等他吃上了烟，他会踏实些，比较知道轻重。

吃烟她倒又不怕冯家听见。

"怕什么？我们吃得起，"她会告诉媒人。

现在年轻人不大有吃烟的，现在是兴玩舞女、闹离婚。他要是吃了烟肯安静蹲在家里，冯家也不会反对。大爷三爷他们吃烟照样出去，不过他们的情形不同。第一他们手里有钱。没有钱吃上了烟，就顾到这口烟。他要到堂子里过瘾哪儿行？靠三爷接济他那两个钱能到哪里？还是家里这张铺。总有一天他也跟她一样，就惦记着家里过日子与榻上这只灯，要它永远点着。她不怕了，他跑不了，风筝的线抓在她手里。

十四

定了亲，时而有消息传来，说冯家小姐丑。

"不会吧？"银娣说。"这些人嘴坏，给他们说出来还有好的？你四表姑看见过的，没几年前的事。虽然说女大十八变，相片上是大人了，有现在这年纪了。你四表姑说相片像。"

"相片也够丑的，"玉熹说。

"有人不上照，无为州大概也没有好照相馆。我本来说再托人去看看，就难在顺便——谁到无为州去？要是太明了，他们家又还不肯给人相看。不是看在老亲份上，连张照片都不肯落在人家手里。"

他不好意思老是嘀咕这件事，不过看得出来他老惦记着，不放心。

"我们家从来没有过退婚的事，"她说。"无缘无故把人家小姐退掉，这话也不好说。还是过天再托人打听打听。"

做媒的时候，男家的条件本来是要早娶，半年后就娶过来了。近年来都是文明结婚，忌讳新娘子穿白的就穿粉红。银娣在这些事上也从俗，不想太特别，不过文明结婚要请主婚人证婚人，要拣有名声地位的才有面子，她自从替儿子提亲这样难，把这些亲戚故旧都看透了，也不犯着再为这件事去求人，索性老式结婚，连租礼堂这笔费用都省了。

"老法结婚！"女人们都笑嘻嘻地说。"现在都看不到了。"

她都推在女家身上。"他们要嘤！他们还是老规矩。"

她其实折衷办理，并没有搬出全套老古董玩艺给他们取乐，因为大家看着确是招笑，就连那些怀旧的女太太们，喃喃地说着"嗳，从前都是这样，"也带着一种奇异的微笑。是像从前，不过变得乡气滑稽了，嘲弄她们最重要的回忆。

现在大家都不赞成老式新房一色大红，像红海一样，太耀眼，刺目，所以她布置的新房极平常，四柱床，珠罗纱帐子，只有床上一叠粉红浅绿簇新的绸面棉被有几分喜气，衬着凝冷的冬天的空气与灰黯的一切，使人微微打个寒颤。楼下也只有门头上挂着彩绸，大红大绿十字交叉着，坠着个绣球花式的绉摺球。新郎披红，也是同样的红绸带子，斜挂在肩膀上，此外就是戴顶瓜皮帽，与众不同些，跟客人都站在幽暗的大房间中央，人多了没处坐，应酬话早说完了，只好相视微笑。

"还不来！……"客人轮流地轻声说。一群孩子们更等得不耐烦。

"要等吉时，"有人说。

"时辰早到了。花轿去了几个钟头了？"

"今天好日子，花轿租不到呢。现在少，就这两家。在城里。……城里到一品香，还好，没多少路。"

女家送亲到上海来，住在一品香。

"还不来！"

"谁晓得他们？"新郎咕噜着，低下头来扯扯身上挂的红绸带子，望着那颗绣球作自嘲的微笑。

终于有人低声叫着"来了来了。"孩子们都往外跑。大门口放了一通鞭炮。银娣在楼上陪客，也下来了。没叫小堂名，呜哩呜哩吹着，倒像租界上的苏格兰兵操兵。军乐队也嫌俗气，不比出殡。索性没有音乐。

人堆里终于瞥见新娘子，现在喜娘也免了，由女家两个女眷搀着，一身大红绣花细腰短袄长裙，高高的个子，薄薄的肩膀，似乎身段还秀气。头上顶着一方红布，是较原始的时代的遗风，廉价的布染出来，比大红缎子衣裙颜色暗些，发黑。那块布不大，披到下颏底下，往外撅着，斧头式的侧影，像个怪物的大头，在玉熹看来格外心惊。

新娘子进了洞房坐在床上，有个表嫂把他拉到床前，递了根小秤给他。他先装糊涂，拿着不知道干什么，逗大家笑，然后无可奈何地表演一下，用秤杆挑掉盖头。

闹房的突然寂静下来，连看热闹的孩子们都噤住了。凤冠下面低着头，尖尖的一张脸，小眼睛一条缝，一张大嘴，厚嘴唇底下看不见下颏。他早已一转身，正要交还秤杆走开了，又被那表嫂叫住了。

"盖头丢到床顶上。丢得高点！高点！"

他挑着那块布一撩撩上去，转身就走。但是新娘子不得不坐在那里整天展览着。

银娣一有机会跟儿子说句话，就低声叫"嗳呀！新娘子怎么这么丑？这怎么办？怎么办？"

第二天早上，新娘子到她房里来，低声叫声"妈，"喉咙粗嗄，像个伤风的男人，是小时候害过一场大病以后嗓子就哑了。

"倒像是吃糠长大的，"银娣背后说。她对亲戚说，"我们新娘子的嘴唇，切切倒有一大碟子。"

玉熹倒还镇静，仿佛很看得开，反正他结婚不过是替家里尽责任。其实心里怎么不恨？从小总像是他不如人，这时候又娶了这么个太太。当然要怪他母亲，但是家里来了个外人，母子俩敌忾同仇，反而更亲密起来，常在烟榻上唧唧哝哝，也幸而他们还笑得出。算他们上了无为州冯家的当。好比两族械斗或者两省打仗，他是前线的外国新闻记者，特殊身分，到处去得，一一报告。他讲起堂子里人很有保留，现在亟于撇清，表示他与这女人毫无感情，所以什么都肯说。

新娘子也有点知道，每天早上到银娣房里来，一点笑容也没有，粗声叫声妈。她梳个扁扁的Ｓ头，额前飘着几丝前刘海，穿着一色的薄呢短袄长裙，高领子，细腰，是前几年时行的，淡装素抹，自己知道相貌不好，总是板板的，老老实实，不像别的女孩子怕难为情。老气横秋，银娣背后说，没看见过这样的新娘子。

她一天到晚跟她找碴子。三十年媳妇三十年婆，反正每一个女人都轮得到。没有一天不出事，玉熹少奶奶常常回到房里去哭。玉熹有时候也偷偷地安慰她，但是背后又跟他母亲讲她。他和他母亲像是多年的好朋友，他自己结了婚，势不能不满足对方的好奇心，一半也是忍不住夸口，而她总是闲闲的，仿佛无所不知，使他不感到顾忌。

他又出去蹓了，藉口躲家里的口舌是非。她盘问得相当紧，至少知道他现在是"独蹓"，没跟三爷在一起。但是她仍旧扣着他的钱。他在堂子里摆不出架势来，讲起堂子里人总是酸溜溜的带着讽刺的口吻，当然也是迎合他母亲的心理。但是日子久了，他成绩还不错，他学了一口上海话——到底他母亲是本地人——在那种场合混着，不讨人厌，而且究竟年轻占便宜，一个少爷家，又会陪小心，没有少爷架子。他并没有着迷，从来没说要娶回家来的话。这是他有生以来第一次叫他母亲得意：不要看他年纪轻轻的没有经验，玩得比大爷三爷精明，强爷胜祖，他们这些人哪一个不迷恋长三书寓？他是她驻在敌国的一个代表，居然不替她丢脸。

"熹哥哥坏，"现在他的堂表姊妹都这样说。

"怎么坏？"

那一个别过头去，不耐烦地吭了一声，似乎不屑回答。"还不是嫖？"低低地咕噜了一声。

堂子里现在只有老年人去，或是旧式生意人，所以不但坏，而且不时髦。下次她们看见了他，不免用异样的眼光多看了他一眼，在他旧式的外表下似乎潜伏着一种阴森的罪恶感，像她们小说里读到的内地大少爷，无恶不做。他站在桌子旁边，个子矮小的人有一种特殊的稳重，穿着藏青绸袍子，现在不戴眼镜了，苍白的小白脸，头发梳得光溜溜的中间分着。她们招呼他一声，他只朝她们的方向很快地点个头，正眼也不看她们，还是照从前的规矩。对他母亲唯唯诺诺，而在他眼睛背后有一种讽刺的微笑。他母亲当着人从来不理他的，只偶尔低声发句命令，眼睛望着别处，与对媳妇一样。

是阴历新年。正月里拜年的人来人往，时髦小姐们都是波浪形的头发贴紧在头上，只穿一件薄薄的夹袍子，磕了头马上又穿上大衣，把两只手插在皮领子底下渥着。

"在二婶那儿冻死了，"她们在别处一见面就抱怨。"这么冷的天，都不装个火炉。"

"有人说他们的莲子茶撤下去拿给别人吃，恶心死了。"

"真怕上他们那儿去。二婶说的那些话，都气死人！"噘着嘴腻声拖长了声音。

"这回又说什么？"

"还不是她那一套？"无论怎么问也不肯说。

"熹嫂嫂真可怜，站在楼梯口剥莲子，手上冻疮破了，还泡在凉水里。问她为什么不叫佣人剥，吓死了，叫我别说，'妈生气。'"

楼梯口搁着一张有裂缝的朱漆小橱，莲子浸在一碗水里，玉熹少奶奶个子高，低着颈子老站在那里剥。大房的二小姐搬了张椅子出来叫她坐，她无论如何不肯坐。房门开着，里面看得见。

银娣这一向生病，刚起来，坐在床上，人整个小了一圈，穿着一套旧黑哔叽袄裤，床上挂着灰色的白夏布帐子。那张四柱铁床独据一方靠墙摆在正中，显得奇小。她说话也有气无力的，客人坐得远，简直听不见，都不得不提高了喉咙。

"你怎么啦，二太太？"大奶奶用打趣的口吻大声问，像和耳朵聋的老太太说话，不嫌重复。"怎么不舒服啊？怎么搞的？"

"咳，大太太，我这病都是气出来的呵。"

"怎么啦？你从前闹胃气疼，这不是气疼吧？找大夫看了没有？"她不说是媳妇气的，别人也只好装模糊。

"害了一冬天了，看我瘦得这样。大太太你发福了。"

"肥了。"娇小的大奶奶现在胖得圆滚滚的，十足是个官太太。

"这才是个福太太的样子。"

"你福气呃，你好。可怎么娇滴滴起来了？怎么搞的？"

亲戚们早已诊断她的病是吃菜太咸，吃出来的，和她儿子长不高是一个缘故。她家的菜出名的咸，据说是为了省菜，其实也很少有人尝到。家里有事总是叫北方馆子的特价酒席，才八块钱一桌。平常从来不留人吃饭，只有她过生日那天有一桌点心，大家如果刚巧赶上了，就被让到外间坐席。她站在大红桌布前面，逐个分布粗糙的寿桃，眼睛严厉地钉在自己筷子头上，不望着人，不管是大人小孩子。她不能不给，他们也不能不吃。

今年过年，她留下几个女眷打牌。她那天精神还好。玉熹少奶奶进来回话，又出去了。

"你不要看我们少奶奶死板板的那样子，"她在牌桌上说，"她一看见玉熹就要去上马桶。"

大家笑了一阵，笑得有点心不定。她为了证明这句话，又讲了些儿子媳妇的秘密，博得不少笑声。"这话我怎么知道的？我也管不到他们床上。不过若要人不知，除非己莫为。男人家嘴敞，到了一起，什么都当笑话讲，他们真不管了。想想从前老太太那时候，我们回到房里去吃饭，回来头发稍微毛了点都要骂，当你们夫妻俩吃了饭睡中觉。'什么都肯，只顾讨男人的喜欢，'这话不光是婆婆讲，大家都常这样批评人。男人不喜欢，又是你不对。那时候我们都说冤枉死了，其实也是，只顾讨他喜欢，叫他看不起，喜欢也不长久。这是从前，现在是……真是我们听都没听见过。还说'我们这样的人家'！"

这话辗转传到玉熹少奶奶耳朵里，她晚上跟他又哭又闹，不肯让他近身。两人老是吵，有时候还打架。银娣更得了意，更到处去说。人家也讲他们，但是只限于夫妻间与年纪相仿的人们。两个女太太把头凑在一起，似乎在低声讲某人病情严重。忽然有一个鼻子里爆出一声厌烦的笑声，重又俯身向前去咬耳朵，面有难色，仿佛吃不惯耳朵。

"他们家就喜欢讲这些。"另一个抱怨着。

玉熹少奶奶病了。银娣先说是装病。拖得日子久了，找了个医生来看，说是气虚血亏，也就是痨病。银娣连忙给玉熹分房，搬到楼下去。

"照这样我什么时候才抱孙子？小痨病鬼可不要。你也要个人在身边，不能白天晚上往外跑，自己身子也要紧。我把冬梅给你，她也大了。"

他从来没考虑过他母亲这丫头，不但长得平常，他从小看惯了她是个拖鼻涕小丫头。最近还闹过，开饭的时候他看见她端着一碗汤进来。

"冬梅的指甲又泡在汤里，脏死了。叫她别这么拿着，又把大拇指掐在碗里。"

银娣这时候忽然发现她有些好处。"说她呆，还是厚道点好，有福气。她皮肤白，一白遮三丑，打扮起来又是个人。五短身材有福气的，屁股大，又方，是宜男相。不过是借她肚子生个儿子，家里这一向太晦气，要冲一冲。丫头收房其实不算，也不叫姨奶奶，就叫冬姑娘。我们还是叫她冬梅。"暗示这不妨碍他正式纳妾，等到手边方便点的时候。

现在根本谈不到，还是年年打仗，现在是在江西打共产党。鸦片烟一天比一天贵，那黝暗的大糕饼近于白形，上面贴着张黄色薄纸，纸上打着戳子，还是前清公文的方体字，古色古香。那一大块黑土不知道是什么好地方掘来的，刚拆开麻包的时候香气最浓。小风炉开锅熬着，搁在楼梯口，便于看守。那焦香贯穿全屋好几个钟头，整个楼面都神秘地热闹起来，像请了个道人住在家里炼丹药。大家谁也不提起那气味，可是连佣人走出走进都带着点笑意。

她每天躺在他对过，大家眼睛盯着烟灯，她有时候看着他烟枪架在灯罩上，光看着那紫泥烟斗喙尖上的一个小洞，是一只水汪汪的黑鼻孔，一颗黑珠子呼出呼进，濛濛的薄膜。是人家说的，多少钞票在这只小洞眼里烧掉。它呼嗤呼嗤吸着鼻涕，孜——孜——隔些时嗅一下，可以看得人讨厌起来，的确是个累赘，但是无论怎么贵，还是在她自己手里，有把握些，不像出去玩是个无底洞。靠它保全了家庭。他们有他们的气氛，满房间蓝色的烟雾。这是家，他在堂子里是出去交际。

她知道他有了冬梅会安顿下来的。吃烟的人喜欢什么都在手边，香烟罐里垫着报纸，偎在枕边代替痰盂，省得欠起身来吐痰。第一要方便省事，他连他少奶奶长得那样都不介意。

冬梅烫了飞机头，穿着大红缎子滚边的花绸旗袍，向太太和少爷磕头，又去给少奶奶磕头。但是睡在床上被人向她磕头是不吉利的，生着病尤其应当忌讳。银娣自己不在场，预先嘱咐过女佣们，还没拜下去就给拉住了。

"就说'给少奶奶磕头。'说也是一样的。"

不是一样的，给冬梅又提高了身分。本来已经把前面房间腾出来给她，拣最好的佣人伺候她，叫她管家，夸得她一枝花似的。玉熹少奶奶躺在一间后房里，要什么没有什么，医生也不来了，她娘家听见了，从无为州叫人来看了她一次。银娣后来坐在房门口叫骂了三个钟头：

"我们这儿苦日子过不惯，就不要嫁到我们家来。倒像请了个祖宗来了。要回去尽管去，去了别再来了，谢天谢地。我晓得是嫌冬梅，自己骑着茅坑不屙屎，不要男人，闹着要分床、分房。人家娶媳妇干什么的，不为传宗接代？我倒要问问我们亲家。他们要找我们说话，正好，我们也要找媒人说话。拿张相片骗人，搞了个痨病鬼来，算我们晦气。几时冬梅有了，要是个儿子，等痨病鬼一断了气马上给她扶正。"

她养成了习惯，动不动就搬张板凳骑着门坐着，冲着后房骂一下午。冬梅的第三个孩子，第二个儿子生下来，少奶奶才死。扶正的话也不提了。

十五

她有时候对玉熹说，"叫人家笑话我们，连个媳妇都娶不起？还是我恶名出去了，人家不肯给？"

"我不要，"他说。

"他也是受够了，实在怕了，"她替他向别人解释。"他不肯嚜，只好再说了。"

　　只要虚位以待，冬梅要是上头上脸起来，随时可以扬言托人做媒，不怕捆不住她。她现在还不敢，不过又大着肚子挺胸凸肚走出走进，那副神气看着很不顺眼，她又不傻，当然也知道孩子越多，娶填房越难。差不多的人家，听见说房里有人已经不愿意，何况有一大窝孩子，将来家私分下来有限，图他们什么？

　　孩子多了，银娣嫌吵，让他们搬到楼下去又便宜了他们，自成一家。一天到晚在跟前，有时候又眉来眼去的，叫人看不惯。玉熹其实不大理她，不过日子久了，总像他们是夫妻俩。

　　他还算有出息的。虽然不爱说话，很够机灵，有两次做押款，因为田上收不到租，就是他接洽的。找了人来在楼下，她没下去，东西让他经手，他这一点还靠得住，因为他要她相信他。东西到了他自己手里能保留多久，那就不知道了。她只希望他到了那时候懂事些。

　　她最大的满足还是亲戚们。前两年大爷出了事，拖到现在还没了，隔些时又在报上登一段，自从有了国民政府还没出过这么大的案子。亲戚们本来提起大爷已经够尴尬的，这时候更不知道说什么好。据说是同事害他，咬他贪污盗窃公款，什么都推在他头上。他被免职拘捕，托病进了医院，总算没进监牢。被她在旁边看着，实在是报应，当初分家的时候那么狠心，恨不得一个人独占，出去搂钱可没有这么容易。他家只有他一个人吃这颗禁果，落到这样下场。向来都说姚家子孙只有他是个人才，他会不知道那句老话，"朝中无人莫做官。"

　　官司拖了几年，背了无数的债。大奶奶去求九老太爷夫妇，也只安慰了几句，分文无着。结果判下来还是着令归还一部份公款。

他本来肝肾有病，恢复自由以后，出院不久又入院，就死在医院里。大奶奶搬到北京去住，北边生活比较便宜。那边还有好些亲戚，对他们倒还是一样，北边始终又是个局面。他们来了还有一番热闹。大家都说北京天气好，干爽，风土人情又好，又客气又厚道。

"北边好。"银娣对她儿子说。"说是北边现在到处都是日本人。日本人来了是没办法，不犯着迎头赶上去，给人讲着又不是好话。"

这两年好几家都搬走了。生活程度太高，尤其是鸦片烟。在上海越搬越小，下不了这面子，搬到内地去仍旧可以排场相当大。有时索性搬到田上去住，做起乡绅来，格外威风。明知乡下不平定，吃烟的人更担惊受怕。

"祖上替他们在上海买房子，总算想得周到，"银娣对她儿子说。"到他们手里搞光了，这时候住到土匪窝里去。"

在上海的人都相信上海，在她是又还加上土著的自傲。风声一紧，像要跟日本打起来了，那家新乡绅吓得又搬回来了，花了好些钱顶房子，叫她见笑。上海虽然也打，没打到租界。她哥哥家里从城里逃难出来，投奔她，她后来帮他们搬到杭州去，有个侄子在杭州做事。也去了个话柄。

上海成了孤岛以后，不过就是东西越来越贵。这些人里还就是三爷，孵豆芽也要在上海，这一点不能不说他还有见识。有一个时期听说大爷每月贴他两百块，那时候大爷是场面上的人，嘴里说不管他的事，不免怕他穷急了闹出事来，于官声有碍。三奶奶那里也每月送一百块，大爷向来是这派头，到处派月敬，月费。世交，老太爷手里用的人，退休了的姨太太，以及她们收的干儿子干女儿，往往都有份。大爷一倒下来，她最担心的就是三爷怎么了，没有月费可拿了。好久没有消息，后来听见说他两个姨奶奶搬到一起住了。

"现在想必过得真省。两个住在一块儿倒不吵？"

"人家三爷会调停。我们三爷有本事。"

"他现在靠什么？"

"他姨奶奶有钱。"

"那一个呢？她也养活她？"

"我们三爷有本事嘤。"

"他也不容易，年纪也不小了。他那个大少爷脾气。"

这都是揣测之词。大家都好些年没看见他。他用的人又是一帮，不是朋友荐的就是"生意浪"带来的，与亲戚家的佣人不通消息，所以他们这三个人的小家庭是个什么情形，亲戚间一点也不知道。年数多了，空白越来越大，大家渐渐对他有几分敬意。在他们这圈子里现在有一种默契，任何人能靠自己混口饭吃，哪怕男盗女娼，只要他不倒过来又靠上家里或是亲戚，大家都暗暗佩服。

"说是现在从来不出去。楼都不下。"

她记得他曾经笑着对她说，"老了，不受欢迎了。"其实那时候还不到四十岁，不过没有钱了，当然没有从前出风头。

他这人就是还知趣。他热闹惯了的人，难道年纪大了两岁，就不怕冷清了？他一辈子除此以外，根本没有别的生活。人家说他不冷清，有人陪着，而且左拥右抱，两个都是他自己拣的。他爱的是海——两瓢不新鲜的海水，能到哪里？他不过是钻到一个角落里，尽可能使自己舒服点，想法子有点掩蔽，不让别人窥视，好有个安静的下场。这一点倒跟她差不多。她近年来借着有病，也更销声匿迹，只求这些人不讲起她。他那边的寂静仿佛是个回声。没有人知道他们的事。年数隔得越久，那点事迹也跟着增加。她对他有一种奇特的了解，像夫妻间的，像有些妻子对丈夫的事一

231

点也不知道，仍旧能够懂得他。他至少这点硬气，不靠亲戚，家里给娶的女人他不要了，照自己的方式活着。他最受不了寂寞的人，亏他这些年闷在家里，倒还是那样，她有时候就觉得自己变了个人。——穷极无聊倒也没来找她。这些年不见，也甚至于想着可以借两个钱。他知道没用。他就是还识相。

她看着他跟她差不多情形，也许是带着一厢情愿的成分。但是事实是处境与她相仿的人越来越多。自从日本人进了租界，凡是生活没有问题的人都坐在家里不出去做事，韬光养晦。所以不光是她的亲戚们，所有洁身自好的市民都成了像她那样，在家里守节。现在她可以名正言顺地节省起来，大家都省。她叫冬梅自己做煤球，蹲在后天井里和泥，格子布罩袍后襟高高撩起，搭在一方大屁股上，用一把汤匙捏弄着煤屑，她做得比佣人圆。

不过她还是不会过日子，银娣火起来自己下厨房，教女佣炒菜，省油，用一支毛笔蘸着油在锅里划几道。玉熹吃不惯，要另外添小锅菜，她也怕传出去又是个话柄，不久就又推病不管了。家里外表也仍旧维持从前的规模，除了辞掉厨子，改用女佣做饭，现在许多人家都这样。不像卜家现在就是卜二奶奶自己下灶。卜家人多，一向闹穷，老太爷老太太都还在。娇滴滴的卜二奶奶，老爱吃吃笑着，从前跟她们妯娌们一见面就大家取笑的，现在总是上菜上了一半的时候进来，热得脸红红的，剪短了的头发湿黏黏的，掠在耳朵背后，穿着件线呢夹袍子，像个小母鸡，站在一边，仿佛事不关己，希望不引起注意。人家让她上桌，称赞今天菜好，她只帮着夹菜，喃喃地说声，"哦，虾球还可以吧？这两天虾仁买不到。"

"卜二奶奶真有本事，会做全桌酒席，"大家啧啧称赞，其实是骇笑。"就跟馆子里一样。炒鸡蛋炒得又匀又碎，鱼鳞似的，筷子都拣不起来。"

在沦陷的上海，每家都要出一个人当自警团。家里没有男佣人的，都是花钱论钟头雇人。他们是卜二爷自己去站岗。玉熹亲眼看见，回来告诉她，卜二表叔瘦高个子，戴着黑边大眼镜，扛着肩膀，扬着脸似笑非笑的，带着讽刺的神气，肩上套着根绳子，斜吊着根警棍，拖在袍襟上。

"他们人多。"她说，"我们人不多？"她现在孙子一大堆，不过人家不大清楚，他们很少出来见人。

现在一提起她家总是说，"他们现在还是那冬姑娘？"憎恶地皱着眉笑着，扮个鬼脸。"就是她一个？也没有再娶？……几个孩子了？"

她没给儿子娶填房，比逼死媳妇更叫人批评。虐待媳妇是常事，年纪轻轻死了老婆不续弦，倒没听说过。

她听见了又生气，这些人反正总有的说，他们的语气与脸上的神气她都知道得太清楚了，只要有句话吹到她耳朵里，马上从头到尾如在目前。她就是这点不载福，不会像别的老太太们装聋作哑，她自己承认。

有许多亲戚都不来往了。有人问起："二太太还是那样？"还是一提起来就笑。"怎么老不听见说？"

"她有病，"机密地低声解释，几乎是袒护地。"她是胆石。"她有病是两便，大家可以名正言顺地不找她，她自己也有个藉口。

"他们现在怎么样？"

"他们有钱。"声音更低了一低，半眯了眯眼，略点了点头。

"现在还是那冬姑娘？几个孩子了？"

孩子太多，看上去几乎一般大小，都是黑黑胖胖的，个子不高，长得结实，穿着黄卡其布短裤，帆布鞋，进附近一个衖堂小学。到了他们这一代，当然都进学堂了。家长看不起这些学校，就拣最近、最便宜的，除此以外也无法表示。放了学回来，在楼下互相追逐，这间房跑到那间房，但是一声不出，只听见脚步响，像一大群老鼠沉重地在地板上滚过来滚过去。楼下尽他们跑，他们的父母搬到楼下住了。那一套阴暗的房间渐渐破旧了，加上不整洁，像看门人住的地下层，白漆拉门成了假牙的黄白色，也有假牙的气味。下午已经黑魆魆的，只有玉熹烟铺上点着灯。冬梅假装整理五斗橱上乱七八糟的东西，看见旁边没人，往前走了两步，站在烟铺跟前。她的背影有一种不确定的神气，像个小女孩子，旧绒线衫后身往上缩着，斜扯着黏在大屁股上方，但是仍旧稚拙得异样。

"买煤的钱到现在也没给，"她咕噜了一声，低得几乎听不出，眼睛不望着他，头低着，僵着脖子，并没有稍微动一动，指出楼上。

玉熹袖着手歪在那里，冷冷地对着灯，嘴里不耐烦地嗡隆了一声，表示他不管。

一群孩子咕隆隆滚进房来，冬梅别过身去低声喝了一声，把他们赶了出去。

楼上因为生病，改在床上吸烟，没有烟铺开阔，对面没有人躺着也比较不嫌寂寞。一个小丫头在床前挖烟斗，是郑妈领来给她孙子做童养媳的，拣了个便宜，等有便人带到乡下去，先在这里帮忙。银娣叫她小丫头，也是牵冬梅的头皮，有时候当着冬梅偏要骂两声打两下。现在堂子里成了暴发户的世界，玉熹早已不去了，本来是件好事，更一天到晚缩在楼下。这冬梅太会养了，给人家笑，像养猪一样，一下就是一窝。她这样省俭，也是为他们将来着想，照这样下去还了得？这年头，钱不值钱。前两年她每天给玉熹三毛钱零用。堂子里三节结账，不用带钱的，不过他吃烟的人喜欢吃甜食，自己去买，出去走走，带逛旧货摊子，买一支破笔洗，一锭墨，刻着金色字画，半只印色盒子，都当古董。自己家里整大箱的古玩，他看都没看见过，所以不开眼。三毛钱渐渐涨成一块，两块。改了储备票又一直涨到二百块，五百块。今年过年，大家都不知道给多少年赏。向来都是近亲给八块，至多十块，远亲四块。照理应当看她给多少，大房不在上海，她是长房，不能比她多给。所以她生气，那天卜二奶奶来拜年，她拦着不让她多给钱，就把这话告诉她，让她传出去给姚家这些人听听，连这点道理都不懂。现在大房搬到北边去了，老九房只有儿子媳妇，九老太爷夫妻俩都过世了。这些亲戚大家就是老九房阔，不过从前有过那句话，九老太爷这儿子不是自己的，其实不是姚家人，不算。剩下还就是她这一房还像样，二十年如一日，还住着老地方，即使旺丁不旺财，至少不至于像三房绝后。大房是不必说了，家败人亡，在北京，小女儿又还嫁了个教书的，是她学校的老师。人家说女学堂的话，这可不说中了？大奶奶不愿意，也没办法，总是已经来不及了。"他们是师生恋爱，"大家只笑嘻嘻地说。"从初中教起的。"年纪那么小！二儿子在北京找了个小事当科员，娶的亲倒是老亲，夫妻太要好了，打牌，二少奶奶在旁边看牌，把下颏搁在二少爷肩膀上。大奶奶看不惯，说了她两句，这就闹着要搬出去住。——还打牌！人家还是照样过日子。

"大太太现在可怜啰，"大家都这么说。"现在大概就靠小丰寄两个钱去。"

她大儿子在上海，到底出过洋的人有本事，巴结上了储备银行的赵仲仲，跟着做投机、玩舞女。他少奶奶也陪着一班新贵的太太打牌,得意得不得了。等日本人倒了怎么样? 德国已经打败了,日本也就快了。她对时事一向留心,没办法,凡是靠田上收租的,人在上海,根在内地,不免受时局影响。现在大家又都研究《推背图》,画的那些小人一个个胖墩墩的,穿着和尚领袄袴,小孩的脸相也很老,大人也只有那点高,三三两两,一个站在另一个肩上,都和颜悦色在干着不可解的事。但是那神秘的恐怖只在那本小册子的书页里,无论什么大屠杀,到了上海最狠也不过是东西涨价。日本人来不也是一劫? 也不过这样。日本败下来怕抢,又怕美国飞机轰炸,不过谁舍得炸上海? 熬过了日本人这一关,她更有把握了,谁来也不怕,上海总是上海。又不出头露面,不像大房的小丰,真是浑。他大概自以为聪明,只揩油,不做官。想必也是因为他老子从前已经坏了名声,横竖横了。大爷从前做过国民政府的官,在此地的伪政府看来,又是一重资格,正欢迎重庆的人倒到他们这边。

"仗着他爸爸跟祖老太爷,给他当上了赵仰仲的帮闲,"她对玉熹说。

"小丰现在阔了,"大家背后笑着说,还是用从前的代名词,"阔"字代表官势。但是从前是神秘的微笑,现在笑得咧开了嘴。见了面一样热热闹闹的,不过笑得比较浮。民国以来改朝换代,都是自己人,还客气,现在讲起来是汉奸,可以枪毙的。真是——跟他们大房爷儿俩比起来,那还是三爷。三爷不过是没算计,倒不是他这时候死了,又说他好。去年听见他死了,倒真吓了一跳,也没听见说生病。才五十三岁的人,她自己也有这年纪了,不能不觉得是短寿。当然他是太伤身体,一年到头拘在家里,地气都不沾,两个姨奶奶陪着,又还不像玉熹这个老是大肚子。他心里想必也不痛快，关在家里做老太爷。替他想想，这时候死了也好，总算享了一辈子福，两个姨奶奶送终。再过几年她们老了，守着两个黄脸婆——一个是老伴，两个可叫人受不了。听说两个姨奶奶还住在一起替他守节，想必还是一个养活另一个，倒也难得。她看看这些人的下场，只有他没叫她快心，但是她到底是个女人，从前和他有过那一场，他要是落得太不堪，她也没面子。他那时候临走恐吓她的话，倒也不是白说，害她半辈子提心吊胆，也达到了目的。

后来又听见说王三太太去看过他那两个姨奶奶一次，两人住着一个亭子间，就是一张床，此外什么都没有。她们说：

"一天到晚还不就是坐坐躺躺。两人背对背坐着。"

她听了也骇笑。

"多大年纪了？不是有一个年纪轻些？其实有人要还不跟了人算了？这年头还守些什么，不是我说。"

大家听见刘二爷郎舅俩戒了烟，也一样骇然。都是三十年的老瘾，说戒就戒了，实在抽不起了。窘到那样，使大家都有点窘。每次微笑着轻声传说这新闻之后，总有片刻的寂静。现在不大听到新闻，但是日子过得快，反而觉得这些人一个个的报应来得快。时间永远站在她这边，证明她是对的。日子越过越快，时间压缩了，那股子劲更大，在耳边呜呜地吹过，可以觉得它过去，身上陡然一阵寒飕飕的，有点害怕，但是那种感觉并不坏。三爷死了，当然这使她想到自己，又多病。但是生病是年纪大些必有的累赘，也惯了。

她抹了点万金油在头上，喜欢它冰凉的，像两只拇指捺在她太阳心上，是外面来的人，手冻得冰冷的，指尖染着薄荷味。稍一动弹，就闻见一层层旧衣服与积年鸦片烟薰的气味，她往里偎了偎，窝藏得更深些，更有安全感。她从烟盘里拿起一支镊子来夹灯芯，把灯罩摘下来，玻璃热呼呼的，不知道为什么很感到意外，摸着也喜欢。从夏布帐子底下望出去，房间更大、屋顶更高，关着的玻璃窗远得走不到。也不知道外边天黑了没有。小丫头在打盹。反正白天晚上睡不够。她顺手拿起烟灯，把那黄豆式的小火焰凑到那孩子手上。粗壮的手臂连着小手，上下一般粗，像个野兽的前脚，力气奇大，盲目地一甩，差点把烟灯打落在地下。她不由得想起从前拿油灯烧一个男人的手，忽然从前的事都回来了，蓬蓬蓬的打门声，她站在排门背后，心跳得比打门的声音还更响，油灯热烘烘薰着脸，额上前刘海热烘烘罩下来，浑身微微刺痛的汗珠，在黑暗中戳出一个个小孔，划出个苗条的轮廓。她引以自慰的一切突然都没有了，根本没有这些事，她这辈子还没经过什么事。

"大姑娘！大姑娘！"

在叫着她的名字。他在门外叫她。

*初载一九六六年香港《星岛晚报》，一九六八年七月皇冠出版社出版单行本。

色，戒

　　麻将桌上白天也开着强光灯，洗牌的时候一只只钻戒光芒四射。白桌布四角缚在桌腿上，绷紧了越发一片雪白，白得耀眼。酷烈的光与影更托出佳芝的胸前丘壑，一张脸也禁得起无情的当头照射。稍嫌尖窄的额，发脚也参差不齐，不知道怎么倒给那秀丽的六角脸更添了几分秀气。脸上淡妆，只有两片精工雕琢的薄嘴唇唇涂得亮汪汪的，娇红欲滴。云鬓蓬松往上扫，后发齐肩，光着手臂，电蓝水渍纹缎齐膝旗袍，小圆角衣领只半寸高，像洋服一样。领口一只别针，与碎钻镶蓝宝石的"钮扣"耳环成套。

　　左右首两个太太都穿着黑呢斗篷，翻领下露出一根沉重的金链条，双行横牵过去扣住领口。战时上海因为与外界隔绝，兴出一些本地的服装。沦陷区金子畸形的贵，这么粗的金锁链价值不赀，用来代替大衣钮扣，不村不俗，又可以穿在外面招摇过市，因此成为汪政府官太太的制服。也许还是受重庆的影响，觉得黑大氅最庄严大方。

　　易太太是在自己家里，没穿她那件一口钟，也仍旧"坐如钟"，发福了。她跟佳芝是两年前在香港认识的。那时候夫妇俩跟着汪精卫从重庆出来，在香港耽搁了些时。跟汪精卫的人，曾仲鸣已经在河内被暗杀了，所以在香港都深居简出。易太太不免要添些东西。抗战后方与沦陷区都缺货，到了这购物的天堂，总不能入宝山空手回。经人介绍了这位麦太陪她买东西，本地人内行，香港连大公司都要讨价还价的，不会讲广东话也吃亏。他们麦先生是进出口商，生意人喜欢结交官场，把易太太招待得无微不至。易太太十分感激。珍珠港事变后香港陷落，麦先生的生意停顿了，佳芝也跑起单帮来，贴补家用，带了些手表西药香水丝袜到上海来卖。易太太一定要留她住在他们家。

"昨天我们到蜀腴去——麦太太没去过。"易太太告诉黑斗篷之一。

"哦。"

"马太太这有好几天没来了吧？"另一个黑斗篷说。

牌声噼啪中，马太太只咕哝了一声"有个亲戚家有点事。"

易太太笑道："答应请客，赖不掉的。躲起来了。"

佳芝疑心马太太是吃醋，因为自从她来了，一切以她为中心。

"昨天是廖太太请客，这两天她一个人独赢，"易太太又告诉马太太。"碰见小李跟他太太，叫他们坐过来，小李说他们请的客还没到。我说廖太太请客难得的，你们好意思不赏光？刚巧碰到小李大请客，来了一大桌子人。坐不下添椅子，还是挤不下，廖太太坐在我背后。我说还是我叫的条子漂亮！她说老都老了，还吃我的豆腐。我说麻婆豆腐是要老豆腐嘛！嗳哟，都笑死了！笑得麻婆白麻子都红了。"

大家都笑。

"是哪个说的？那回易先生过生日，不是就说麻姑献寿嘤！"马太太说。

易太太还在向马太太报导这两天的新闻，易先生进来了，跟三个女客点头招呼。

"你们今天上场子早。"

他站在他太太背后看牌。房间那头整个一面墙上都挂着土黄厚呢窗帘，上面印有特大的砖红凤尾草图案，一根根横斜着也有一人高。周佛海家里有，所以他们也有。西方最近兴出来的假落地大窗的窗帘，在战时上海因为舶来品窗帘料子缺货，这样整大匹用上去，又还要对花，确是豪举。人像映在那大人国的凤尾草上，更显得他矮小。穿着灰色西装，生得苍白清秀，前面头发微秃，褪出一只奇长的花尖；鼻子长长的，有点"鼠相"，据说也是主贵的。

"马太太你这只几克拉——三克拉？前天那品芬又来过了，有只五克拉的，光头还不及你这只。"易太太说。

马太太道："都说品芬的东西比外头店家好嘛！"

易太太道："掮客送上门来不过好在方便，又可以留着多看几天。品芬的东西有时候倒是外头没有的。上次那只火油钻，不肯买给我。"说着白了易先生一眼。"现在该要多少钱了？火油钻没毛病的，涨到十几两、几十两金子一克拉，品芬还说火油钻粉红钻都是有价无市。"

易先生笑道："你那只火油钻十几克拉，又不是鸽子蛋，'钻石'嘤，也是石头，戴在手上牌都打不动了。"

牌桌上的确是戒指展览会，佳芝想。只有她没有钻戒，戴来戴去这只翡翠的，早知不戴了，叫人见笑——正都看不得她。

易太太道："不买还要听你这些话！"说着打出一张五筒，马太太对面的黑斗篷啪啦啦摊下牌来，顿时一片笑叹怨尤声，方剪断话锋。

大家算胡了，易先生乘乱里向佳芝把下颏朝门口略偏了偏。

她立即瞥了两个黑斗篷一眼。还好，不像有人注意到。她赔出筹码，拿起茶杯来喝了一口，忽道："该死我这记性！约了三点钟谈生意，会忘得干干净净。怎么办，易先生替我打两圈，马上回来。"

易太太叫将起来道："不行！哪有这样的？早又不说。不作兴的。"

"我还正想着手风转了。"刚胡了一牌的黑斗篷呻吟着说。

"除非找廖太太来。去打个电话给廖太太。"易太太又向佳芝道："等来了再走。"

"易先生先替我打着。"佳芝看了看手表。"已经晚了，约了个掮客吃咖啡。"

"我今天有点事，过天陪你们打通宵。"易先生说。

"这王佳芝最坏了！"易太太喜欢连名带姓叫她王佳芝，像同学的称呼。"这回非要罚你。请客请客！"

"哪有行客请坐客的？"马太太说。"麦太太到上海来是客。"

"易太太都说了。要你护着！"另一个黑斗篷说。

她们取笑凑趣也要留神，虽然易太太的年纪做她母亲绰绰有余，她们从来不说认干女儿的话。在易太太这年纪，正有点摇摆不定，又要像老太太们喜欢有年轻漂亮的女性簇拥着，众星捧月一般，又要吃醋。

"好好，今天晚上请客，"佳芝说。"易先生替我打着，不然晚上请客没有你。"

"易先生帮帮忙，帮帮忙！三缺一伤阴骘的。先打着，马太太这就去打电话找搭子。"

"我是真有点事，"说起正事，他马上声音一低，只咕哝了一声。

"待会还有人来。"

"我就知道易先生不会有工夫，"马太太说。

是马太太话里有话，还是她神经过敏？佳芝心里想。看他笑嘻嘻的神气，也甚至于马太太这话还带点讨好的意味，知道他想人知道，恨不得要人家取笑他两句。也难说，再深沉的人，有时候也会得意忘形起来。

这太危险了。今天再不成功，再拖下去要给易太太知道了。

她还在跟易太太讨价还价，他已经走开了。她费尽唇舌才得脱身，回到自己卧室里，也没换衣服，匆匆收拾了一下，女佣已经来回说车在门口等着。她乘易家的汽车出去，吩咐司机开到一家咖啡馆，下了车便打发他回去。

时间还早，咖啡馆没什么人，点着一对对杏子红百褶绸罩壁灯，地方很大，都是小圆桌子、暗花细白麻布桌布，保守性的餐厅模样。她到柜台上去打电话，铃声响了四次就挂断了再打，怕柜台上的人觉得奇怪，喃喃说了声："可会拨错了号码？"

是约定的暗号。这次有人接听。

"喂？"

还好，是邝裕民的声音。就连这时候她也还有点怕是梁闰生，尽管他很识相，总让别人上前。

"喂，二哥，"她用广东话说。"这两天家里都好？"

"好，都好。你呢？"

"我今天去买东西，不过时间没一定。"

"好，没关系。反正我们等你。你现在在哪里？"

"在霞飞路。"

"好，那么就是这样了。"

片刻的沉默。

"那没什么了？"她的手冰冷，对乡音感到一丝温暖与依恋。

"没什么了。"

"马上就去也说不定。"

"来得及，没问题。好，待会见。"

她挂断了，出来叫三轮车。

今天要是不成功，可真不能再在易家住下去了，这些太太们在旁边虎视眈眈的。也许应当一搭上他就借个什么藉口搬出来，他可以拨个公寓给她住，上两次就是在公寓见面，两次地方不同，都是英美人的房子，主人进了集中营。但是那反而更难下手了——知道他什么时候来？要来也是忽然从天而降，不然预先约定也会临时有事，来不成。打电话给他又难，他太太看得紧，几个办公处大概都安插得有耳目。便没有，只要有人知道就会坏事，打小报告讨好他太太的人太多。不去找他，他甚至于可以一次都不来，据说这样的事也有过，公寓就算是临别赠品。他是实在诱惑太多，顾不过来，一个眼不见，就会丢在脑后。还非得钉着他，简直需要提溜着两只乳房在他跟前晃。

"两年前也还没有这样嚜，"他扣着吻着她的时候轻声说。

他头偎在她胸前，没看见她脸上一红。

就连现在想起来，也还像给针扎了一下，马上看见那些人可憎的眼光打量着她，带着点会心的微笑，连邝裕民在内。只有梁闰生佯佯不睬，装作没注意她这两年胸部越来越高。演过不止一回的一小场戏，一出现在眼前立刻被她赶走了。

到公共租界很有一截子路。三轮车踏到静安寺路西摩路口，她叫在路角一家小咖啡馆前停下。万一他的车先到，看看路边，只有再过去点停着个木炭汽车。

这家大概主要靠门市外卖，只装着寥寥几个卡位，虽然阴暗，情调毫无。靠里有个冷气玻璃柜台装着各色西点，后面一个狭小的甬道灯点得雪亮，照出里面的墙壁下半截漆成咖啡色，亮晶晶的凸凹不平；一只小冰箱旁边挂着白号衣，上面近房顶成排挂着西崽脱换下来的线呢长夹袍，估衣铺一般。

她听他说，这是天津起士林的一号西崽出来开的。想必他拣中这一家就是为了不会碰见熟人，又门临交通要道，真是碰见人也没关系，不比偏僻的地段使人疑心，像是有瞒人的事。

面前一杯咖啡已经冰凉了，车子还没来。上次接了她去，又还在公寓里等了快一个钟头他才到。说中国人不守时刻，到了官场才登峰造极了。再照这样等下去，去买东西店都要打烊了。

是他自己说的："我们今天值得纪念。这要买个戒指，你自己拣。今天晚了，不然我陪你去。"那是第一次在外面见面。第二次时间更逼促，就没提起。当然不会就此算了，但是如果今天没想起来，倒要她去绕着弯子提醒他，岂不太失身分，杀风景？换了另一个男人，当然是这情形。他这样的老奸巨猾，决不会认为她这么个少奶奶会看上一个四五十岁的矮子。不是为钱反而可疑。而且首饰向来是女太太们的一个弱点。她不是出来跑单帮吗？顺便捞点外快也在情理之中。他自己是搞特工的，不起疑也都狡兔三窟，务必叫人捉摸不定。她需要取信于他，因为迄今是在他指定的地点会面，现在要他同去她指定的地方。

上次车子来接她，倒是准时到的。今天等这么久，想必是他自己来接。倒也好，不然在公寓里见面，一到了那里，再出来就又难了。除非本来预备在那里吃晚饭，闹到半夜才走——但是就连第一次也没在那吃饭。自然要多耽搁一会，出去了就不回来了。怕店打烊，要急死人了，又不能催他快着点，像妓女一样。

她取出粉镜子来照了照，补了点粉。迟到也不一定是他自己来。还不是新鲜劲一过，不拿她当桩事了。今天不成功，以后也许不会再有机会了。

她又看了看表。一种失败的预感，像丝袜上一道裂痕，阴凉的在腿肚子上悄悄往上爬。

斜对面卡位上有个中装男子很注意她。也是一个人，在那里看报。比她来得早，不会是跟踪她。估量不出她是什么路道？戴的首饰是不是真的？不大像舞女，要是演电影话剧的，又不面熟。

她倒是演过戏，现在也还是在台上卖命，不过没人知道，出不了名。

在学校里演的也都是慷慨激昂的爱国历史剧。广州沦陷前，岭大搬到香港，也还公演过一次，上座居然还不坏。下了台她兴奋得松弛不下来，大家吃了消夜才散，她还不肯回去，与两个女同学乘双层电车游车河。楼上乘客稀少，车身摇摇晃晃在宽阔的街心走，窗外黑暗中霓虹灯的广告，像酒后的凉风一样醉人。

借港大的教室上课，上课下课挤得黑压压的挨挨蹭蹭，半天才通过，十分不便，不免有寄人篱下之感。香港一般人对国事漠不关心的态度也使人愤慨。虽然同学多数家在省城，非常近便，也有流亡学生的心情。有这么几个最谈得来的就形成了一个小集团。汪精卫一行人到了香港，汪夫妇俩与陈公博等都是广东人，有个副官与邝裕民是小同乡。邝裕民去找他，一拉交情，打听到不少消息。回来大家七嘴八舌，定下一条美人计，由一个女生去接近易太太——不能说是学生，大都是学生最激烈，他们有戒心。

生意人家的少奶奶还差不多，尤其在香港，没有国家思想。这角色当然由学校剧团的当家花旦担任。

几个人里面只有黄磊家里有钱，所以是他奔走筹款，租房子，借车子，借行头。只有他会开车，因此由他充当司机。欧阳灵文去麦先生。邝裕民算是表弟，陪着表嫂，第一次由那副官带他们去接易太太出来买东西。邝裕民就没下车，车子先送他与副官各自回家——副官坐在前座——再开她们俩到中环。

易先生她见过几次，都不过点头招呼。这天第一次坐下来一桌打牌，她知道他不是不注意她，不过不敢冒昧。她自从十二三岁就有人追求，她有数。虽然他这时期十分小心谨慎，也实在憋狠了，蛰居无聊，心事重，又无法排遣，连酒都不敢喝，防汪公馆随时要找他有事。共事的两对夫妇合赁了一幢旧楼，至多关起门来打打小麻将。

牌桌上提起易太太替他买的好几套西装料子，预备先做两套。佳芝介绍一家服装店，是他们的熟裁缝。"不过现在是旺季，忙着做游客生意，能够一拖几个月。这样好了，易先生几时有空，易太太打个电话给我，我去带他来。老主顾了，他不好意思不赶一赶。"临走丢下她的电话号码，易先生乘他太太送她出去，一定会抄了去，过两天找个藉口打电话来探探口气，在办公时间内，麦先生不在家的时候。

那天晚上微雨，黄磊开车接她回来，一同上楼，大家都在等信。一次空前成功的演出，下了台还没卸下装，自己都觉得顾盼间光艳照人。她舍不得他们走，恨不得再到哪里去。已经下半夜了，邝裕民他们又不跳舞，找那种通宵营业的小馆子去吃及第粥也好，在毛毛雨里老远一路走回来，疯到天亮。

但是大家计议过一阵之后，都沉默下来了，偶尔有一两个人悄声叽咕两句，有时候噗嗤一笑。

　　那嗤笑声有点耳熟。这不是一天的事了，她知道他们早就背后讨论过。

　　"听他们说，这些人里好像只有梁闰生一个人有性经验。"赖秀金告诉她。除她之外只有赖秀金一个女生。

　　偏偏是梁闰生！

　　当然是他。只有他嫖过。

　　既然有牺牲的决心，就不能说不甘心便宜了他。

　　今天晚上，浴在舞台照明的余辉里，连梁闰生都不十分讨厌了。大家仿佛看出来，一个个都溜了，就剩下梁闰生。于是戏继续演下去。

　　也不止这一夜。但是接连几天易先生都没打电话来。她打电话给易太太，易太太没精打采的，说这两天忙，不去买东西，过天再打电话来找她。

　　是疑心了？发现老易有她的电话号码？还是得到了坏消息，日本方面的？折磨了她两星期之后，易太太欢天喜地打电话来辞行，十分抱歉走得匆匆，来不及见面了，坚邀她夫妇俩到上海来玩，多住些时畅叙一下，还要带他们到南京去游览。想必总是回南京组织政府的计画一度搁浅，所以前一向销声匿迹起来。

　　黄磊拖了一屁股的债，家里听见说他在香港跟一个舞女赁屋同居了，又断绝了他的接济，狼狈万分。

　　她与梁闰生之间早就已经很僵。大家都知道她是懊悔了，也都躲着她，在一起商量的时候都不正眼看她。

　　"我傻。反正就是我傻，"她对自己说。

也甚至于这次大家起哄捧她出马的时候，就已经有人别具用心了。

她不但对梁闰生要避嫌疑，跟他们这一伙人都疏远了，总觉得他们用好奇的异样的眼光看她。珍珠港事变后，海路一通，都转学到上海去了。同是沦陷区，上海还有书可念。她没跟他们一块走，在上海也没有来往。

有很久她都不确定有没有染上什么脏病。

在上海，倒给他们跟一个地下工作者搭上了线。一个姓吴的——想必也不是真姓吴——一听他们有这样宝贵的一条路子，当然极力鼓励他们进行。他们只好又来找她，她也义不容辞。

事实是，每次跟老易在一起都像洗了个热水澡，把积郁都冲掉了，因为一切都有了个目的。

这咖啡馆门口想必有人望风，看见他在汽车里，就会去通知一切提前。刚才来的时候倒没看见有人在附近逗留。横街对面的平安戏院最理想了，廊柱下的阴影中有掩蔽，戏院门口等人又名正言顺，不过门前的场地太空旷，距离太远，看不清楚汽车里的人。

有个送货的单车，停在隔壁外国人开的皮货店门口，仿佛车坏了，在检视修理。剃小平头，约有三十来岁，低着头，看不清楚，但显然不是熟人。她觉得不会是接应的车子。有些话他们不告诉她她也不问，但是听上去还是他们原班人马。——有那个吴帮忙，也说不定搞得到汽车。那辆出差汽车要是还停在那里，也许就是接应的，司机那就是黄磊了。她刚才来的时候车子背对着她，看不见司机。

吴大概还是不大信任他们，怕他们太嫩，会出乱子带累人。他不见得一个人单枪匹马在上海，但是始终就是他一个人跟邝裕民联络。

许了吸收他们进组织。大概这次算是个考验。

"他们都是差不多枪口贴在人身上开枪的，哪像电影里隔得老远瞄准。"邝裕民有一次笑着告诉她。

大概也是叫她安心的话，不会乱枪之下殃及池鱼，不打死也成了残废，还不如死了。

这时候事到临头，又是一种滋味。

上场慌，一上去就好了。

等最难熬。男人还可以抽烟。虚飘飘空捞捞的，简直不知道身在何所。她打开手提袋，取出一小瓶香水，玻璃瓶塞连着一根小玻璃棍子，蘸了香水在耳垂背后一抹。微凉有棱，一片空茫中只有这点接触。再抹那边耳朵底下，半晌才闻见短短一缕栀子花香。

脱下大衣，肘弯里面也搽了香水，还没来得及再穿上，隔着橱窗里的白色三层结婚蛋糕木制模型，已见一辆汽车开过来，一望而知是他的车，背后没驮着那不雅观的烧木炭的板箱。

她拣起大衣手提袋，挽在臂上走出去。司机已经下车代开车门。易先生坐在靠里那边。

"来晚了，来晚了！"他呵着腰喃喃说着，作为道歉。

她只睒了他一眼。上了车，司机回到前座，他告诉他"福开森路。"那是他们上次去的公寓。

"先到这儿有爿店，"她低声向他说，"我耳环上掉了颗小钻，要拿去修。就在这儿，不然刚才走走过去就是了，又怕你来了找不到人，坐那儿傻等，等这半天。"

他笑道："对不起对不起，今天真来晚了——已经出来了，又来了两个人，又不能不见。"说着便探身向司机道："先回到刚才那儿。"早开过了一条街。

她噘着嘴喃喃说道：“见一面这么麻烦，住你们那儿又一句话都不能说——我回香港去了，托你买张好点的船票总行？”

“要回去了？想小麦了？”

“什么小麦大麦，还要提这个人——气都气死了！”

她说过她是报复丈夫玩舞女。

一坐定下来，他就抱着胳膊，一只肘弯正抵在她乳房最肥满的南半球外缘。这是他的惯技，表面上端坐，暗中却在蚀骨销魂，一阵阵麻上来。

她一扭身伏在车窗上往外看，免得又开过了。车到下一个十字路口方才大转弯折回，又一个U形大转弯，从义利饼干行过街到平安戏院，全市唯一的一个清洁的二轮电影院，灰红暗黄二色砖砌的门面，有一种针织粗呢的温暖感，整个建筑圆圆的朝里凹，成为一钩新月切过路角，门前十分宽敞。对面就是刚才那家凯司令咖啡馆，然后西伯利亚皮货店，绿屋夫人时装店，并排两家四个大橱窗，华贵的木制模特儿在霓虹灯后摆出各种姿态。隔壁一家小店一比更不起眼，橱窗里空无一物，招牌上虽有英文“珠宝商”字样，也看不出是珠宝店。

他转告司机停下，下了车跟在她后面进去。她穿着高跟鞋比他高半个头。不然也就不穿这么高的跟了，他显然并不介意。她发现大个子往往喜欢娇小玲珑的女人，倒是矮小的男人喜欢女人高些，也许是一种补偿的心理。知道他在看，更软洋洋的凹着腰。腰细，宛若游龙游进玻璃门。

一个穿西装的印度店员上前招呼。店堂虽小，倒也高爽敞亮，只是雪洞似的光塌塌一无所有，靠里设着唯一的短短一只玻璃柜台，陈列着一些“诞辰石”——按照生日月份，戴了运气好的，黄石英之类的"半宝石"，红蓝宝都是宝石粉制的。

她在手提袋里取出一只梨形红宝石耳坠子，上面碎钻拼成的叶子丢了一粒钻。

"可以配，"那印度人看了说。

她问了多少钱，几时有，易先生便道："问他有没有好点的戒指。"他是留日的，英文不肯说，总是端着官架子等人翻译。

她顿了顿方道："干什么？"

他笑道："我们不是要买个戒指做纪念吗？就是钻戒好不好？要好点的。"

她又顿了顿，拿他无可奈何的笑了。"有没有钻戒？"她轻声问。

那印度人一扬脸，朝上发声喊，叽哩哇啦想是印度话，倒吓了他们一跳，随即引路上楼。

隔断店堂后身的板壁漆奶油色，靠边有个门，门口就是黑洞洞的小楼梯。办公室在两层楼之间的一个阁楼上，是个浅浅的阳台，俯瞰店堂，便于监督。一进门左首墙上挂着长短不齐两只镜子，镜面画着五彩花鸟，金字题款："鹏程万里 巴达先生开业志喜 陈茂坤敬贺"，都是人送的。还有一只横额式大镜，上画彩凤牡丹。阁楼屋顶坡斜，板壁上没处挂，倚在墙跟。

前面沿着乌木栏杆放着张书桌，桌上有电话，点着台灯。旁边有只茶几搁打字机，罩着旧漆布套子。一个矮胖的印度人从圈椅上站起来招呼，代挪椅子；一张苍黑的大脸，狮子鼻。

"你们要看钻戒。坐下，坐下。"他慢吞吞腆着肚子走向屋隅，俯身去开一只古旧的绿毡面小矮保险箱。

这哪像个珠宝店的气派？易先生面不改色，佳芝倒真有点不好意思。听说现在有些店不过是个幌子，就靠囤积或是做黑市金钞。吴选中这爿店总是为了地段，离凯司令又近。刚才上楼的时候她倒是想着，下去的时候真是瓮中捉鳖——他又绅士派，在楼梯上走在她前面，一踏进店堂，旁边就是柜台，柜台前的两个顾客正好拦住去路。不过两个大男人选购廉价宝石袖扣领针，与送女朋友的小礼物，不能斟酌过久，不像女人磨菇。要扣准时间，不能进来得太早。也不能在外面徘徊——他的司机坐在车子里，会起疑。要一进来就进来，顶多在皮货店看看橱窗，在车子背后好两丈外，隔了一家门面。

她坐在书桌边，忍不住回过头去望了望楼下，只看得见橱窗，玻璃橱架都空着，窗明几净，连霓虹光管都没装，窗外人行道边停着汽车，看得见车身下缘。

两个男人一块来买东西，也许有点触目，不但可能引起司机的注意，甚至于他在阁楼上看见了也犯疑心，俄延着不下来。略一僵持就不对了。想必他们不会进来，还是在门口拦截。那就更难扣准时间了，又不能跑过来，跑步声马上会唤起司机的注意。——只带一个司机，可能兼任保镖。

也许两个人分布两边，一个带着赖秀金在贴隔壁绿屋夫人门前看橱窗。女孩子看中了买不起的时装，那是随便站多久都行。男朋友等得不耐烦，尽可以背着橱窗东张西望。

这些她也都模糊的想到过，明知不关她事，不要她管。这时候因为不知道下一步怎样，在这小楼上难免觉得是高坐在火药桶上，马上就要给炸飞了，两条腿都有点虚软。

那店员已经下去了。

东家伙计一黑一白，不像父子。白脸的一脸兜腮青胡子渣，厚眼睑睡沉沉半阖着，个子也不高，却十分壮硕，看来是个两用的店伙兼警卫。柜台位置这么后，橱窗又空空如也，想必是白天也怕抢——晚上有铁条拉门。那也还有点值钱的东西？就怕不过是黄金美钞银洋。

却见那店主取出一只尺来长的黑丝绒板，一端略小些，上面一个个缝眼嵌满钻戒。她伏在桌上看，易先生在她旁边也凑近了些来看。

那店主见他二人毫无反应，也没摘下一只来看看，便又送回保险箱道："我还有这只。"这只装在深蓝丝绒小盒子里，是粉红钻石，有豌豆大。

不是说粉红钻也是有价无市？她怔了怔，不禁如释重负。看不出这爿店，总算替她争回了面子，不然把他带到这么个破地方来——敲竹杠又不在行，小广东到上海，成了"大乡里"。其实，马上枪声一响，眼前这一切都粉碎了，还有什么面子不面子？明知如此，心里不信，因为全神在抗拒着，第一是不敢朝这上面去想，深恐神色有异，被他看出来。

她拿起那只戒指，他只就她手中看了看，轻声笑道："嗳，这只好像好点。"

她脑后有点寒飕飕的，楼下两边橱窗，中嵌玻璃门，一片晶溦，在她背后展开，就像有两层楼高的落地大窗，随时都可以爆破。一方面这小店睡沉沉的，只隐隐听见市声——战时街上不大有汽车，难得揿声喇叭。那沉酣的空气温暖的重压，像棉被捂在脸上。有半个她在熟睡，身在梦中，知道马上就要出事了，又恍惚知道不过是个梦。

她把戒指就着台灯的光翻来覆去细看。在这幽暗的阳台上，背后明亮的橱窗与玻璃门是银幕，在放映一张黑白动作片，她不

254

忍看一个流血场面，或是间谍受刑讯，更触目惊心，她小时候也就怕看，会在楼座前排掉过身来背对着楼下。

"六克拉。戴上试试。"那店主说。

他这安逸的小鹰巢值得留恋。墙跟斜倚着的大镜子照着她的脚，踏在牡丹花丛中。是天方夜谭里的市场，才会无意中发现奇珍异宝。她把那粉红钻戒戴在手上侧过来侧过去的看，与她玫瑰红的指甲油一比，其实不过微红，也不太大，但是光头极足，亮闪闪的，异星一样，红得有种神秘感。可惜不过是舞台上的小道具，而且只用这么一会工夫，使人感到惆怅。

"这只怎么样？"易先生又说。

"你看呢？"

"我外行。你喜欢就是了。"

"六克拉。不知道有没有毛病，我是看不出来。"

他们只管自己细声谈笑。她是内地学校出身，虽然广州开商埠最早，并不像香港的书院注重英文。她不得不说英语的时候总是声音极低。这印度老板见言语不太通，把生意经都免了。三言两语就讲妥价钱，十一根大条子，明天送来，份量不足照补，多了找还。

只有一千零一夜里才有这样的事。用金子，也是天方夜谭里的事。

太快了她又有点担心。他们大概想不到出来得这么快。她从舞台经验上知道，就是台词占的时间最多。

"要他开个单子吧？"她说。想必明天总是预备派人来，送条子领货。

店主已经在开单据。戒指也脱下来还了他。

255

不免感到成交后的轻松，两人并坐着，都往后靠了靠。这一刹那间仿佛只有他们俩在一起。

她轻声笑道："现在都是条子。连定钱都不要。"

"还好不要，我出来从来不带钱。"

她跟他们混了这些时，也知道总是副官付账，特权阶级从来不自己口袋里掏钱的。今天出来当然没带副官，为了保密。

英文有这话："权势是一种春药。"对不对她不知道。她是完全被动的。

又有这句谚语："到男人心里去的路通到胃。"是说男人好吃，碰上会做菜款待他们的女人，容易上钩。于是就有人说："到女人心里的路通过阴道。"据说是民国初年精通英文的那位名学者说的，名字她叫不出，就晓得他替中国人多妻辩护的那句名言："只有一只茶壶几只茶杯，哪有一只茶壶一只茶杯的？"

至于什么女人的心，她就不信名学者说得出那样下作的话。她也不相信那话。除非是说老了倒贴的风尘女人，或是风流寡妇。像她自己，不是本来讨厌梁闰生，只有更讨厌他？

当然那也许不同。梁闰生一直讨人嫌惯了，没自信心，而且一向见了她自惭形秽，有点怕她。

那，难道她有点爱上了老易？她不信，但是也无法斩钉截铁的说不是，因为没恋爱过，不知道怎么样就算是爱上了。从十五六岁起她就只顾忙着抵挡各方面来的攻势，这样的女孩子不太容易坠入爱河，抵抗力太强了。有一阵子她以为她可能会喜欢邝裕民，结果后来恨他，恨他跟那些别人一样。

跟老易在一起那两次总是那么提心吊胆，要处处留神，哪还去问自己觉得怎样。回到他家里，又是风声鹤唳，一夕数惊。他们睡得晚，好容易回到自己房间里，就够忙着吃颗安眠药，好好的睡一觉了。邝裕民给了她一小瓶，叫她最好不要吃，万一上午有什么事发生，需要脑子清醒点。但是不吃就睡不着，她从来不闹失眠症的人。

只有现在，紧张得拉长到永恒的这一刹那间，这室内小阳台上一灯荧然，映衬着楼下门窗上一片白色的天空。有这印度人在旁边，只有更觉得他们俩在灯下单独相对，又密切又拘束，还从来没有过。但是就连此刻她也再也不会想到她爱不爱他，而是——

他不在看她，脸上的微笑有点悲哀。本来以为想不到中年以后还有这样的奇遇。当然也是权势的魔力。那倒还犹可，他的权力与他本人多少是分不开的。对女人，礼也是非送不可的，不过送早了就像是看不起她。明知是这么回事，不让他自我陶醉一下，不免怃然。

陪欢场女子买东西，他是老手了，只一旁随侍，总使人不注意他。此刻的微笑也丝毫不带讽刺性，不过有点悲哀。他的侧影迎着台灯，目光下视，睫毛像米色的蛾翅，歇落在瘦瘦的面颊上，在她看来是一种温柔怜惜的神气。

这个人是真爱我的，她突然想，心下轰然一声，若有所失。

太晚了。

店主把单据递给他，他往身上一揣。

"快走，"她低声说。

他脸上一呆，但是立刻明白了，跳起来夺门而出，门口虽然没人，需要一把抓住门框，因为一踏出去马上要抓住楼梯扶手，楼梯既窄又黑魆魆的。她听见他连蹿带跑，三脚两步下去，梯级上不规则的咕咚喊嚓声。

太晚了。她知道太晚了。

店主怔住了。她也知道他们形迹可疑，只好坐着不动，只别过身去看楼下。漆布砖上哒哒哒一阵皮鞋声，他已经冲入视线内，一推门，炮弹似的直射出去。店员紧跟在后面出现，她正担心这保镖身坯的印度人会拉拉扯扯，问是怎么回事，耽搁几秒钟也会误事，但是大概看在那官方汽车份上，并没拦阻，只站在门口观望，剪影虎背熊腰堵住了门。只听见汽车吱的一声尖叫，仿佛直耸起来，砰！关上车门——还是枪声？——横冲直撞开走了。

放枪似乎不会只放一枪。

她定了定神。没听见枪声。

一松了口气，她浑身疲软像生了场大病一样，支撑着拿起大衣手提袋站起来，点点头笑道："明天。"又低声喃喃说道："他忘了有点事，赶时间，先走了。"

店主倒已经扣上独目显微镜，旋准了度数，看过这只戒指没掉包，方才微笑起身相送。

也不怪他疑心。刚才讲价钱的时候太爽快了也是一个原因。

她匆匆下楼，那店员见她也下来了，顿了顿没说什么。她在门口却听见里面楼上楼下喊话。

门口刚巧没有三轮车。她向西摩路那头走去。执行的人与接应的一定都跑了，见他这样一个人仓皇跑出来上车逃走，当然知道事情败露了。她仍旧惴惴，万一有后门把风的不接头，还在这附近。其实撞见了又怎样？疑心她就不会走上前来质问她。就是疑心，也不会不问青红皂白就把她执行了。

她有点诧异天还没黑，仿佛在里面不知待了多少时候。人行道上熙来攘往，马路上一辆辆三轮驰过，就是没有空车。车如流水，与路上行人都跟她隔着层玻璃，就像橱窗里展览皮大衣与蝙蝠袖烂银衣裙的木美人一样可望而不可即，也跟她们一样闲适自如，只有她一个人心慌意乱关在外面。

小心不要背后来辆木炭汽车，一煞车开了车门，伸出手来把她拖上车去。

平安戏院前面的场地空荡荡的，不是散场时间，也没有三轮车聚集。她正踌躇间，脚步慢了下来，一回头却见对街冉冉来了一辆，老远的就看见把手上拴着一只纸扎红绿白三色小风车。车夫是个高个子年轻人，在这当口简直是个白马骑士，见她挥手叫，踏快了大转弯过街，一加速，那小风车便团团飞转起来。

"愚园路，"她上了车说。

幸亏这次在上海跟他们这伙人见面次数少，没跟他们提起有个亲戚住在愚园路。可以去住几天，看看风色再说。

三轮车还没有到静安寺，她听见吹哨子。

"封锁了。"车夫说。

一个穿短打的中年人一手牵着根长绳子过街，嘴里还衔着哨子。对街一个穿短打的握着绳子另一头，拉直了拦断了街。有人在没精打采的摇铃。马路阔，薄薄的洋铁皮似的铃声在半空中载沉载浮，不传过来，听上去很远。

三轮车夫不服气，直踏到封锁线上才停住了，焦躁的把小风车拧了一下，拧得它又转动起来，回过头来向她笑笑。

牌桌上现在有三个黑斗篷对坐。新来的一个廖太太鼻梁上有几点俏白麻子。

马太太笑道："易先生回来了。"

"看这王佳芝，拆滥污，还说请客，这时候还不回来！"易太太说。"等她请客好了！——等到这时候还没吃饭，肚子都要饿穿了！"

廖太太笑道："易先生你太太手气好，说好了明天请客。"

马太太笑道："易先生你太太不像你说话不算话，上次赢了不是答应请客，到现在还是空头支票，好意思的？想吃你一顿真不容易。"

"易先生是该请请我们了，我们请你是请不到的。"另一个黑斗篷说。

他只是微笑。女佣倒了茶来，他在茶杯碟子里磕了磕烟灰，看了墙上的厚呢窗帘一眼。把整个墙都盖住了，可以躲多少刺客？他还有点心惊肉跳的。

明天记着叫他们把帘子拆了。不过他太太一定不肯，这么贵的东西，怎么肯白搁着不用？

都是她不好——这次的事不都怪她交友不慎？想想实在不能不感到惊异，这美人局两年前在香港已经发动了，布置得这样周密，却被美人临时变计放走了他。她还是真爱他的，是他生平第一个红粉知己。想不到中年以后还有这番遇合。

不然他可以把她留在身边。"特务不分家"，不是有这句话？况且她不过是个学生。他们那伙人里只有一个重庆特务，给他逃走了，是此役唯一的缺憾。大概是在平安戏院看了一半戏出来，行刺失风后再回戏院，封锁的时候查起来有票根，混过了关。跟他一块等着下手的一个小子看见他掏香烟掏出票根来，仍旧收好。预先讲好了，接应的车子不要管他，想必总是一个人溜回电影院了。那些浑小子禁不起讯问，吃了点苦头全都说了。

易先生站在他太太背后看牌，揿灭了香烟，抿了口茶，还太烫。早点睡——太累了一时松弛不下来，睡意毫无。今天真累着了，一直坐在电话旁边等信，连晚饭都没有好好的吃。他一脱险马上一个电话打去，把那一带都封锁起来，一网打尽，不到晚上十点钟统统枪毙了。

她临终一定恨他。不过"无毒不丈夫。"不是这样的男子汉，她也不会爱他。

当然他也是不得已。日军宪兵队还在其次，周佛海自己也搞特工，视内政部为骈枝机关，正对他十分注目。一旦发现易公馆的上宾竟是刺客的眼线，成什么话，情报工作的首脑，这么糊涂还行？

现在不怕周找碴子了。如果说他杀之灭口，他也理直气壮：不过是些学生，不像特务还可以留着慢慢的逼供，榨取情报。拖下去，外间知道的人多了，讲起来又是爱国的大学生暗杀汉奸，影响不好。

他对战局并不乐观。知道他将来怎样？得一知己，死而无憾。他觉得她的影子会永远依傍他，安慰他。虽然她恨他，她最后对他的感情强烈到是什么感情都不相干了，只是有感情。他们是原始的猎人与猎物的关系，虎与伥的关系，最终极的占有。她这才生是他的人，死是他的鬼。

"易先生请客请客！"三个黑斗篷越闹越凶，嚷成一片。"那回明明答应的！"

易太太笑道："马太太不也答应请客，几天没来就不提了。"

马太太笑道："太太来救驾了！易先生太太心疼你。"

"易先生到底请是不请？"

马太太望着他一笑。"易先生是该请客了。"她知道他晓得她是指纳宠请酒。今天两人双双失踪，女的三更半夜还没回来。他回来了又有点精神恍惚的样子，脸上又憋不住的喜气洋洋，带三分春色。看来还是第一次上手。

他提醒自己，要记得告诉他太太说话小心点：她那个"麦太"是家里有急事，赶回香港去了。都是她引狼入室，住进来不久他就有情报，认为可疑，派人跟踪，发现一个重庆间谍网，正在调查，又得到消息说宪兵队也风闻，因此不得不提前行动，不然不但被别人冒了功去，查出是走他太太的路子，也于他有碍。好好的吓唬吓唬她，免得以后听见马太太搬嘴，又要跟他闹。

"易先生请客请客！太太代表不算。"

"太太归太太的，说好了明天请。"

"晓得易先生是忙人，你说哪天有空吧，过了明天哪天都好。"

"请客请客，请吃来喜饭店。"

"来喜饭店就是吃个拼盆。"

"嗳，德国菜有什么好吃的？就是个冷盆。还是湖南菜，换换口味。"

"还是蜀腴——昨天马太太没去。"

"我说还是九如，好久没去了。"

"那天杨太太请客不是九如？"

"那天没有廖太太，廖太太是湖南人，我们不会点菜。"

"吃来吃去四川菜湖南菜，都辣死了！"

"告诉他不吃辣的好了。"

"不吃辣的怎么胡得出辣子？"

喧笑声中，他悄然走了出去。

* 初载一九七八年一月台北《皇冠》第十二卷第二期，收入《惘然记》。

相见欢

"表姐。"

"嗳，表姐。"

两人同年，相差的月份又少，所以客气，互相称表姐。

女儿回娘家，也上前叫声"表姑。"

荀太太忙笑应道："嗳，苑梅。"荀太太到上海来了发胖了，织锦缎丝棉袍穿在身上一匝一匝的，像盘着条彩鳞大蟒蛇；两手交握着，走路略向两边一歪一歪，换了别人就是鹅行鸭步，是她，就是个鸳鸯。她梳髻，漆黑的头发生得稍低，浓重的长眉，双眼皮，鹅蛋脸红红的，像咸鸭蛋壳里透出蛋黄的红影子。

问了好，伍太太又道："绍甫好？祖志祖怡有信来？"

他们有一儿一女在北京，只带了个小儿子到上海来。

荀太太也问苑梅的弟妹可有信来，都在美国留学。他们父亲也不在上海。战后香港畸形繁荣，因为闹共产党，敏感的商人都往香港发展，伍先生的企业公司也搬了去了。政治地缘的分居，对于旧式婚姻夫妇不睦的是一种便利，正如战时重庆与沦陷区。他带了别的女人去的——是他的女秘书，跟了他了，儿子都有了——荀太太就没提起他。

新近他们女婿也出国深造了，所以苑梅回来多住些时，陪陪母亲。丈夫弟妹全都走了，她不免有落寞之感。这些年轻人本来就不爱说话——五〇年代"沉默的一代"的先驱。所以荀太太除了笑问一声"子范好？"也不去找话跟她说。

表姊妹俩一坐下来就来不及的唧唧哝哝，吃吃笑着，因为小时候惯常这样，出了嫁更不得不小声说话，搬是非的人多。直到现在伍太太一个人住着偌大房子，也还是像惟恐隔墙有耳。

"表姐新烫了头发。"荀太太的一口京片子还是那么清脆，更增加了少女时代的幻觉。

"看这些白头发。"伍太太有点不好意思似的噗嗤一笑，别过头去抚着脑后的短鬈发。

"我也有呵，表姐！"

"不看见嘛！"伍太太戴眼镜，凑近前来细看。

"我也不看见嘛！"

两人互相检验，像在头上捉虱子，偶尔有一两次发现一根半根，轻轻的一声尖叫："别动！"然后嗤笑着仔细拨开拨去。荀太太慢吞吞的，她习惯了做什么都特别慢，出于自卫。如果很快的把你名下的家务做完了，就又有别的派下来，再不然就给人看见你闲坐着。

伍太太笑道："看我这头发稀了，从前嫌太多，打根大辫子那么粗，蠢相。想剪掉一股子，说不能剪，剪了头发要生气的，会掉光了。"

伍太太从前是个丑小鸭，遗传的近视眼——苑梅就不肯戴眼镜。现在的人戴不戴还没关系，眼镜与前刘海势不两立，从前兴来兴去都是人字式两撇刘海，一字式盖过眉毛的刘海，歪桃刘海，横云度岭式的横刘海。"丰容盛鬋，"架上副小圆眼镜就傻头傻脑的。

荀太太笑道："那阵子兴松辫子，前头不知怎么挑散了卷着披着，三舅奶奶家有个走梳头的会梳，那天我去刚巧赶上了，给梳辫子，第二天到田家吃喜酒。回来只好趴在桌上睡了一晚上，没上床，不然头发乱了，白梳了。"

也是西方的影响，不过当时剪发烫发是不可想像的事，要把直头发梳成鬈发堆在额上，确实不容易。辫根也不扎紧，盖住一部份颈项与耳朵。其实在民初有些女学生女教师之间已经流行了，青楼中人也有模仿的。她们是家里守旧，只在香烟画片上看见过。

"在田家吃喜酒，你说老想打呵欠，憋得眼泪都出来了。笑死了！"伍太太说。

苑梅在一旁微笑听着，像听讲古一样。

伍太太又道："我也想把头发留长了梳头。"

荀太太笑道："梳头要有个老妈子会梳就好了。自己梳，胳膊老这么举着往后别着，疼！我这肩膀，本来就筋骨疼，在他们家抬箱子抬的，扭了肩膀。"说着声音一低，凑近前来，就像还有被人偷听了去的危险。

"嗳，'大少奶奶帮着抬，'"伍太太皱着眉笑，学着荀老太太轻描淡写若无其事的口吻。

"可不是。看这肩膀——都塌了！"把一只肩膀送上去给她看。原是"美人肩"——削肩，不过做惯粗活，肌肉发达，倒像当时正流行的坡斜的肩垫，位置特低。内伤是看不出来，发得厉害的时候就去找推拿的。

"也只有他们家——！"伍太太龇牙咧嘴做了个鬼脸。

"他们荀家就是这样。"荀太太眼睁睁望着她微笑，声音轻得几乎听不见，就仿佛是第一次告诉她这秘密。

"做饭也是大少奶奶，'大少奶奶做的菜好嘎！'"

"谁会？说'看看就会了。'"又像是第一次含笑低声吐露："做得不对，骂！"

"你没来是谁做？"

荀太太收了笑容，声音重浊起来。"还不就是老李。"是个女佣，没有厨子——贫穷的征象。

两人都沉默了一会。

女佣泡了茶来。

"表姐抽烟。"

伍太太自己不吸。荀太太曾经解释过，是"坐马子薰得慌，"才抽上的。当然那是嫁到北京以后，没有抽水马桶。

荀太太点上烟，下颏一扬道："我就恨他们家客厅那红木家具，都是些爪子——"开始是撒娇抱怨的口吻，腻声拖得老长，"爪子还非得擦亮它，蹲在地下擦皮鞋似的，一个得擦半天。"显然有一次来了客不及走避，蹲着或是爬在地下被人看见了。说到这里声音里有极深的羞窘与一种污秽的感觉。

"嗳，北京都兴有那么一套家具，摆的都是古董。"

"他们家那些臭规矩！"

"你们老太太，对我大概算是了不得了，我去了总是在你屋里，叫你陪着我。开饭也在你屋里，你一个人陪着吃。有时候绍甫进来一会子又出去了，倔倔的。"

她们俩都笑了。那时候伍太太还没出嫁，跟着哥哥嫂子到北京去玩，到荀家去看她。绍甫是已经见过的，新娘子回门的时候一同到上海去过，黑黑的小胖子，长得楞头楞脑，还很自负，脾气挺大。伍太太实在替她不平。这么些亲戚故旧,偏把她给了荀家。直到现在,苑梅有一次背后说她的脸还是漂亮,伍太太还气愤愤的说:"你没看见她从前眼睛多么亮,还有种调皮的神气。一嫁过去眼睛都呆了。整个一个人呆了。"说着眼圈一红,嗓子都硬了。

荀太太探身去弹烟灰,若有所思,侧过一只脚,注视着脚上的杏黄皮鞋,男式系鞋带,鞋面上有几条细白痕子。"猫抓的,"她微笑着解释,一半自言自语。"搁在床底下,房东太太的猫进来了。"

吸了口烟,因又笑道:"我们老太爷死的时候,叫我们给他穿衣裳。"她只加深了嘴角的笑意,代表扮鬼脸。"她怕,"她轻声说。当然还是指她婆婆。

老伴一断气就碰都不敢碰。他们家规矩这么大,公公媳妇赤身露体的,这倒又不忌讳了?伍太太带笑攒眉咕哝了一声:"那还要替他抹身?"

"杠房的人给抹身,我们就光给穿衬里衣裳。寿衣还没做,打绍甫,怪他不早提着点。"又悄悄的笑道:"我不知道,我跟二少奶奶到瑞蚨祥去买衣料做寿衣,回来绍甫也没告诉我。"

"绍甫就是这样。"伍太太微笑着,说了之后沉默片刻,又笑道:"绍甫现在好多了。"

荀太太先没接口,顿了顿方笑道:"绍甫我就恨他那时候日本人来——"他在南京故宫博物院做事,打起仗来跟着撤退,她正带着孩子们回娘家,在上海。"他把他们的古董都装箱子带走了,把我的东西全丢了。我的相片全丢了,还有衣裳,皮子,都没了。"

"嗳,从前的相片就是这样,丢了就没了。"伍太太虽然自己年轻的时候没有漂亮过,也能了解美人迟暮的心情。

"可不是,丢了就没了。"

她带着三个孩子回北京去。重庆生活程度高，小公务员无法接家眷，抗战八年，胜利后等船又等了一年。那时候他不知怎么又闹意见赌气不干了，幸而有个朋友替他在上海一个大学图书馆找了个事，他回北京去接她出来。

　　她跟伍太太也是久别重逢。伍太太现在又是一个人，十分清闲，常找她来，其实还可以找得勤些，住得又近。但是打电话去，荀太太在电话上总有点模糊，说什么都含笑答应着，使人不大确定她听明白了没有。派人送信，又要她给钱。她不愿让底下人看不起她穷亲戚，总是给得太多。寄信去吧，又有点不甘心，好容易又都住上海了，还要写信。这次收到回信，信封上多贴了一张邮票。伍太太有啼笑皆非之感。她连邮局也要给双倍。

　　先在虹口租了间房，有老鼠，把祖铭的手指头都咬破了。米面口袋都得悬空吊着，不然给咬了个窟窿，全漏光了。

　　"现在搬的这地方好，"荀太太常说。

　　上次苑梅到同学家去，伍太太叫她顺便弯到荀家去送个信，也是免得让荀太太又给酒钱。是个阴暗的老洋房，他们住在二楼近楼梯口，四方的房间，不大，一只两屉桌，一只五斗橱，隔开一张双人木床与小铁床。锅镬砧板摆了一桌子，小煤球炉子在房门外。荀太太笑嘻嘻迎接着，态度非常大方自然，也没张罗茶水，就像这是学生宿舍。

　　就她一个人在家。祖铭进中学，十四岁了，比他爸爸还要高，爱打篮球。荀太太常说他去看球赛了。

　　"他们有了两个孩子之后不想要了，祖铭是个漏网之鱼。有天不知怎么没用药——是一种牙膏似的挤出来，"伍太太有一次笑着轻声告诉苑梅。

漏网之鱼倒已经这么大了。怎么能跟父母住一间房,多么不便。苑梅这一想,马上觉得不应该,虽说久别胜新婚,人家年纪不轻了,怎么想到这上头去。子范刚走,难道倒已经心理不正常起来了?现代心理学的皮毛她很知道一些。就是不用功。所以她父亲就气她不肯念书——就喜欢她一个人,这样使他失望,中学毕业就跟一个同学的哥哥结婚了,家里非常反对。她从小家里有钱,所以不重视钱,现在可受别了。要跟子范一块去是免开尊口,他去已经是个意外的机会。

她是感染了战后美国的风气,流行早婚。女孩子背上一只背袋驮着婴儿,天下去得。连男孩都自动放弃大学学位,不慕荣利,追求平实的生活。

子范本来已经放弃了,找了个事,还不够养家,婚后还是跟他父母住。美国也是小夫妇起初还是住在老家里,不过他们不限男家女家。

想不到这时候又倒蹦出这么个机会来。难道还要他放弃一次?仿佛说不过去。

他走了,丢下她一个人吊儿郎当,就连在娘家都不大合适,当她是个大人吧,说大不大,说小不小。想出去找个事做,免得成天没事干,中学毕业生能做的事,婆家通不过,他们面子上下不来。

最气人的是如果没有结婚,正好跟他一块去——她父亲求之不得,供给她出国进大学。这时候只好眼看着弟弟妹妹一个个出去,也不能眼红。

她不是不放心他。但是远在万里外,如果要完全放心,那除非是不爱他,以为他没人要,没有神话里一样美丽的公主会爱上他。

她母亲当初就是跟父亲一块出去的，她还是在外国出世的，两三岁才托便人带她回来，什么都不记得，多冤！听上去她母亲在外国也不快乐。多冤！

其实伍太太几乎从来不提在国外那几年。只有一次，回国后初次见到荀太太，讲起在外面的伙食问题，"还不是自己做，"伍太太咕哝了一声，却又猝然道："说是红烧肉要先炸一下。"

荀太太怔了一怔，抗议地一声娇叫："不用啊！"

"说要先炸嚜，"伍太太淡然重复了一句。

荀太太也换了不确定的口气，只喃喃的半自言自语："用不着炸嚜！"

"嗳，说是要先炸。"像是声明她不负责任，反正是有这话。

她虽然没像荀太太"三日入厨下，"也没多享几天福，出阁不久就出国了。不会做菜，红烧肉总会做的，但是做出来总是亮汪汪的一锅油，里面浮着几小块黑不溜啾的瘦肉。伍先生气得说："上中学时候偷着拿两个脸盆倒扣着炖的还比这好。"

后来有一次开中国学生会，遇见两个女生——她们虽然平日不开伙食，常常男朋女友大家合伙打牙祭——听她们说红烧肉要先炸过，将信将疑。她们又不是华侨，不然还以为是广东菜福建菜的做法，如果广东人福建人也吃红烧肉的话。回去如法炮制，仿佛好些，不过要炸得恰正半生不熟也难，油不是多了就是少了，不是炸僵了就是炸得太透，再一煨，肉就老了。

回国几年后，有一次她拿着一只猪皮白手袋给荀太太看，笑道："怪不得他们的肉没皮，都去做鞋做皮包了！"

荀太太拖长了声音"哦"了一声，半晌方恍然道："所以他们红烧肉要炸——没皮！不然肥肉都化了。"

"嗳，是说要炸嘛，"伍太太夷然回答，就像是没听懂。她为它烦恼了那么久的事，原来有个简单的解释，倒仿佛是她笨，苦都是白苦了，苦得冤枉。

一个红烧肉，梳一个头，就够她受的。本来也不是非梳头不可，穿中式裙袄，总不能剪发。当时旗袍还没有闻名国际，在国外都穿洋服，只带一两套亮片子绣花裙袄或是梯形旗袍，在化装跳舞会上穿。就她一个人怕羞不肯改装，依旧一件仿古小折枝织花"摹本缎"短袄，大圆角下摆；不长不短的黑绸绉裥裙，距下缘半尺密密层层镶着几道松花彩蛋花边，也足有半尺阔，倒像前清袄袖上的三镶三滚，大镶大滚，反而引人注目。她也不是不知道。也是因为他至少看惯了她这样子，骤然换个样子就怕更觉得丑八怪似的。好在她又不上学，就触目点也没关系。

他倒也没说什么。一直听见外国人夸赞中国女人的服装美丽，外国女太太们更是"哦"呀"啊"的没口子称道，漆黑的长发又更视为一个美点；他没想到东方美人也有胖胖的戴眼镜的。

他们定亲的时候就听见说她是个学贯中西的女学士，亲戚间出名的。但是因为害羞，外国人总以为她不懂英文。她那一身异国风味的装束也是一道屏障。拖着个不善家务又不会应酬的丑太太到东到西，他不免怨声载道。

她就最怕每逢寒暑假，他总要纠合男女友人到欧洲各地旅行观光。一到了言语不通的地方，就像掉到浆糊缸里，还要定旅馆，换钱，看地图，看菜单，看帐单，坐地铁，赶火车，赶导游公车。是他组织的旅行团，他太太天然是他的副手，出了乱子饱受褒贬。女留学生物以稀为贵，一出国门身价十倍，但是也指不定内中真会出个把要人太太。伍先生对她们小心翼翼，道地绅士作风，止于培植关系，一味嗔怪自己太太照顾不周。

她闷声不响的，笑起来倒还是笑得很甜，有一种深藏不露的，不可撼的自满。他至少没有不忠于她。样样不如人，她对自己腴白的肉体还有几分自信。

家里也就是为了不放心他，要她跟了去。他一来功课繁重，而且深知读名学府就是读个"老同学网"。外国公子王孙结交不上，国内名流的子弟只有更得力。新来乍到，他可以陪着到东到西寸步不离。起先不认识什么人，但是带家眷留学的人总是有钱啰，热心的名声一出，自然交游广阔起来。他在学生会又活动，也并不想出风头，不过捧个场，交个朋友。

应酬虽多，他对本国女性固然没有野心，外国女人也不去招惹。他生就一副东亚病夫相，瘦长身材，凹胸脯，一张灰白的大圆脸，像只磨得黯淡模糊的旧银元，上面架副玳瑁眼镜，对西方女人没有吸引力。

花街柳巷没门路，不知底细的也怕传染上性病。一回国，进了银行界，很快的飞黄腾达起来，就不对了。

沉默片刻后，荀太太把声音一低，悄悄的笑道："那天绍甫拿了薪水，沈秉如来借钱。"他们夫妇背后都连名带姓叫他这妹夫沈秉如。妹妹却是"婉小姐"，从小身体不好，十分娇惯。

苑梅见她顿了一顿才说，显然是不决定当着苑梅能不能说这话。但是她当然知道他们家跟她小姑完全没有来往，不怕泄漏出去。

苑梅想着她应当走开——不马上站起来，再过一会。但是她还是坐着不动。走开让她们说话，似乎有点显得冷淡，在这情形

272

下。她知道荀太太知道她母亲为了她结婚的事夹在中间受了多少气，自然怪她，虽然不形之于色。同时荀太太又觉得她看不起她。子女往往看不得家里经常赒济的亲戚，尤其是母亲还跟她这么好。苑梅想道："其实我就是看不起声名地位，才弄得这样。她哪懂？"反正尽可能的对她表示亲热点。

荀太太轻言悄语笑嘻嘻的，又道："洪二爷也来借钱。幸亏刚寄了钱到北京去。"

伍太太不便说什么，二人相视而笑。

荀太太又笑道："绍甫一说'我们混着也就混过去了，'我听着就有气。我心想：我那些首饰不都卖了？还有表姐借给我们的钱。我那脖链儿，我那八仙儿，那翡翠别针，还有两副耳坠子，红宝戒指，还有那些散珠子，还有一对手镯。"

伍太太知道这话是说给她听的，还不是绍甫有一天当着她说："我们混着也就混过去了，"他太太怕她多心，因为她屡次接济过他们。

"他现在不是很好吗？"她笑着说。

"祖志现在有女朋友没有？"她换了个话题。

荀太太悄悄的笑道："不知道。信上没提。"

"祖怡呢？有没男朋友？"

"没有吧？"

兄妹俩一个已经在教书了，都住在宿舍里。

荀太太随又轻声笑道："祖志放假回去看他奶奶。对他哭。说想绍甫。想我。"

"哦？现在想想还是你好？"伍太太不禁失笑。

荀太太对付她婆婆也有一手，尽管从来不还嘴。他们二少奶奶三少奶奶就不管,受不了就公然顶撞起来。其实她们也比她年轻不了多少,不过时代不同了。相形之下,老太太还是情愿她。她也不见得高兴,只有觉得勾心斗角都是白费心机。

"嗳,想我。"她微笑咬牙低声说。默然片刻,又笑道:"我在想着,要是绍甫死了,我也不回去。我也不跟祖志他们住。"

她不用加解释,伍太太自然知道她是说:儿子迟早总要结婚的。前车之鉴,她不愿意跟他们住。但是这样平静的讲到绍甫之死,而且不止一次了,伍太太未免有点寒心。一时也想不出别的宽慰的话,只笑着喃喃说了声"他们姊妹几个都好。"

荀太太只加重语气笑道:"我是不跟他们住!"然后又咕哝着:"我想着,我不管什么地方,反正自己找个地方去,不管什么都行。自己顾自己,我想总可以。"说到末了,比较大声,但是声调很不自然,粗嘎起来。她避免说找事,找事倒像是办公室的事。她就会做菜。出去给人家做饭,总像是帮佣,给儿子女儿丢脸。开小馆子没本钱,借钱又蚀不起,不能拿人家的钱去碰运气。哪怕给饭馆当二把刀呢!差不多的面食她都会做,连酒席都能对付,不过手脚慢些。

伍太太微笑不语。其实尽可以说一声"你来跟我住。"但是她不愿意承认她男人不会回来了。

"哦,你衣裳做来了,可要穿着试试? 苑梅去叫老陈拿来。"

荀太太叫伍太太的裁缝做了件旗袍,送到伍家来了。荀太太到隔壁饭厅去换上,回来一路低着头看自己身上,两只手使劲把那紫红色毡子似的硬呢子往下抹,再也抹不平,一面问道:"表姐看怎么样?"

伍太太笑道:"你别弯着腰,弯着腰我怎么看得见? 好像差不多。后身不太大？——太紧也不好。"心里不禁想着，其实她也还可以穿得好点。当然她是北派，丈夫在世的人要穿得"鲜和"些，不然不吉利。她买衣料又总是急急忙忙的，就在街口的一爿小绸缎庄。家用什物也是一样，一有钱多下来就赶紧去买，乘绍甫还没借给亲戚朋友。她贤慧，从来不说什么。她只尽快把钱花掉。这是他们夫妇间的一个沉默的挣扎，他可是完全不觉得。反正东西买到手总比没有好，但是伍太太看她买东西总有点担心，出于阔亲戚天然的审慎，无论感情多么好。

"大肚子。"她站在大镜子前面端相自己的侧影，又笑道："都是气出来的。真哚，表姐！说'气胀'，真气出鼓胀病来。有时候看电影看到什么叫我想起来了——嗳呀，马上气哒，气哒，电影上做什么都看不见了！"

气谁？苑梅想。虽然也气绍甫，想必这还是指从前婆媳间的事。听她转述附近几爿店里人说的话，总是冠以"苟太太"——都认识她。讲房东太太叫她听电话，也从来不漏掉一个"苟太太，"显然对她自己在这小天地里的人缘与地位感到满足。

伍太太搁了一圈小橘子在火炉顶上，免得吃了冰牙。新装的火炉，因为省煤。北边打仗，煤来不了。家里人又少，不犯着生暖气。吃了一只橘子，她把整块剥下的橘皮贴在炉盖的小黑铁头上，像一朵朱红的花。渐渐闻得见橘皮的香味。她倒很欣赏这提早退休的生活。也是因为这些年来吵得太厉害了。实在受够了。几个孩子就是为苑梅呕气最多。这次回来可怜，老姊妹们说话，亏她也有这耐性一直坐在这儿旁听——出了嫁倒反而离不开妈了。跟公婆住哪像自己家里，一比就知道了。受了气也不说，要强——家里本来不赞成。这回子范回来总该可以多赚两个钱了，可以搬出去住。不然出去住小家似的分租两间房，一样跟人合住，倒不跟自己人住，也说不过去。

底下几个孩子总算争气，虽然远隔重洋，也还没什么不放心的——不放心又怎样？就连苑梅，女婿不也出洋了？他们父亲在香港做生意也蚀本，倒是按月寄家用来，没短过她的。经常通信，互相称"二哥"，"四妹"，是照各人家里的排行，也还大方。她自称"妹"，小字侧立一边。信上提起家产以及银钱来往的事，有些话需要下笔谨慎，只有他一个人看得懂，免得给婊子看了去——他要是告诉婊子，那是他糊涂——就连孩子们亲戚们有些事她也不愿明说，很要费点脑筋。自己写得颇为得意。这在她这一辈子是最接近情书的了。空有一肚子才学，不写给他又写给谁呢？正在写的一封还在推敲，今天约了表姐来，预先收了起来。给她看见这么大年纪还哥呀妹的，不好意思，也显得她太没气性，白叫人家代她不平。绍甫给他太太写信总是称"家慧姊"，他比她小一岁。伍太太看了总有点反感——他还像是委屈了呢！算她比他大。又仿佛还撒娇，是小弟弟。

"那天有个什么事，想着要告诉你的……"伍太太打破了一段较长的沉默。半恼半笑的。是个什么事？亲戚家的笑话，还是女佣听来的新闻？是什么果菜新上市，问他们买到没有？一时偏怎么着也想不起来了。

苟太太也在搜索枯肠，找没告诉过她的事。

"那时候我们二少奶奶生病，请大夫吃了几帖药，老没见好。那天我看她把药罐子扔了，把碎片埋在她院子里树底下。问她干吗呢，说这么着就好了。我心想，这倒没听见过。"说罢含笑凝视伍太太。

伍太太"唔"了一声，对这项民间小迷信表示兴趣。

"哪知道后来就疯了，娘家接回去了。"说着又把声音低了低。

"哦！大概那就是已经疯了。"

"嗳。我说没听见过这话嚜——药罐子摔碎了埋在树底下！"望着伍太太笑，半晌又道："说她是装疯，先病也说是装病。"声音又一低。"不就是跟老太太呕气吗。"

苑梅没留神听，但是她知道荀太太并不是唠叨，尽着说她自己从前的事。那是因为她知道她的事伍太太永远有兴趣。过去会少离多，有大段空白要补填进去。苑梅在学校里看惯了这种天真的同性恋爱。她自己也疯狂崇拜音乐教师，家里人都笑她简直就是爱上了袁小姐。初中毕业送了袁小姐一份厚礼，母亲让她自己去挑选，显然不是不赞成。因为没有危险性，跟迷电影明星一样，不过是一个阶段。但是上一代的人此后没机会跟异性恋爱，所以感情深厚持久些。

但是伍太太也有一次对苑梅说，跟着她叫表姑："现在跟表姑实在不大有话说了。"

谈到上灯后，忽然铃声哴哴。

苑梅笑道："统共这两个人，还摇什么铃！"

是新盖这座大房子的时候，伍先生定下的规矩，仿照英国乡间大宅，摇铃召集吃饭，来度周末的客人在各人房间里，也不必一一去请。但是在他们家还是要去请，因为不习惯，地方又大，楼上远远听见铃声，总以为是街上或是附近学校。

来到饭厅里，一只铜铃倒扣在长条矮橱上。伍先生最津津乐道的故事是罗斯福总统外婆家从前在广州经商，买到一只盗卖苏州寺观作法事的古铜铃，陪嫁带了来，一直用作他家的正餐铃。

铜铃旁边一只八九吋长的古董雕花白玉牌，吊挂在红木架上，像个乐器。苑梅见了，不由得想起她从前等吃饭的时候，常拿筷子去哒哒哒打玉牌，催请铃声召集不到的人，故意让她母亲发急。父亲在家是不敢的，虽然就疼她一个人，回家是来寻事吵闹的。孩子们虽然不敢引起注意，却也一个个都板着脸。但是一大桌子人，现在冷冷清清，剩宾主三人抱着长餐桌的一端入座。

饭后荀太太笑道："今儿吃撑着了！"

伍太太道："那鱼容易消化。说是虾子就胆固醇多。现在就怕胆固醇，说是鸡蛋最坏了，一个鸡蛋可以吃死人。当然也要看年纪了，血压高不高。"

荀太太似懂非懂的"唔""哦"应着，也留心记住了。那是她的职责范围内。

绍甫下了班来接太太，一来了就注意到摺叠了搁在沙发背上的紫红呢旗袍。

"衣裳做来啦？"他说。

她坐在沙发上，他坐在另一端，正结结实实填满了那角落，所以不会瘫倒，但是显然十分倦。从江湾乘公共汽车回家，路又远，车上又挤，没有座位。

"手怎么啦？"伍太太见他伸手端茶，手指鲜红的，又不像搽了红药水。

"剥红蛋，洗不掉。"

"剥红蛋怎么这么红？"

"剥了四十个。今天小董大派红蛋，小刘跟我打赌吃四十个。"

女人们怔了怔方才笑了。轻微的笑声更显出刚才一刹那间不安的寂静。

"这怎么吃？噎死了！又不是卤蛋茶叶蛋。"伍太太心里想他这种体质最容易中风，性子又急，说话声音这样短促，也不是寿征。

说也没用，他跟朋友到了一起就跟小孩似的"人来疯"，又爱闹着玩，又要认真，真不管这些了！

"所以我说小刘属狐狸的，爱吃白煮鸡子儿。"

他说话向来是囫囵的。她们几个人里只有伍太太看过《醒世姻缘》，知道白狐转世的女主角爱吃白煮鸡蛋。但是荀太太听丈夫说笑话总是笑，不懂更笑。

伍太太笑道："那谁赢了？他赢了？"

他把脖子一拧，"吭"的一声，底下咕哝得太快，听不清楚，仿佛是"我手下的败将。"

找专家设计的客厅，家具简单现代化，基调是茶褐色，夹着几件精巧的中国金漆百灵台条几屏风，也很调和。房间既大，几盏美术灯位置又低，光线又暗，苑梅又近视，望过去绍甫的轮廓圆墩墩的——他穿棉袍，完全没有肩膀——在昏黄的灯光里面如土色，有点麻麻楞楞的，像一座蚁山矗立在那里。他循规蹈矩，在女戚面前不抬起眼睛来，再加上脸上腻着一层黑油，等于罩着面幕，真是打个小盹也几乎无法觉察。

她们不说他瞌睡，说了就不免要回去。荀太太知道他并不急于想走。他一向很佩服伍太太。

两个女人低声谈笑着，仿佛怕吵醒了他。

"你说要买绒线衫？那天我看见先施公司有那种叫什么'围巾翻领'的，比没领子的好。"伍太太下了决心，至少这一次她表姐花钱要花得值。

绍甫忽道："有没有她那么大的？"他对他太太的衣饰颇感

兴趣。

"大概总有吧，"荀太太两肘互抱着，冷冷的喃喃的说。

有片刻的沉默。

伍太太笑道："我记得那时候到南京去看你们。"

"那时候南京真是个新气象——喝！"他说。

在他们俩也是个新天地。好容易带着太太出来了——生了两个孩子之后的蜜月。孩子也都带出来了。他吃亏没进过学校，找事倒也不是没有门路，在北京近水楼台，亲戚就有两个出来给军阀当部长总长的，不难安插他，但是一直没出来做事。伍太太比他太太读书多些，觉得还是她比较了解他。

那次她到南京去住在他们家，早上在四合院里的桃树下漱口，用蝴蝶招牌的无敌牌牙粉刷牙，桃花正开。一块去游玄武湖，吃馆子，到夫子庙去买假古董——他内行。在上海，亲戚有古董想脱手，都找他去鉴定字画古玩。

伍太太接他太太到上海来，一住一两个月，把两个孩子都带了来，给孩子们买许多东西，替荀太太做时行的衣服，镶银狐的阔西装领子黑呢大衣，中西合璧的透明淡橙色"稀纺"旗袍，头发也剪短了，烫出波浪纹来，耳后掖一大朵洒银粉的浅粉色假花。眉梢用镊子钳细了，铅笔画出长眉入鬓，眼神却怔怔的，有点怅惘。绍甫总是周末乘火车来接他们回去。伍家差不多天天有牌局，荀太太还学会了跳舞，开着留声机学，伍太太跳男人的舞步教她。但是有时候请客吃饭余兴未尽，到夜总会去，当然也有男子跟她跳。

"绍甫吃醋，"伍太太背后低声向她说。两人都笑了。

当时一块打牌的只有孙太太跟伍太太最知己，许多年后还问起："那荀太太现在怎么了？冯太太前两天还牵记她。都说她好。

说话那么细声细语的……"她找不到适当的字眼形容那种——与海派太太们一比，一种安详幽娴。"噢哟！真文气。大家都喜欢她。"

"那时候还有个邱先生，"伍太太轻声说，略有点羞涩骇笑。

孙太太也微笑。那时候一块打牌的一个邱先生对荀太太十分倾倒。邱先生是孙太太的来头，年纪也只三十几岁，一表人才，单身在上海，家乡有没有太太是不敢保，反正又不是做媒，而且是单方面的，根本没希望。

其实，当时如果事态发展下去的话，伍太太甚至于也不会怪她表姐。

自从晚饭后绍甫来了，他太太换了平日出去应酬的态度，不大开口，连烟都不抽了。倒是苑梅点上一支烟。也是最近闷的才抽上的。头发扎马尾，穿长裤，黯淡的粉红绒布衬衫，男式莲灰绒线背心，也都不是一套，是结了婚的年轻人于马虎脱略中透出世故。她的礼貌也像是带点惜老怜贫的意味。坐在一边一声不出，她母亲是还拿她当孩子，只有觉得她懂规矩，长辈说话没有她插嘴的份。别人看来，就仿佛她自视为超然是另一个世界的人。

都不说话，伍太太不得不负起女主人的责任，不然沉默持续下去，成了逐客了。

讲起那天跟荀太太一块去看的电影，情节有两点荀太太不大清楚，连苑梅都破例开口，抢着帮着解释。是男主角喝醉了酒，与引诱他的女人发生关系，还自以为是强奸了她，铸成大错。

绍甫猝然不耐烦的悻悻驳道："喝多了根本不行呃！"

伍太太从来没听见他谈起性，笑着有点不知所措。

苑梅也笑，却有点感到他轻微的敌意，而且是两性间的敌意。他在炫示，表示他还不是老朽。

此后他提起前两天有个周德清来找他，又道："他太太在重庆出过情形的。"

伍太太笑道："哦？"等着，就怕又没有下文了。永远嗡隆一声冲口而出，再问也问不出什么，问急了还又诧异又生气似的。

沉默半晌，他居然又道："那回在重庆我去找周德清，不在家，说马上就回来，非得要我等他回来吃饭，忙出忙进，直张罗，让先喝酒等他。等了一个多钟头也没回来，我走了！后来听见说出过情形——喝！"他摇摇头，打了个擦汗的手势。

荀太太抿着嘴笑。伍太太一面笑，心中不免想道："人又不是猫狗，放一男一女在一间房里就真会怎样。"但是她也知道他虽然思想很新——除了从来不批评旧式婚姻；盲婚如果是买奖券，他中了头奖还有什么话说？——到底还是个旧式的人。从前的笔记小说上都是男女单独相对立即"成双"——不过后来发现女的是鬼，不然也不会有这种机会。他又在内地打光棍这些年，干柴烈火，那次大概也还真是侥幸。她不过觉得她表姐委屈了一辈子，亏他还有德色，很对得住太太似的。

"你们有日历没有？我这里有好几个，店里送的。"

荀太太笑道："嗳，说是日历是要人送——白拿的，明年日子好过。"

"你们今年也不错。"

荀太太笑道："我在想着，去年年三十晚上不该吃白鱼，都'白余'了。今年吃青鱼。"

她没向绍甫看，但是伍太太知道她是说他把钱都借给人了，心里不禁笑叹，难道到现在还不知道他不会听出她话里有话。

"苑梅，叫她们去拿日历——都拿来。在书房里。"

苑梅自己去拿了来，荀太太一一摊在沙发上，挑了个海景。

"太太电话。"女佣来了。

"谁打来的？"

"孟德兰路胡太太。"

伍太太出去了。夫妻俩各据沙发一端，默然坐着。

"你找到汤没有？我藏在抽屉里，怕猫进来。"荀太太似乎是找出话来讲。

"嗯，我热了汤，把剩下的肉丝炒了饭。"他回答的时候声音低沉，几乎是温柔的。由于突然改变音调，有点沙哑，需要微噉一声，打扫喉咙。他并没有抬起眼睛来看她，而脸一红，看上去更黑了些，仿佛房间里灯光更暗了。

苑梅心目中蓦地看见那张棕绷双人木床与小铁床。显然他不满足。

"饭够不够？"

"够了。我把饺子都吃了。"

伍太太听了电话回来，以为绍甫盹着了，终于笑道："绍甫困了。"

他却开口了。"有一回晚上听我们老太爷说话，站在那儿睡着了。老太爷说得高兴，还在说——还在说。嗳呀，那好睡呀！"

"几点了？"荀太太说。

"还早呢，"伍太太说。

"我们那街上黑。"

"有绍甫，怕什么？"

"一个人走是害怕，那天我去买东西，有人跟。我心想真可笑——现在人家都叫我老太太了！"

伍太太震了一震，笑道："叫你老太太？谁呀？"她们也还没这么老。她自己倒是也不见老，冬天也还是一件菊叶青薄呢短袖夹袍，皮肤又白，无边眼镜，至少富泰清爽相，身段也看不出生过这些孩子，都快要做外婆了。苑梅那天还在取笑她："妈这一代这就是健美的了！"外国有句话："死亡使人平等。"其实不等到死已经平等了。当然在一个女人是已经太晚了，不得夫心已成定局。

"在菜场上。有人叫我老太太，"荀太太低声说，没带笑容。

"这些人——也真是！"伍太太嘟囔着，有点不好意思。"不知道算什么，算是客气？"

荀太太倚在沙发上仰着头，发髻枕在两只手上。"我有一回有人跟。吓死了！在北京。那时候祖志生肺炎，我天天上医院去。婉小姐叫我跟她到公园去，她天天上公园去透空气，她有肺病。到公园去过了，她先回去，我一个人走到医院去。这人跟着我进城门，问我姓什么，还说了好些话，噜里噜苏的。大概是在公园里看见我们了。"

苑梅也见过她这小姑子，大家叫她婉小姐的。娇小玲珑，长得不错，大概因为一直身体不好，耽搁了，结婚很晚。丈夫在上海找了个事做，虽然常闹穷吵架，也还是捧着她，娇滴滴的。婚前家里放心让她一个人上街，总也有二十好几了，她大嫂又比她大十几岁。那钉梢的不跟小姑而跟嫂子，苑梅觉得这一点很有兴趣。荀太太是不好意思说这人选择得奇怪。当然这是她回北京以后的事。那时候想必跟这次来上海刚到的时候一样，还没发胖，头发又留长了，梳髻，红红的面颊，旧黑绸旗袍，身材微丰。

"那城门那哈儿——那城墙厚，门洞子深，进去有那么一截子路黑魆魆的，挺宽的，又没人，挺害怕。"她已经坐直了身子，但是仍旧向半空中望着，不笑，声音也有点凄楚，仿佛话说多了有点哑嗓子，或是哭过。"他说'你是不是姓王？'——他还不是找话说。——我吓死了。我就光说'你认错人了。'他说'那你不姓王姓什么？'我说：'你问我姓什么干什么？'"

伍太太有点诧异，她表姐竟和一个钉梢的人搭话。她不时发出一声压扁的吃吃的笑声，"唔"的一响，表示她还在听着。

"一直跟到医院。那医院外头都是那铁栏杆，上头都是藤萝花，都盖满了。我回过头去看，那人还趴在铁栏杆上，在那藤萝花缝里往里瞧呢！吓死了！"她突然嘴角浓浓的堆上了笑意。

沉默了一会之后，故事显然是完了。伍太太只得打起精神，相当好奇的问了声："是个什么样的人？"

"像个学生，"她小声说，不笑了。想了想又道："穿着制服，像当兵的穿的。大概是个兵。"

"哦，是个兵，"伍太太说，仿佛恍然大悟。

还是个和平军！

一阵寂静中，可以听见绍甫均匀的鼻息，几乎咻咻作声。

天气暖和了，火炉拆了。黑铁炉子本来与现代化装修不调和，洋铁皮烟囱管盘旋半空中，更寒伧相，去掉了眼前一清。不知道怎么，头顶上出空了，客厅这一角落倒反而地方小了些，像居高临下的取景。灯下还是他们四个人各坐原处，全都抱着胳膊，久坐有点春寒。

伍太太晚饭后有个看护来打针。近年来流行打维他命针代替补药。看护晚上出来赚外快，到附近几家人家兜个圈子。

"刚才朱小姐说有人跟。奇怪，这还是从前刚兴女人出来在街上走，那时候常闹钉梢，后来这些年都不听见说了。打仗的时候灯火管制，那么黑，也没什么。"伍太太说。

"我有回有人跟，"荀太太安静的说。"那是在北京。那时候我天天上医院去看祖志，他生肺炎。那天婉小姐叫我陪她上公园去——"

苑梅几乎不能相信自己的耳朵。荀太太这样精细的人，会不记得几个月前讲过她这故事？

伍太太已经忘了听见过这话，但是仍旧很不耐烦，只作例行公事的反应，每隔一段，吃吃的笑一声，像给人叉住喉咙似的，只是"吭！"一声响。

苑梅恨不得大叫一声，又差点笑出声来。妈记性又不坏，怎么会一个忘了说过，一个忘了听见过？但是她知道等他们走了，她不会笑着告诉妈："表姑忘了说过钉梢的事，又讲了一遍。"不是实在憎恶这故事，妈也不会这么快就忘了——排斥在意识外——还又要去提它？

荀太太似乎也有点觉得伍太太不大感到兴趣，虽然仍旧有条不紊徐徐道来，神态有点萧索。说到最后"他还趴在那哈往里看呢——吓死了！"也毫无笑容。

大家默然了一会，伍太太倒又好奇的笑道："是个什么样的人？"

荀太太想了想。"像学生似的。"然后又想起来加上一句："穿制服。就像当兵的穿的那制服。大概是个兵。"

伍太太恍然道："哦，是个兵！"

她们俩是无望了，苑梅寄一线希望在绍甫身上——也许他记得听见过？又听见她念念不忘再说一遍，作何感想？他在沙发另一端脸朝前坐着，在黄黯黯的灯光里，面色有点不可测，有一种强烈的表情，而眼神不集中。

室内的沉默一直延长下去。他憋着的一口气终于放了出来，打了个深长的呵欠，因为刚才是他太太说话，没关系。

* 收入《惘然记》。

浮花浪蕊

　　这只货轮特别小，二等舱倒也有一溜三四间舱房，也没有上下铺，就是薄薄一只墨绿皮沙发，墙上还装着白铜小脸盆，冷热水管。西崽穿白长衫，只有三尺之童高，年纪也不小了，把一只镶铁大板箱竖在地下连抱带推，弄了进来，再去一一拎皮箱，不声不响的，大概是广东人。洛贞很不过意，又有点奇怪，这小老西崽为什么低眉顺眼的，一副必恭必敬的神气。她穿得也并不讲究，半旧鱼肚白织锦缎袄，铁灰法兰绒西装裤，挽着大衣手提袋外，还自己拎只旧打字机。她迟疑了一下，看来一路都是他伺候，下船的时候一并给小费，多给点就是了，因此只谢了一声。他也会意，点了点头，便溜了出去。

　　她一个人在舱中归着行李，方始恍然，看见箱子上全贴着花花绿绿的各国邮船招纸，一望而知曾经周游列国。都是姐姐的旧箱子。洛贞是家乡话所谓"老汉女儿"，跟姐姐相差一二十岁，中间两个哥哥都没养大，她中学时代早已父母双亡，连大学都没进，不要说留学了。

　　晚上就睡在沙发上？掀了掀皮坐垫，原来是活动的床板，一掀开来，下面三四寸长的大蟑螂乱爬，吓得连忙盖上。想必拖开床板就是双人床。好在用不着，只默祷它们不出来。这家小挪威船公司专跑日本香港泰国，热带的蟑螂真大。

外面有人声。她在门口有意无意的张了张，未便多看，仿佛是一对中年男女，女的戴着那种可着头的小呢帽，帽沿有点假花什么的，还是三〇甚至二〇年间流行的。两人都灰扑扑的，不知是什么边远地区的外国人，说的倒像是英语。

他们正在看着行李搬进房去，跟她不是贴隔壁。她希望就快开船了——货船是不守时的——不再有人来，清静点。

南中国海上的货轮，古怪的货船乘客，一九二〇、三〇的气氛，以至于那恭顺的老西崽——这是毛姆的国土。出了大陆，怎么走进毛姆的领域？有怪异之感。恍惚通过一个旅馆甬道，保养得很好的旧楼，地毯吃没了足音，静悄悄的密不通风——时间旅行的圆筒形隧道，脚下滑溜溜的不好走，走着有些脚软。罗湖的桥也有屋顶，粗糙的木板墙上，隔一截路挖出一只小窗洞，开在一人高之上，使人看不见外面，因陋就简现搭的。大概屋顶与地板是原有的，漆暗红褐色。细窄横条桥板，几十年来快磨白了，温润的旧木略有弹性，她拎着两只笨重的皮箱，一步一磕一碰，心慌意乱中也像是踩着一软一软。桥身宽，屋顶又高，屋梁上隔老远才安着个小电灯，又没多少天光漏进来，暗昏昏的走着也没数，不可能是这么个长桥——不过是边界上一条小河——还是小湖？罗湖。

桥堍有一群挑夫守候着。过了桥就是出境了，但是她那脚夫显然认为还不够安全，忽然撒腿飞奔起来，倒吓了她一大跳，以为碰上了路劫，也只好跟着跑，紧追不舍。

是个小老头子，竟一手提着两只箱子，一手携着扁担，狂奔穿过一大片野地，半秃的绿茵起伏，露出香港的干红土来，一直跑到小坡上两棵大树下，方放下箱子坐在地下歇脚，笑道："好了！这不要紧了。"

广东人有时候有这种清瘦的脸，高颧骨，人瘦毛长，眉毛根根直竖披拂，像古画上的人物。不知道怎么忽然童心大发起来，分享顾客脱逃的经验，也不知是亲眼见过有人过了桥还给逮回去。言语不大通，洛贞也无法问他；天热，跑累了便也坐下来，在树荫下休息，眺望着来路微笑，满耳蝉声，十分兴奋喜悦。同车的旅客押着行李，也都陆续来了，有的也在树下坐一会。

老脚夫注意到她有只旧皮箱蹦开了，锁不上，便找出根麻绳来，给它拦腰捆上两三道。她谢了又谢，要多给点钱，他直摇手不肯要。

到广州的火车上她乘硬席，照苏俄制度，卧铺男女不分。上铺仿佛有掩蔽些，但在车顶上彻夜灯光雪亮，正照在上铺上。和衣而卧，她只要手一碰到衣钮，狭窄的过道对面铺位上男子的眼光就直射过来。下铺一个年轻的女人穿洋服，打着两根辫子，跷着腿躺着看画报，唱着中共歌曲。左派还要到香港去干什么？洛贞天真的想着。

到广州换车，在旅馆过夜，是一幢破旧的老洋房，也无所谓单人房，都极大，屋顶有二层楼高。广州大概因为开埠最早，又没大拆建，独多这种老洋房，热带英殖民地的气息很浓。天还没黑，她想出去走走。一上街，阳光亮得耀眼——这哪是夕阳？马路倒宽，旧了有点坑坑洼洼，没什么车辆来往，街心也摆吃食摊子，撑着个简陋的平顶白布篷，倒像照片上看到的印度。

人行道上，迎面来的人撞了她一下。她先还不在意，上海近来也是这样，青天白日，热闹的通衢大道上，有解放军站岗的，都有人敢轻薄女人。一转弯，斜阳照不到了，陡然眼前一暗，黄昏的街头蒸笼一样闷热，完全是户内，而四望无际，那么广阔零乱黯淡，令人感到诧异。

老远晃着膀子来了个人，白汗衫，唐装白布裤。她早有戒心，饶躲着让着，还是给撞上了，正中要害。这些人像傍晚半空中成群扑面的蚊蚋，她还舍不得错过最后的一个机会看看广州，横了心还往前走。只听一声呼哨，大有举族来侵之势，才把她吓退了，匆匆折回旅馆。中国人怎么会这样？想必是广东人欺生。其实她并不是个典型的上海妹，不过比本地人高大些，肤色暗黄，长长的脸有点扁，也有三分男性的俊秀，还有个长长的酒涡，倒是看不出三十岁的人；圆圆的方肩膀，胸部也还饱满，穿件蓝色密点碎白花布旗袍，衣领既矮，又没衬硬里子，一望而知是大陆出来的，不是香港回来探亲的广东同乡。

如果这不过是广东人歧视外省人，过境揩油，上海怎么也这样？前一向她晚上出去给两个孩子补课，常碰见钉梢。有一次一个四五十岁瘦长身材穿长衫的同走了几条街，念念有词道："你像我认识的一个人。真的，像极了。真的——你看。"口袋里摸出一张小照片来拿着给她看。一面走，照片像浮标在水中一起一落，还谨慎的保持距离，不会一不小心碰到她胸部。

她几次中途过街都甩不掉他，相片送到她眼底有一会了，终于忍不住好奇，掸眼看了看。光滑的二吋照已经有很多绉纹了，但是一瞥间也看得出是户外拍的，一个大美人儿，跟她一点也不像。

这一瞥使他大受鼓励，她加速步伐，他也洒开大步跟上，沉重的线呢长袍下摆开叉，卷动起来拍打着她的腿肚子。

"一淘吃饭去。吃饭去，我告诉你她的事……。好哦？一淘吃饭去。"声音有点心虚，反映口袋的空虚，仿佛怕她真会答应，就连吃小馆子也会下不来台。她猜是个失业的旧式宁波商店的伙计，高鼻子浓眉，一个半老小白脸。

走得急了，渐渐踉踉跄跄往她这边倒过来，把她往墙上挤。

不行。刚巧前面有家电影院，门口冷冷清清没什么人，不过灯光比较亮。她忙赶过去往里一钻，在售票窗前也不敢回顾，买了票在黑暗中入场。只有后座人多些，她拣了个两边都有人的座位坐下。

正在演一场苏俄短片，苏联土耳其斯坦的果园纪录片，配的音响像印度音乐，大概南亚中东都是这一个系统，笛子吹得一扭一扭的，忽高忽低回环不已，有点像唢呐，但是异国情调很浓。集体农场上有修饰得这样齐整的黑发美人？她采下一串葡萄，一个特写，仰着头微笑着，一颗颗咬下来吃。是中东的一个特点。西至义大利据说都是如此，女人嘴上的汗毛特别重，毛发又浓黑。无情的水银灯下，拍出来竟是两撇小胡子。

观众起初寂然，前座忽有人朗声道："胡须这样长，还要吃葡萄呢！"

零零落落迸发一阵哄笑，几乎立即制止了。

嘉宝演瑞典女王有个出名的爱情场面，也是仰卧着吃一串葡萄，似乎带有性的象征意味。

两三年了，上海人倒也还是这样，洛贞想。

散场的时候，灯光一亮，赫然见那钉梢的在前三排站起来，正转身向她望过来。

大概看见她陡然变色，出来的时候他在人丛中没再出现。

这人当然是个老手了，用相片的这一着显然试过多次。但是没他这一套的照样也钉，成为一时风气。她想是世界末日前夕的感觉。共产党刚来的时候，小市民不知厉害，两三年下来，有点数了。这是自己的命运交到了别人手里之后，给在脑后掐住了脖子，一种蠢动蠕动，乘还可以这样，就这样。

恐惧的面容也没有定型的，可以是千面人。

船上的西崽来请吃饭，餐室就在这一排舱房末尾一间，也不比舱房大多少。刚才上船的一男一女已经来了，大家微笑着略点了个头。围着一张方桌坐下。显然二等就是他们三个人，她十分庆幸。

她最初的印象是这两个人有点奇形怪状，其实不过是因为二人一黄一黑，一大一小，而是男的瘦小——女的也不过胖胖的中等身材，但是男的实在三寸丁。女的现在脱了那顶二〇、三〇年代的呢帽，只是个华侨模样的东方妇人，脑后梳个小髻，黄胖栗子脸——剥了壳的糖炒栗子。男的黑得吓人一跳，不是黑种人的紫褐色或巧克力色，或是黑得发亮，而是炭灰色，一个苍黑的鬼影子，使人想起"新鬼大，故鬼小。"倒是一张西式小长脸，戴眼镜。

桌上唯一的谈话是他们俩自己偶尔低声讲句英文，男的很道地，女的说不上来什么口音，但也不是中国人的洋泾浜。男的想必是英印混血儿。洛贞第一眼就跟他有一种相互的认识——都是洋行小鬼。她行里有杂种人，也有英籍犹太人，与犹裔英国人又大不相同——所罗门小姐虽然上海生长，进的也是当地的不列颠学校，上代大概与哈同一样来自中东。洛贞的顶头上司葛林就是犹裔英国人，姓氏已经缩短，"盎格罗"化了，鼻子也缩短了，小鼻子小眼睛的，淡褐色头发，似乎血液上也早与土著同化了，但也还是只做到相等于副理的地位。经理阶级的咖哩先生因为长得漂亮，咖哩太太分明是下嫁的，洛贞见过一两次，生得高头大马，小眼睛眼梢下垂，鼻峰笔直射出去老远，总是一身毛烘烘人字花呢套头装，或是骑马的衣裤，走路有点外八字，往两边一歪一歪，爱马的英国闺秀的标志，连当今女王都是这样。

英国规矩不兴自我介绍，因此餐桌上没有互通姓名。看来是夫妇，男的已经分门别类自动归类了，他这位太太却有点不伦不类，不知哪里觅来的。想必内中有一段故事，毛姆全集里漏掉的一篇。

饭后洛贞到甲板上散步，船头也只一间房大小。船小，离海面又近些。连游泳都不会的人，到了海上成了废物，可以全不负责，更觉无事一身轻。她倚在栏杆上看海，远处有一条深紫色铰链，与地平线平行，向右滚动。并排又有一条苍蓝色铰链，紧挨着它往左游去。想必是海洋里的暖流之类，想不到这样泾渭分明。第二条大概是被潮流激出来的，也不知是否与其他的波浪同一方向，看多了头晕。

回到舱中，她搬出打字机，打一封求职信，一抬头，却见一个黄头发青年在窗外船舷边卷绳子。船员都是中国人，挪威人大概只有大副二副三副——如果有三副的话——听见打字机声，也正回过头来看。淡黄头发大个子，圆脸，像二次大战前的西方童话插图。

"哈啰，"她说。

"哈啰。"略顿了顿方道："来个吻吧？"

她笑着往圆窗里一缩，自己觉得像老留学生在邮船上拍的半身照，也是穿短袄，照片亲自着色，嘴唇涂红了成为红黑色，黑玫瑰或是月下玫瑰，一缩缩回镜框中。

滴滴嗒嗒又打起字来。黄头发卷完了绳子走开了。

北欧人两性之间很随便，不当桩事，果然名不虚传。

她不禁想起钮太太那回在船上。

钮太太是姐姐姐夫他们这一群里的老大姐。女人姐夫就佩服一个钮太太。

他们刚回国的时候，姐姐有一次说笑间，肃然起敬的正色轻声道："钮太太聪明。"

钮太太娘家姓范，因此取名范妮。钮先生的洋名，不知是哪个爱好文艺的朋友代译为艾军，像个左派作家的笔名，与艾芜萧军排行，倒有一种预言性。家里不放心他在国外吃不了苦，给他娶了亲带去，太太进过教会学校，学过家政科。也幸而是这稳扎稳打步步为营的办法，读了十多年才拿到学位，生了孩子都送回去了，太太就管照应他一个人的饮食起居，得闲招待这批朋友吃中国饭，宾至如归。

这些人里就只有姐夫会开车。范妮调度有方，就凭他一辆破车，人人上课下课打工度假跑唐人街都有私家车坐，皆大欢喜。不知怎么，最后总是送一个女孩子回去，也不定是哪一个，稍有可能性的都轮到，看对不对劲。送艾军到家，留着吃饭吃点心不算，临走总塞一包东西在车上，连消夜带第二天的伙食都解决了。即使不过是三明治，也比外面买的精致。抹上自己调制的新鲜梅荣耐斯，跟买现成的瓶装的蜡烛油味的大不相同。最后送的女孩子也有一份。

汽车接连两次抛锚，送去修理，范妮便闹着要学开车，出去买东西比较方便，于是跟他合伙买了辆好些的二手车，是她去讲的价钱，用旧车去换，作价特别高，没让他花什么钱。他开车送她去，自然在场，也听不出她怎样与推销员达成默契，拿她没办法。当然她也知道在国外雇个司机该多贵。但是他心里想等她自己会开车，艾军有她接送，也不靠他了。

她学开车，去了两次就不去了。车上装了小火油炉子无线电，晚上可以开到风景好的地方泊车，看灯赏月，赏雪，听音乐。姐姐姐夫就是她这样不着痕迹的撮合成的。

他们回国后才结的婚。不久艾军也十载寒窗期满，夫妇相偕回上海，家中老母早已亡故，这些年一直是他哥哥当家，把产业侵占得差不多了。

"还要一天到晚'阿哥阿哥'的，叫得来得个亲热！"范妮背后不免抱怨。

总算分了家，分到的一点房地产股票首饰，她东押西押，像财阀一样盘弄，剜肉补疮，长袖善舞。撑持了几年，索性盖起大房子来，是当时所谓流线型装修，"丹麦现代化"的先声。新屋落成大请客，他们家那位大师傅不但学贯中西，光是一味白汁枣子布丁，虽然不是什么名贵的菜，本地的西餐馆就吃不到，就有也不是那么回事，更兼南拳北腿一脚踢，烤鸭子纸包鸡都来得，自制朱红色八寸见方的红酱肉，比陆稿荐还道地。连范妮也赶着叫他大师傅大师傅，体贴入微，不然普通住家，天天请客打牌也留不住他。也是图个清闲，比起菜馆掌厨到底轻松多了，等于半退休。而且菜馆分华洋川扬，京菜粤菜，本地馆子；顾此失彼，不免抛荒了他有些绝活。范妮朋友家里遇有喜庆，也常把他出借，连全套器皿，又包办采购，挑他捞笔外快。

范妮场面虽大，能省则省，两个女儿只进了几年小学，就留在身边使唤，也让她们看着学学，却穿得比内地女生还要俭朴，蓝布罩袍，女佣手制的绊带布鞋，自己纳的布底——反正有两个养老的老妈妈，别的活也干不了——清汤挂面的短发，免得早熟起来不易控制。儿子也只读到中学毕业。他们父亲几乎赔上全部遗产，读到的学位有什么用？这是不争的事实。赋闲多年后，也说不得学非所用的话了，心血来潮，也跟朋友合伙开过农场，办过染织厂，结果不过一件件衣料一盒盒鸡蛋分赠亲友。莱格焕种的白色洋鸡，下的蛋也雪白，特大。衣料有粉紫鹅黄的阴丹士林布，都是外间买不到的。

他住在他们那座大宅里，就管他自己的一顿早饭与下午茶，橘皮酱不断档，再就是照料他那十几套西装。男子服装公认英国是世界第一，英国绅士虽然讲究衣料缝工，衣不厌旧，可以穿上几十年。艾军在英国定做的西装永远看上去半新不旧，有两件上装还在肘弯打了大块麂皮补钉。一件衣服从来不接连穿一天以上——诀窍在挂，而且是写实派厚重的阔肩木质钩架，决不是那种钢丝的。他又天生衣架子好，人长得像个"尖头鳗"，瘦长条子，头有点尖。

"男人是钮先生最讲究穿了，"洛贞向她姐姐说。

姐姐噗嗤一笑道："你不知道他衣裳多脏。"

"哦？看不出来。"

"那种呢子耐脏。大概也是不愿拿到洗衣作去，干洗次数多了伤料子，也容易走样。"因又笑道："艾军那脾气急死人了，范妮有时候气起来说他。"

洛贞笑道："真说他？"

"怎么不说？"轻声摇头咋舌，又笑道："范妮也可怜，就羡慕人家用男人的钱。"

艾军说话慢吞吞的，打电话回来，开口便道："呃……"一声"呃"拖得奇长。

女儿便道："爸爸是吧？"

"呃……"依旧犹疑不决，半晌方才猝然应了一声"嗳。"

范妮皮肤白嫩异常，眉目疏朗，面如银盆，五官在一盆水里漾开了，分得太开了些。回国后一直穿旗袍，洛贞看见她穿夜礼服在国外照相馆里照的相，前后都是U形挖领，露出一块白腻的胸脯，虽然并不胖，福相的人腰圆背厚，颈背之间丰满得几乎微驼；在摄影师的注视下，羞答答的低着头。很奇怪，原来她也有她稚嫩的一面。

女儿到了可以介绍朋友的年龄，有一次大请客，翻台到北戴河去。那是要人避暑养疴的地方。因为有海滩，可以游泳，比牯岭更时髦。包下两节车厢，路上连打几天桥牌，奖品是一只扭曲凸凹不平的巨珠拇指戒，男女都可以戴的。把两套花园阳台用的黑铁盘花桌椅都带了去，免得急切间租借不到合意的。配上古拙的墨西哥黑铁扭麻花三脚烛台，点上肥大的塑成各色仙人掌老树根的绿蜡，在沙滩上烛光中进餐。大师傅借用海边旅馆的厨房做了菜，用餐车推到沙滩上，带去几只荷兰烤箱，占用几间换游泳衣的红白条纹帆布小棚屋，有两样菜要热一热。一道道上菜之间，开着留声机，月下泳装拥舞。

两个女儿都嫁得非常好。

共产党来之前，钮家搬到香港去。这天洛贞刚巧到他们那里去，正出动全体人手理行李，东西摊得满坑满谷。是真天翻地覆了，她惘惘的想。

"有钱就走，没钱就不走，"她用平板的声音对自己说，就像是到北戴河去。

"日本人的时候也过过来了。"大概不止姐姐一个人这么说。

"在里头反正大家都穷。一出去了就不能不顾点面子，"姐姐说。

光是穷倒又好了，她想。

这是后来了，先也是小市民不知厉害。

姐姐姐夫也是因为年纪不轻了，家累又重。这两年姐夫身体坏，共产党来了以后，就靠姐姐找了个事，给一个东欧商人当秘书翻译。洛贞失了业就没敢再找事，找了事就再也走不成了，要经工作单位批准。

也许因为范妮去了香港恍如隔世，这天姐姐不知怎么讲起来的，忽然微笑轻声道："范妮那次回国在船上，他们跟船长一桌吃饭，晚上范妮就到船长房里去了。"

洛贞听着也只微笑，没作声。也都没问是哪国的船，一问就仿佛减少了神秘性，不像这样是个女鬼似的悄悄的来了，不涉及任何道德观。

想必就去过一次，不然夫妇同住一间舱房，天天夜里溜出来，连艾军都会发觉。她是不肯冒这险的。在国外那么些年，中国人的小圈子里，这种消息传得最快，也从来没人说过她一句闲话。

姐姐一定一直没告诉姐夫，不然姐夫也不会这样佩服她了。

因为尊重这秘密，洛贞在香港见到范妮的时候，竟会忘了有这么回事——深藏在下意识里，埋得太深了？也不知是因为与她为人太不调和，太意外了，反而无法吸收，容易忘记？

洛贞从大陆出来就直奔范妮那里，照姐姐说的，不过嘱咐过不要住在他们家，范妮现在是跟女儿女婿住。见了面她说明马上要去找房子，范妮爽快，也只说："那你今天总要住在这里，我这里刚巧有张空床。"

她看了报上分租的小广告，圈出两处最便宜的，范妮叫女佣带她到街口杂货店去打电话。她很诧异。仿佛听说香港人口骤增，装不到电话，但是他们来了很久，也该等到了。范妮没有电话怎么行，即使现在不做金子股票了，凑桌麻将都不方便。住的公寓布置得也很马虎。她留神脸上毫无反应，范妮倒已经觉得了，漠然不经意说了声：

"现在都是这样。"

"现在香港生意清，望出去船烟囱都没几只，"艾军回上海去卖房子，也曾经告诉他们。

但是去打电话正值上灯时分，一上街只见霓虹灯流窜明灭，街灯雪亮，照得马路上碧清；看惯了大陆上节电，如同战时灯火管制的"棕色黑灯"，她眼花撩乱，又惊又笑。

看了房子回来，在他们家吃晚饭，清汤寡水的，范妮脸上讪讪的有点不好意思，当然是因为没添菜。但是平时她这美食家怎么吃得惯？洛贞不禁想起台湾刚收复的时候，有人乘飞机带了芒果到上海来送范妮，她心满意足笑着把一篮芒果抱在胸前摇了摇，那姿态如在目前。

范妮现在虽然不管事，雇的一个广东女佣还是叫她太太，称她女婿女儿少爷少奶。女婿虽阔，还没分家，钱不在他手里。儿子跟着大姐大姐夫到巴西去了，二姐二姐夫大概也想出国。

临睡范妮带洛贞到她房里去。似乎还是两个女儿小时候的两张白漆单人床，空下的一张想必是艾军的。

艾军在上海住在他哥哥家，一住一年多，倒也过得惯；常买半只酱鸭，带到洛贞姐夫家来吃饭，知道他们现在多么省。饭桌上洛贞听他们谈起他房子卖不掉，想回香港又拿不到出境证。家里打电报来说他太太中风了，催他回去——本来一向有这血压高的毛病，调查起来也不像是假话。拿着电报去给派出所看，也还是不生效。

姐姐问知他每次去都是只打个照面，问一声有没有发下来，翻身便走，因道："听人说申请出境非得要发急跟他们闹，不然还当你心虚。"

无奈他不是发急的人，依旧心平气和向他们夫妇娓娓诉说，倒也有条有理。走后姐姐笑道："艾军现在会说话了，真是铁树开花了，"又引了句"西谚有云：宁晚毋缺憾。"

他别的嗜好没有，就喜欢跳舞。是真喜欢跳舞，拣跳得好的舞女，不拣漂亮的。这时候舞场还照常营业，他常去一个人独蹓。自从发现他的"第二春"，姐姐不免疑心道："不要是迷上了个舞女了？"

范妮不在这里，大家都觉得要对他负责。姐夫托人打听了一下，也并没有这事。

这一天他又来说，有个朋友拉他到一个小肥皂厂做厂长："我想有点进项也好，不然一个人不是挂起来了吗？"说着两手一摊，像个爱打手势的义大利人。

姐姐姐夫都不劝他接受，但是这年头就连老朋友，有些话也不敢深说。

这时候对留学生还很客气，尤其是学理化的。厂里工人的积极份子口口声声称他为"大知识份子"，要跟他学习。他何尝给人捧过，自然卖力，在他也就算"干得热火朝天"了。姐姐姐夫都有点看不得他，但是忽然消息传来，他被捕了。

原因不清楚，直到两个月后释放出来，才知道是因为他有个亲家在台湾有名望，他这次回上海算是来卖房子，又并没卖，反而找事扎根住了下来，形迹可疑。

他说看守所里七八个人睡一张床；一天吃两顿，每人一只洋铁漱盂，一盂夹砂子的饭，一碗菜汤大家吃。他们也只问起里面的生活情形，别的他不说也都不提，怕他有顾忌。

出来没多久又进去了。洛贞去香港的时候，他已经进进出出好几次，当然也不能再申请出境了。厂里的事倒还做着，"让群众监视他。"

洛贞也是对巡警哭了才领到出境证的。申请了不久，派出所派了两个警察来了解情况。姐夫病着，姐姐也没出来，让她自己跟他们谈话。她便诉说失业已久，在这里是寄人篱下。

"自己姊妹，那有什么？"一个巡警说。两个都是山东大汉，一望而知还是解放前的老人。

她不接口，只流下泪来。不是心里实在焦急，也没这副急泪。当然她不会承认这也是女性戏剧化的本能，与一种依赖男性的本能。

两个巡警不作声了，略坐了坐就走了，没再来过。两三个月后，出境证就发下来了。

艾军自告奋勇带她到英国大使馆申请入境许可证。在公共汽车上，她忽然注意到他脸上倒像是一副焦灼哀求的神情，不过眼睛没朝她看。她十分诧异，但是随即也就明白了。

我为什么要去告他一状？她心里想。苦于无法告诉他，但是第六感官这样东西确是有的。默然相向了一会，他面色方才渐渐平复了下来。

不想一到香港第一天晚上就跟范妮联床夜话。自从罗湖，她觉得是个阴阳界，走阴的回到阳间，有一种使命感。这艾军也实在可气。当然话要说得婉转点，替人家留点余地。不过她哪里是

302

范妮的对手，一怔之下，不消三言两语，话里套话，早已和盘托出。

范妮当时声色不动，只当桩奇闻笑话，夜深人静，也还低声说笑了一会，方道："你今天累了，睡吧。"次日早晨当着洛贞告诉她女儿，不禁冷笑道："只说想尽方法出不来，根本不想出来。"

女儿听了不作声，脸上毫无表情。洛贞知道一定是怪她老处女爱搬嘴，惹出是非来。

她没嫁掉，姐姐始终归罪于没进大学。在女中最后两年就选了业务科，学打字速写。姐姐怀了小韵，她一毕业就去打替工，就此接替了下来。洋行又是个国际老处女大本营。男同事中国人既少，未婚的根本没有。跟着姐姐姐夫住，当然不像一般父母那样催逼着介绍朋友。她自己也是不愿意。

我们这一代最没出息了，旧的不屑，新的不会，她有时候这样想。

每年耶诞节有个办公室酒会，就像闹房"三天无大小，"这一晚上可以没上没下的，据说真有女秘书给抵在卷宗柜上强吻的。咖哩先生平时就喜欢找她，取笑她。这天借酒盖着脸，她真有点怕他。其实人这么多，还真能怎样？

而且他不过是胡闹而已，不见得有什么企图，从来也没约她出去玩。约她出去，不去大概也没关系，不会丢饭碗。当然这不过是揣度的话，因为无例可援。——他们这里的女秘书全都三十开外，除了洛贞，而她就是几个副理公用的。有个瑞典小姐七十来岁了，也没被迫退休，还是总经理的秘书。耶诞夜的狂欢，也是给这些老弱残兵提高士气的。——不过咖哩这人是这样，谁都不怕他，但是也都知道有什么事找他没用——上海人所谓"没肩胛"。

人是比任何电影明星都漂亮，虽然已经有点两鬓霜了；瘦高个子，大概从来没有几磅上落；就是皮肤红得像生牛肉。

信打完了，她抽出来看了一遍。有人敲门。她吓了一跳。难道是刚才那大副二副，找上门来了？

她把门小心的开了条缝。原来是芳邻，那英印人的黄种太太。

"我可以进来吗？"

洛贞忙往里让。坐了下来，也仍旧没互通姓名，问知都是上海来的。

"我们住在虹口。"——从前的日租界。

"你是日本人？"洛贞这才问她。误认东南亚人为日本人，有时候要生气的。

"嗳。"

"你们到日本去？"

"嗳，到大坂去。我家在大坂。"

"哦，我到东京去。"

"啊，东京。"

笑脸相向半晌。

"这只船真小。"

"嗳，船小。"她拈起桌上的信笺。"我可以拿去给李察逊先生看吗？"

洛贞不禁诧笑。还说中国人不尊重别人的私生活，开口就问人家岁数收入家庭状况。跟我们四邻一比，看来是小巫见大巫了。一时想不出怎样回答，反正信里又没什么瞒人的事，只得带笑应允。

她立即拿走了。不一会，又送了回来，郑重说道："李察逊先生说好得不得了。"

洛贞噗嗤一笑，心里想至少她尊敬他。同时也不免觉得他识货。

业务信另有一功。姐姐说的："留空白的比例也大有讲究。有人也写得好，就是款式不帅。"

投桃报李，她带了本照相簿来跟洛贞一块看。

"虹口，"她说。

都是在虹口，多数是住宅外阳光中的小照片，也有照相馆拍的全家福，棕色已经褪成黄褐色，一排坐，一排站，一排青年坐在地下，男女老少都穿着战前日本人穿的二不溜子的洋服。没有她。有一张她戴着三〇年间体育场上戴的荷叶边白帆布软帽，抱着个男孩，同是胖嘟嘟的，在大太阳里眯睎着眼睛。

"这是谁？"

"表侄。"

看了大半本之后，有张小派司照。

"李察逊先生。"想是李察逊训练有素，她也像狄更斯《块肉余生记》里的米考伯太太，文绉绉的口口声声称丈夫为"米考伯先生"。

他就这一张，其余都是她娘家人，有她的照片大概婚前的居多，不然根本无法判断，她一直也就差不多是这样子。

与她合摄的孩子都是表侄堂侄。洛贞不禁恻然。娶这么个子孙太太型的太太，连个子女都没有。

这样的女人还值得到异族里去找？当然李察逊自己还更不合格，还不是两下里凑合着。洛贞是一时脑子里转不过来。毛姆笔下异族通婚都是甘心触犯禁条而沉沦，至少总有一方是狂恋。

她认识的唯一的一对异国情鸳不算——在毛姆后了。咖哩先生的女秘书潘小姐是广东人。论长相，也就是个踩扁了的李察逊太太，脸横宽，身材也扁阔，不过有南国佳人的乳房，而且"广东人硬绷绷"，面部线条较强有力，眉目挺秀些，眼睛里常有一种愤懑不平之气。珍珠港事变后，上海日军进了租界，英美人都进了集中营。潘小姐忠心耿耿，按期给咖喱先生送粮包。咖喱先生跟他太太向来各干各的，互不干涉。太太喜欢养马赛马，他供给不起，好在太太自己有钱。两人都海阔天空惯了的，进了集中营，在营房里合住一个挂条军毯隔出来的铺位，挤鼻子挤眼睛的，没个腾挪，几乎马上就吵翻了。熬了几年，一出来就离了婚，跟潘小姐结婚了。

这故事仿佛含有一个教训，不像毛姆的手笔，时代背景也不同了。大英帝国已经在解体，从集中营出来的人，一看境况全非。他总算找到了个小母亲，有了个归宿。

战后行里大裁员，咖喱先生也提早退休了，因此他再婚的消息没有掀起更大的震撼。洛贞解雇后就跟老同事没来往了，不像沦陷时期大家留职停薪，还有时候见面。潘小姐送粮包，就是听所罗门小姐说的。那天所罗门小姐请她去吃下午茶，是公寓房子，姊妹俩同住，姐姐矮胖，是较典型的犹太女人，在另一家洋行做事。有些老处女喜欢表示大胆，不过她说的笑话就粗俗，不及她妹妹尖酸风趣。姊妹花向来是一个带一个，不怎么漂亮的也连带沾光。像这姊妹俩排排坐着，衣饰发型都相仿，就使人觉得一之为甚，岂可再乎？——她们的黑发天生整齐的小波浪纹，这发型过时了之后也改不了。姐姐头发已经花白了。洛贞不禁替所罗门小姐叫屈，她其实不难看，要不是跟这姐姐同起同坐，把她漫画化了。

洛贞到她们浴室去洗手，经过卧室，两张小铁床并排，像小孩的，觉得可笑，而又惨然。

讲起潘小姐送粮包，所罗门小姐笑道："你倒不去看看他去。"是说咖喱先生那样爱找着她开玩笑。

"我又不是他的秘书。"

战后常想起这一问一答。如果她是他的秘书，她想她也会送粮包的。

看照相簿，她终于笑问："你跟李察逊先生怎么认识的？"

"我堂兄介绍的。"

李察逊想必也住在虹口，虹口房子便宜，离外滩营业区又近，电车直达，上写字楼方便。也许邻居的青年带他逛日本堂子，见识过日本女人的恭顺柔媚。

他们知道他在洋行做事。"想结婚吗？给你介绍花子小姐吧？"

没有结婚照片。日本人不讲究这些，去趟神社就算了。有她这庞大的亲族网在，不会是同居。她大概是单身出来投亲找对象的，正如许多英国女人到远东近东来嫁人。

他家里似乎没什么人。父亲生出这么个小黑人来，不见得肯带在身边，但是总算供他读书——口音上听得出是当地的不列颠学校出身。娶个日本老婆是抗议兼报复。不等上海沦陷，已经亲日了。

共产党来了以后，陪太太回国。这两年日本繁荣了起来，太太娘家人多，极可能有生意做大了的，用得着他这么个人写英文信。去投亲是顺理成章的事，不比洛贞去投奔老同学太"悬"，虽然同是不懂日文，他又年纪不轻了，总有五十来岁了。她不知道怎么，认定他不懂日文。其实怎见得人家不懂？饭桌上当然不能夫妇俩自己说日文，不礼貌。——就是不懂也有老婆当翻译，不像她到了那里言语不通，寸步难行。但是她只觉得自己比他年轻，有希望。

照相簿一页页掀过去，李察逊太太在旁看得津津有味，把她这辈子又活了一遍。看完了便欣然抱着簿子走了。

船上就是蟑螂太大。洛贞晚上睡觉总像是身下蠕蠕的，深恐它们一感到人体的暖气就会从床板下爬出来。又怕爬进行李里，带上岸去。在香港租的房间没有家具，她就光买了一床草席，一罐杀虫剂，一只喷射筒。一丈见方的小房间，粗糙的水门汀地，想是给女佣住的，墙倒是新粉刷得雪白，而且位置在屋角，两面都是楼窗，敞亮通风，还看得见海。她一眼就看中了，没去看第二家。睡水门汀，夜里寒气透过席子，一阵阵火辣辣的冰上来，就爬起来开箱子，把衣服一件套一件，全都穿上再睡。

　　下午炎热，二房东坐在甬道里乘过堂风。是个小广东人，蟹壳脸，厚眼镜放大了眼睛，成为金鱼眼，瘦骨伶仃穿件汗背心，抱着个婴儿摇着拍着，唱诵道："女（音'内'，上声）啊！女啊！"像三〇年代颓废派诗人的呻吟："女人啊女人！"

　　天太热，房门都大开着。一个年轻的叶太住最好的一间，房间也不大，一堂宁式柚木家具挨挨挤挤摆不下，更觉光线阴暗。唯一的女佣是叶太雇用的，佣人间租了出去，便在厨房里睡行军床，叶太是上海人，长得活像影星周璇，也娇小玲珑，不过据说周璇皮肤黄，反而上照，拍摄出来特别光润莹洁，这位叶太却十分白皙。叶先生每天下班时间来一趟，显然是个外室，也许本来是舞女。

　　叶先生一来了就洗澡。浴室公用，蟑螂很多，抽水马桶四周地下汪着尿。女佣临时手忙脚乱打扫了一下，便哗哗放起水来，浴缸里倒上小半瓶花露水，被水蒸气一冲，满楼奇香冲鼻；一面下厨房炒菜热菜烫酒，打发叶先生浴罢对酌。亚热带夏天天长，在西晒的大太阳里忙这一通，正是夕阳中众鸟归林鸦飞雀噪的情景。

　　叶太隔壁，两个上海青年合住一间，大概是白领阶级，常跟叶太搭讪，她也常站在他们房门口长谈。叶先生一来了，都躲得无影无踪。

大家走过房门口，都往里看看，看见洛贞坐在草席上，日用的什物像摆地摊一样。这可真搬进难民来了，房子要贬值了。

她自己席地而坐很得意，简化生活成功，开了听的罐头与面包黄油搁在行李上，居然一个蟑螂也没有。但是这些上海人鄙夷的眼光却也有点受不了。

这户人家人杂，她的信还是寄到钮家代转。住得又近，常去看有信没有。自从她告密有功，范妮对她总是柔声说话。这天问知她房租只七十元港币一个月，不禁笑了，见她能吃苦，也露出嘉许的神色，因又道："可还能住？"

"房间还好，不过洗澡间太脏点。"

"那你到这里来洗澡好了。"

她就此经常带了毛巾和肥皂去洗澡，直到找到了事，搬了家，公用的浴室比较干净，才不大去了。这天她来告诉范妮要到日本去。

"那你这里的事呢？"

"只好辞掉了。"

"现在找事难，日本美国人就要走了。"

洛贞笑道："是呀，不过要日本入境证也难，难得现在有机会在那边替我申请。"也许去得不是时候，美国占领军快撤退了，不懂日文怎么找事？她不过想走得越远越好，时机不可失。

范妮沉默片刻，忽又愤然道："那你姐姐那里呢？"

范妮知道她是借了姐姐姐夫的钱出来的，到了香港之后也还汇过钱来。现在刚开始还钱，他们也是等着用。但是姐姐当然会谅解她的。想不到范妮代抱不平，会对她声色俱厉起来，到底又不是自己子侄辈。她也有点觉得,范妮的气不打一处来——还是"报喜不报忧"这句话。人家好好的一份人家,她一来了就成了弃妇,怎么不恨她?

范妮见她不作声,自己也觉得了,立即收了怒容,闲闲的问起她办手续的事。还送了她两色土产,叫她带去给她的同学,日本吃不到的。

自从那次以后,她有两三个星期没去,觉得见面有点僵,想等临走再去辞行,可隔得太久了,又拿不准几时动身。这天忽然收到一张讣闻,一看是"杜期夫钮光先"与子女(女儿"适陈""适何")具名。艾军的本名不大有人知道,连看几遍才明白了过来。范妮死了。实在意想不到,一直没听见说不舒服。一定是中风,才这样突然。去年屡次打电报到上海去说中风,终于实现了。

她自己知道闯了祸,也只惘惘的。

当然也不是没想到,范妮一定写了信去骂了,艾军一定会去向姐姐姐夫诉苦,他们是范妮最信任的朋友,要靠他们去疏通解说。即使艾军不好意思告诉他们,范妮给姐姐写信也会发牢骚的。总之不会不知道。姐姐信上没提,是因为她一个人在外面挣扎图存,不是责备她的时候。

现在好——!

姐姐最好的朋友。

讣闻上有办丧事的地点,在中环一家营业大楼地下层。虚掩着两扇极高的旧乌木门,一推门进去,人声嘈杂,极大的一个敞间,一色水门汀地与墙壁,似乎本来是个银行的地窖保险库。想必是女婿家的管事的代为借用的。只见三三两两的人站着谈话,都是上海话,大都是男子在谈生意行情与熟人。她心虚,也没在人丛中去找范妮的女儿打听病因，只在人堆里穿来穿去，向上首推进。灵前布置得十分简单，没有香案挽联遗照，也没有西式的花圈花山音乐，瞻仰遗体。她鞠了一躬就走了，在门口忽见他们家的广东女佣一把抓住她的手，把一个什么小物件揿在她掌心，动作粗暴得不必要，脸上也有点气烘烘的，不甘心似的。

还不是听见他们少爷少奶说：都是她告诉太太，先生在上海不想回来了，把太太活活气死了。剩下少爷少奶也不预备再在香港待下去了，吃人家饭的也要卷铺盖了。

她怔怔的看着手中一只小方形红纸包。她只晓得丧家有时候送吊客一条白布孝带，没听见有送红包的。是广东规矩？他们女婿家也不是广东人。难道真是随乡入乡了？还是这女佣的主张？

不知道为什么，她还没走出门去就拆开红包，带着好奇的微笑。只见里面一双毫硬币，同时瞥见女佣惊异愤激的脸。

有这样的人！还笑！太太待她不错。

她也是事后才想到，想必是一时天良发现，激动得轻性神经错乱起来，以致举止乖张。幸而此后不久就动身了。上了船，隔了海洋，有时候空间与时间一样使人淡忘。怪不得外国小说上医生动不动就开一张"旅行"的方子，海行更是外国人参，一剂昂贵的万灵药。

这只船从香港到日本要走十天，东弯西弯，也不知是些什么地方。她一个人站在栏杆边看装货卸货，码头上起重机下的黄种工人都穿着卡其布军装——美军剩余物资。李察逊夫妇从来不出来。上层甲板上偶有人踪，也是穿制服的船员，看来头等舱没有乘客。

这一天到了个小岛，船上预先有人来传话，各自待在舱房里不要出来，锁上房门，无论怎样都不要开门。如临大敌，不知道是什么土人。这一带还有猎头族？

她站在圆窗旁边，看见甲板一角。只见一群日本女人嘻嘻哈哈大呼小叫一拥而上，多数戴眼镜，清一色都是和服棉袄，花布棉裤，裤脚紧窄得像华北的扎脚裤，而大腿上松肥，整个像只火腿。也有男的，年轻得多，也不戴眼镜——年纪大些的大概都战死了——穿着垢腻的白地黑花布对襟棉袄，胸前一边一个菜碗口大的狂草汉字，龙飞凤舞，铁划银钩，可惜草得不认识。显然这岛屿偏僻得连美军剩余物资都来不了，不然这些传统的服装早就被淘汰了。

大概因为小岛没有起重机，只好让苦力上船扛抬。舱房上锁，想必此地土著有顺手牵羊的习惯。连乘客都锁在里面，似乎不但怕偷，还怕抢。甲板上碰见了，手表衣服都会给剥了去。倒看不出这些文质彬彬戴眼镜的女太太们。有一个长挑身材三十来岁的，脸黄黄的，戴着细黑框圆眼镜，十分面熟，来到洛贞窗前，与她眼睁睁对看了半晌。

"我倒成了动物园的野兽了，"她想。

也许从前是个海盗岛，倭寇的老寨；一个多钟头后开船了，岛屿又沉入时间的雾里。

十天一点也不嫌长。她喜欢这一段真空管的生活。就连吃饭——终于尝到毛姆所说的马来英国菜：像是没见过鞋子，只听见说过，做出来的皮鞋——汤，炸鱼，牛排，甜品，都味同嚼蜡，亏那小老西崽还郑重其事的一道道上菜。海上空气好，胃口也好。

老西崽见伙食这样坏，她也吃得下，又没个人作伴，还这样得其所哉的，这哪是个环游世界见过世面的"老出门"？只怕那

312

笔从丰的小账落了空。快满十天的时候，竟沉不住气，忧形于色起来。她想告诉他不用担心，但是这话无法出口。

在公共汽车上看见艾军哀恳的面容，也是想告诉他不用着急，说不出口。

他倒是相信了她。

一桌吃饭，李察逊先生现在很冷淡。当然是因为她没去回拜，轻慢了他太太。既然到日本去，可见不是仇视日本人，分明看不起人。

她也不是没想到，不过太珍视这一段真空管过道，无牵无挂，舒服得飘飘然，就像一坐下来才觉得累得筋疲力尽。实在应当去找李察逊太太，至少可以在甲板上散散步，讨教两句日文会话，问路也方便些，结果也没去。

在饭桌上，又回复到点头微笑的打个招呼就算了。当着李察逊，他太太根本就没跟她交谈过，现在偶尔跟丈夫小声说句话，也是一副心虚胆怯的神情，往往说了一半又咽了回去。总是他背后发过话，怪她自取其辱。是毛姆说的，杂种人因为自卑心理，都是一棵棵多心菜。

已经快到日本了，忽然大风大浪，餐桌是钉牢在地上的，桌上杯盘刀叉乱溜，大家笑着忙不迭拦截。

李察逊先生见洛贞饮啖如常，破例向她笑道："你是个好水手。"说罢显然一鼓作气，一纳头努力加餐起来。

饭后扶墙摸壁各自回房。洛贞正开自来水龙头洗手，忽然隐隐听见隔着间房有人呕吐，不禁怔住了。他们此去投亲，也正前途茫茫。日本人最小气。吃惯西餐的人，嚼牛肉渣子总比啃萝卜头强，所以晕船也仍旧强饭加餐，不料马上还席了。

船小浪大，她倚着那小白铜脸盆站着，脚下地震似的倾斜拱动，一时竟不知身在何所。还在大吐——怕听那种声音。听着痛苦，但是还好不大觉得。漂泊流落的恐怖关在门外了，咫尺天涯，很远很渺茫。

　　*收入《惘然记》。

同学少年都不贱

　　起先简直令人无法相信——犹太人姓李外的极多，取名汴杰民的更多。在季辛吉国务卿之前，第一个入内阁的移民，又是从上海来的，也还是可能刚巧姓名相同。赵珏看了《时代》周刊上那篇特写，提到他的中国太太，又有他们的生活照，才确实知道了。

　　"还是我一句话撮合了他们。"她不免这样想。

　　当然，人总夸张自己演的角色的重要性。恩娟不跟她商量，大概也会跟他好的。那时候又没有别的男朋友，据她所知。

　　她记得非常清楚，那天在恩娟家里吃晚饭，上海娘姨做的有一碗本地菜芋艿肉片，她别处没见过。恩娟死了母亲就是自己当家。

　　饭后上楼到她住的亭子间去，搬开椅子上堆的一叠衣服，坐下谈了一会，她忽然笑道："有个同学写信来，叫我也到内地去。汴·李外——犹太人，他们家前几年刚从德国逃出来的。"

　　"哦。"赵珏有点模糊。无国籍的犹太人无处收容，仿佛只能到上海来。"他现在在重庆？"

　　"嗳，去年走的。因为洋行都搬到重庆去了，在那边找事比较容易。他在芳大也是半工半读。"

　　说着便走开去翻东西，找出一张衬着硬纸板的团体照，微笑递了过来，向第二排略指了指，有点羞意。

是个中等身材的黑发青年，黑框眼镜，不说也看不出来是外国人，额角很高，露齿而笑，鼻直口方，几乎可以算漂亮。

赵珏一见立即笑道："你去。你去好。"

恩娟很不好意思的"咦"了一声，咕哝道："怎么这样注重外表？"

赵珏知道恩娟是替她不好意思。她这么矮小瘦弱苍白，玳瑁眼镜框正好遮住眼珠，使人对面看不见眼睛，有不可测之感。像她这样如果恋爱的话，只能是纯粹心灵的结合，倒这样重视形体？

虽如此，把那张大照片搁过一边的时候，看得出恩娟作了个决定。

此后还有一次提起他。恩娟想取个英文名字。

"你叫苏西好，"赵珏说。"我最喜欢听你唱《与苏西偕行》。"

恩娟笑道："汔要叫我凯若兰。"

"叫苏西好，苏西更像你。"

她力争，直到恩娟有点窘起来，脸色都变了，不想再说下去，她才觉得了，也讪讪的。怎么这样不自量？当然是男朋友替女朋友取名字。

她们学校同性恋的风气虽盛，她们俩倒完全是朋友，一来考进中学的时候都还小，一个又是个丑小鸭，一个也并不美。恩娟单眼皮，小塌鼻子，不过一笑一个大酒窝，一口牙齿又白又齐。有红似白的小枣核脸，反衬出下面的大胸脯，十二三岁就"发身"了，十来岁的人大都太瘦，再不然就是太胖，她属于后一类，而且一直不瘦下来，加上丰满的乳房，就是中年妇人的体型。

"走在马路上，有人说'大奶子'。"她有一次气愤的告诉赵珏。

她死了母亲，请了假，销假回来住校的时候，短发上插一朵小白棉绒花，穿着新做的白辫子滚边灰色爱国布夹袍，因为是虔诚的教徒，腰身做得相当松肥，站在那里越觉硕大无朋，眼睛哭得红红的。赵珏也不敢说什么，什么都没问。

她写信给母亲总是称"至爱的母亲"。开恳亲会，她父母是不配称的一对，母亲高个子，长得简直像圣母像，除了一双吊梢眼太细窄了些。人也斯文。父亲年纪大得多，胖大身材，前面头发秃得额角倒插，更显得方腮大面，横眉竖眼的。穿西装，开一爿义肢拐杖店。恩娟告诉赵珏，他另外有个家，生了一大窝孩子。母亲知道了跟他闹，不是孩子多，就离婚了。

"他们从前怎么会结婚的？"

"他会骗。"

他们都是内地教会培植出来的。母亲也在外面做事，不知道是房产还是股票掮客，赵珏搞不清楚。恩娟后来告诉她有个李天声，一直从前两人感情非常好，在遗物里发现他的照片。

悠长的星期日下午，她们到校园去玩，后园就有点荒烟蔓草，有个小丘，残破的碎石阶上去，上面搭了个花架，木柱的枣红漆剥落了，也没种花。恩娟认识桑树，一人带只漱盂摘桑椹吃，从地下拾起烂熟的，紫红的珍珠兰似的一小簇一小簇，拿到宿舍里空寂无人的盥洗室，在灰色水泥长槽上放自来水冲洗，冲掉蚂蚁。

赵珏不会说上海话，听人家的"强苏白"混身起鸡皮疙瘩，再也老不起脸来学着说。国语发音不好，也不好意思撇着"话剧腔"。上海学生向来是，非国语非吴语一概称为江北话。人力车夫都是江北人。所以她在学校里一个朋友也没有，除了恩娟。

恩娟人缘非常好，入校第二年就当选级长。那年她们十二岁，赵珏爱上了劳莱哈台片中一个配角，演十八世纪的贵族，扑白粉的假发，有一场躲在门背后，走出来向女人高唱歌剧曲子。看了戏回家，心潮澎湃，晚上棕黑色玻璃窗的上角遥遥映出一个希腊石像似的面影，恍如稠人广众中涌现。男高音的歌声盈耳，第一次尝到这震荡人心魄的滋味。

"你那个但尼斯金从来没张开嘴笑过，一定是绿牙齿。"恩娟说。

从此同房间的都叫他绿牙齿。

四个人一间房，熄灯前上床后最热闹。恩娟喜欢在蚊帐里枕上举起双臂，两只胳膊扭绞个不停，柔若无骨，模仿中东艳舞，自称为"玉臂作怪"。赵珏笑得满床打滚。窗外黑暗中蛙声阁阁，没装纱窗，一阵阵进来江南绿野的气息。

各人有各人最喜欢的明星，一提起这名字马上一声锐叫，躺在床上砰砰砰蹦跳半天。有一次赵珏无意间瞥见仪贞脸色一动，仿佛不以为然。她先不懂为什么，随后也有点会意，从此不蹦了。仪贞比她们大两岁，父亲是宁波商人，吸鸦片，后母年轻貌美，弟妹很多，但是只住着一个楼面。

有时候有人来访，校规是别房间的人不能进来，只好站在门口。嗓子好的例必有人点唱，不是流行歌就是"一百零一支最佳歌曲"，站在门槛上连唱几支。

恩娟说话声音不高，歌喉却又大又好，唱女低音，唱的《啊！生命的甜蜜的神秘》与《印第安人爱的呼声》赵珏听得一串寒颤蠕蠕的在脊梁上爬，深信如果在外国一定能成名。她又有喜剧天才，常摆出影星胡蝶以及学胡蝶的"小星"们的拍照姿势，翘着二郎腿危坐，伸直了两臂，一只中指点在膝盖上，另一只手架在这只手上，中指点在手背上，小指翘着兰花指头，一双柔荑势欲飞去；抿着嘴，加深了酒窝，目光下视凝望着，专注得成了斗鸡眼。

只有赵珏家里女佣经常按期来送点心换洗衣服，因此都托她代买各色俄国小甜面包，买了来大家分配。

"仪贞总要狠狠的看一眼，拣大的。"恩娟背后说。

仪贞面貌酷肖旧俄诗人普希金，身材却矮小壮实。新搬进来的芷琪，微黑的脸蛋也有拉丁风味，厚重的眼睑睫毛，深黯的眼睛，笔直的鼻子；个子不高，手织天蓝绒线衫下，看得出胸部曲线部位较低，但是坚实。她比她们低好几班，会跳踗踔舞，没有音乐，也能在房间里教恩娟跳社交舞，暑假又天天一同到公共游泳池游泳。

电影杂志上有一张好莱坞"小星"的游泳照，一排六七个挽着手臂，在沙滩上迎面走来，正中最高的一个金发女郎脸瘦长，牙床高，有点女生男相，胸部虽高，私处也坟起一大块。大家看了都怔了怔，然后噗嗤噗嗤笑了。

"雌孵雄。"芷琪说。

赵珏十分困惑。那怎么能拍到宣传照里去？此后有个时期她想是游泳衣下系着月经带。多年后她才悟出大概是毛发浓重，阴毛又硬，没抹平。

她跟恩娟芷琪的关系很微妙。恩娟现在总是跟芷琪在一起，她就像是浑然不觉。芷琪有时候倒又来找她，一块吃花生米，告诉她一些心腹话。也许是跟恩娟闹别扭，也许不为什么，就是要故起波澜，有挑拨性。赵珏对她总是欢迎，也是要气气恩娟。恩娟也总是像没注意到。

练琴的钟点内，芷琪有时候偷懒，到赵珏的练琴间来找她，小室中两人躲在钢琴背后，坐在地下。这年暑假芷琪的寡母带他们兄妹到庐山去避暑，在山上遇见了两个人，她用英文叫他们"蓝""黄"。

"蓝在游泳池做救生员，高个子，非常漂亮。黄个子小。"忙又道："黄也好。蓝先下山。那天我刚到游泳池，在里面换衣服，听见他跟我哥哥说再会，已经走了，又说：'望望你妹哦！'"

故事虽然简单，赵珏也感到这永别的回肠荡气。

教芷琪钢琴的李小姐很活泼，已经结了婚，是广东人，胸部发育得足，不过太成熟了，又不戴乳罩，有车袋奶的趋势。

"给男人拉长了的。"芷琪说。

芷琪又道："我表姐结婚了。表姐夫非常漂亮，高个子，长腰腰的脸，小眼睛笑起来眯着，真迷人。我表姐也美，个子也高。我表姐：'你不知道男人在那时候多么可怕，力气大得像武疯子一样，两只臂膊抱得你死紧，像铁打的，眼睛都红了，就像不认识人。那东西不知有多么大，吓死人了！'"

赵珏知道她不会告诉恩娟这话。恩娟因为赵珏看过性史，有一次问她性交到底是怎么回事，她不知怎么再也说不出口，画了个简图，像易经八卦一样玄，恩娟看不懂，也只好算了。

自从丢了东三省，学校里组织了一个学生救国会，常请名人来演讲。校中有个篮球健将也会演讲，比外间请来的还更好，是旗人，名叫赫素容，比赵珏高两班，一口京片子字正腔圆，不在话下，难得的是态度自然，不打手势而悲愤有力，靠边站在大礼堂舞台上，没有桌子，也没有演讲稿，斜斜的站着，半低着头，脖子往前探着点，只有一只手臂稍微往后掣着点流露出一丝紧张，几乎是一种阴沉威吓的姿势。圆嘟嘟的苍白的腮颊，圆圆的吊梢眼，短发齐耳，在额上斜掠过，有点男孩子气，身材相当高，咖啡色绒线衫敞着襟，露出沉甸甸坠着的乳房的线条。

赵珏在纸的边缘上写起："赫素容赫素容赫素容赫素容赫素容"，写满一张纸，像外国老师动不动罚写一百遍。左手盖着写，又怕有人看见，又恨不得被人看见。

食堂坐三百多人，正中一张小板桌上一只木桶装着"饭是粥"，锅巴煮的稀粥。饭后去舀半碗粥，都成了冒险的旅程，但是从来没碰见她。出来进去挤得水泄不通，倒有时候在人丛中看见她。不论见到没有，一挤到廊下，看见穸门外殷红的天——晚饭吃得早——穸门正对着校园那头的小礼拜堂，钟塔的剪影映在天上，赵珏立刻快乐非凡，心涨大得快炸裂了，还在一阵阵的膨胀，挤得胸中透不过气来，又像心头有只小银匙在搅一盏煮化了的莲子茶，又甜又浓。出了穸门，头上的天色淡蓝，已经有几颗金星一闪一闪。夹道的矮树上，大朵白花开得正香，椭圆形的花瓣，也许就是白玉兰，但是她有次听人说是曼陀罗花——仿佛只有佛经里有？

学校里流行"拖朋友"，发现谁对谁"痴得不得了"，就用抢亲的方式把两人拖到一起，强迫她们挽臂同行。晚饭后或是周末，常听见一声呐喊，啸聚四五个人，分头飞跑追捕猎物。捉到了，有时候在宿舍走廊上转两个圈子就可以交卷了。如果在校园里，就在那黄昏的曼陀罗花径上散步。赵珏总是半边身子酥麻麻木，虚飘飘的毫无感觉。"拖"过几次，从来不记得说过什么话。她当然几乎不开口。赫素容自有一个形影不离的同班生郑淑菁，纤瘦安静沉默，有雀斑，往往正在挽臂同行，给硬拆散了。

有一天她看见那件咖啡色绒线衫高挂在宿舍走廊上晒太阳，

认得那针织的累累的小葡萄花样。四顾无人，她轻轻的拉着一只袖口，贴在面颊上，依恋了一会。

有目的的爱都不是真爱，她想。那些到了恋爱结婚的年龄，为自己着想，或是为了家庭社会传宗接代，那不是爱情。

还有一次她刚巧瞥见赫素容上厕所。她们学校省在浴室上，就地取材，用深绿色大荷花缸做浴缸，上面装水龙头，近缸口腻着一圈白色污垢，她永远看了恶心，再也无法习惯。都是枣红漆板壁隔出的小间，厕所两长排，她认了认是哪扇门，自去外间盥洗室洗手，等赫素容在她背后走了出去，再到厕所去找刚才那一间。

平时总需要先检查一下，抽水马桶座板是否潮湿，这次就坐下，微温的旧木果然干燥。被发觉的恐惧使她紧张过度，竟一片空白，丝毫不觉得这间接的肌肤之亲的温馨。

空气中是否有轻微的臭味？如果有，也不过表示她的女神是人身。

她有点怩怩的对父母说，有个同学要毕业了，想送点礼物。她父母也都知道她们学校里拖朋友的风俗，都微笑，但是也不想多花钱，就把一对不得人心的银花瓶，一直搁在她房里炉台上的，还是他们从前结婚的时候人家送的礼，拿去改刻了几行字，给她拿去送人。她觉得这份礼虽然很值钱，有点傻头傻脑的，但是实在不好意思再说什么。果然校中传为笑柄——毕业礼送一对银花瓶，倒不送银盾？正是江北土财主的手笔。

赫素容倒很重视。暑假里赵珏万想不到她会打电话来，说要来看她。

赵珏草草的梳了梳短发，换了件衣服，不过整洁些，也没什么可准备的。延挨了一会，下楼在客室里等着，站在窗前望着。

房子不临街，也看不见什么。忽见竹篱笆缝里一个白影子一闪，马上知道是她来了。其实也从来没看见她穿白衣服。

赵珏到大门口去等着。园子相当大，包抄过来又还有一段时间，等得心慌。

沥青汽车路冬青矮墙夹道，一辆人力车转了弯，拖到高大的灰色砖砌门廊下，墙上盖满了碧绿的爬山虎。赫素容在车上向她点头微笑，果然穿着件白旗袍。

进去落座后，赫素容带笑轻声咕哝了一声："怎么这么大？"

虽然是老洋房旧家具，还是拼花地板。女佣泡了茶来之后，便静悄悄的一点人声都没有。

赫素容告诉她说要到北平去进大学，叫她写信给她。

也只略坐了一会就走了。

暑假还没完，倒已经从北京来了信。赵珏认识信封上的笔迹——天蓝色的字很大，带草——又惊又喜，忙拆开来。虽然字大，而信笺既窄又较小——一清如水的素笺，连布纹都没有，但是细白精致，相当厚——竟有三张之多：

"珏，(!! 赵珏从来没想到单名的好处是光叫名字的时候特别亲热)

我到北平已经快三星期了。此间的气氛与洁校大不相同，生气蓬勃，希望你毕业后也能来。课外活动很多，篝火晚会的情调非常好，你一定会喜欢的。……"

赵珏狂喜的看下去。她甚至于都从来没想到郑淑菁是不是也去了。

一面看，她不知怎么却想起来，恍惚听见说赫素容左倾，上次亲共女作家爱格妮丝·史迈德莱到学校来演讲她陕北之行的事，就是赫素容去请来的。赵珏对政治不感兴趣，就连说赫素容的话都没听进去，但是这时候忽然有个感觉，吸引她的篝火晚会不是浪漫气氛的，火光熊熊中是左派的讨论与宣传。

她对传教一向养成了抵抗力。在学校里每天早晨做礼拜，晚饭后又有晚礼拜，不过是学生布道，不一定要去，自有人来拉夫。她也去过两次，去一趟，代补习半小时的数理化。

恩娟就从来没对她传过教。

这封信她连看了几遍，渐渐有点明白了。左派学生招兵买马，赫素容一定是看她家里有钱，借着救国的名义，好让她捐钱，所以预备把她吸收进去。

她觉得拿她当傻子，连信都没回，也没告诉人，对恩娟都没提起。

她毕了业没升学。她父母有远见，知道越是怕女儿嫁不掉，越是要趁早。二八佳人谁不喜欢？即使不佳，"十八无丑女"。因此早看准了对象，一毕业就进行。对方也是为了钱。

她不愿意。家里闹得很厉害，把她禁闭了起来。她气病了，恩娟仪贞来看她，倒破格放她们进来，大概因为恩娟以前常来，她母亲见了总是赞不绝口，又稳重大方又能干，待人又亲热又得体。

赵珏在枕上流下泪来。

恩娟劝慰道："你不要着急。这下子倒好了。"

赵珏不禁苦笑。恩娟熟读维多利亚时代的小说，以为她一病倒，父母就会回心转意了。

她们都进了圣芳济大学，不过因为沪战停课了。

那次探病之后没多久，赵珏逃婚，十分狼狈，在几个亲戚家里躲来躲去，也不敢多住，怕叫人家为难。恩娟约她到附近一个墓园去散步，她冬衣没带出来，穿着她小舅舅的西装裤，旧黑大衣，都太长，拖天扫地，又把订婚的时候烫的头发剪短了，表示决心，理发后又再自己动手剪去余鬈，短得近男式，不过脑后成锯齿形。

一个瘦长的白俄老头子突然出现了，用英文向她喝道："出去出去！"想必是看守墓园的。

她又惊又气，也用英文咕哝道："干什么？"

她们不理他，转了个圈子，他又在小径尽头拦着路，翘着花白的黄菱角胡子，瞪着眼向赵珏吆喝："出去出去！"

她奇窘，只好嘟囔着："这人怎么回事？"

恩娟只是笑。她们又转了个弯，不理他。

赵珏再也想不到是因为她不三不四，不男不女的，使他疑心是磨镜党。

恩娟讲起她在大场看护伤兵。"有一个才十八岁，炸掉三只手指——疼哦！腿上也有好大的伤口，不过不像'十指通心'，那才真是疼。他真好，一声不响，从来不说什么。给他做点事，还一脸过意不去，简直受罪似的。长得也秀气。"

她爱他，赵珏想，心里凛然，有点像宗教的感情。

"芷琪现在就是她哥哥一个朋友，一天到晚在他们家，"恩娟说，但是仿佛有点讳言。

赵珏就也只默然听着。

"这人……一天到晚就是在弹子房里。"

赵珏的母亲终于私下贴钱，让她跟她姨妈住，对她父亲只说是她外婆从内地汇钱给她——年纪大的人，拿他们没办法。

她也考进了芳大，不过比恩娟低了一级，见面的机会少了。

"再念两年书也好，好在男家愿意等她。"她母亲说。也许还抱着万一的希望，大学男女同学，说不定碰见个男孩子。

耶诞前夕，恩娟拖她去听教堂鸣钟。

赵珏笑道："好容易圣诞节不用做礼拜了，还又要去？"

"不是，他们午夜弥撒，我们不用进去。你没听见过那钟，实在好听。"

到了教堂，只见彩色玻璃长窗内灯火辉煌，做弥撒的人渐渐来得多了。她们只在草坪上走走。午夜几处钟楼上钟声齐鸣，音调参差有致，一唱一和，此起彼落，成为壮丽的大合唱。

恩娟早已从流行歌转进到古典音乐，跟上海市立交响乐队第一提琴手学提琴。也是纳粹排犹，从中欧逃出来的，颇有地位的音乐家。

恩娟说她崇拜他，又怕赵珏误会，忙道："其实他那样子很滑稽，非常矮，还有点驼背，红头发，年纪大概也不小了。"

这天午夜听钟，赵珏想起来问她："你还有工夫学提琴？"

"不学了。"她有点僵，显然不预备说下去，但是结果又咕哝了一声，"他误会了。"声音低得几乎听不见，面容窘得像要哭了。

赵珏骇然。出了什么事？他想吻她，还是吻了她，还是就伸手抓她？赵珏想都不能想，只噤住了。

恩娟去重庆前提起"芷琪结婚了。就是她哥哥那朋友。"也没说什么。

赵珏的母亲贴她钱的事，日子久了被她父亲知道了，大闹了一场，断绝了她的接济，还指望逼她就范。她赌气还差一年没毕业，就在北京上海之间跑起单帮来。

这两年她在大学里，本来也渐渐的会打扮了。战后恩娟回上海，到她这里来那天，她穿着最高的高跟鞋，二蓝软绸圆裙——整幅料子剪成大圆形，裙腰开在圆心上，圆周就是下摆，既伏贴又回旋有致。白绸衬衫是芭蕾舞袖，衬托出稚弱的身材。当时女人穿洋服的不多，看着有点像日本人。眼镜不戴了，眼睑上抹着蓝粉，又在蓝晕中央点一团紫雾，看上去眼窝凹些，二色眼影也比较自然。脑后乱挽乌云，堆得很高，又有一大股子流泻下来，悬空浮游着，离颈项有三寸远。

恩娟笑道："你这头发倒好，凉快。"

她一看见恩娟便嚷道："你瘦了！瘦了真好看。"

"给孩子拖瘦的。晚上要起来多少次给他调奶粉，哭了又要抱着在房间里转圈子，没办法，住得挤，不能把人都吵醒了。白天又忙，一早出去做事，老是睡不够。"

恩娟终于曲线玲珑了，脸面虽然黄瘦了些，连带的也秀气起来。脂粉不施，一件小花布旗袍，头发仍旧没烫，像从前一样中分，掖在耳后，不知道是内地都是这样俭朴，还是汴·李外喜欢她这样，认为较近古典式的东方女人。

她把孩子带了来，胖大的黑发男孩。

"我老是忘了，刚才路上又跟黄包车夫说四川话。"她笑着说。

她对赵珏与前判若两人的事不置一词，赵珏知道她一定是听见仪贞说赵珏跑单帮认识了一个高丽浪人，战后还一度谣传她要下海做舞女了。

赵珏笑道："好容易又有电影看了。错过了多少好片子，你们在内地都看到了？"

"我们附近有个小电影院，吃了晚饭就去，也不管它是什么片子。"

赵珏诧笑道："我不能想象，不知道什么片子就去看。"总是多少天前就预告，热烈的期待，直到开演前，音乐的洪流涨潮了，紫红绒幕上两枝横斜的二丈高嫩蓝石青二色镶银国画兰花，徐徐一剖两半往两边拉开，那兴奋得啊！

"忙了一天累死了，就想坐下来看看电影，哪像从前？"

"内地什么样子？"

"都是些破破烂烂的小房子。"

"你跟汴话多不多？"她没问他们感情好不好。

"哪有工夫说话。他就喜欢看侦探小说，连刷牙都在看。"不屑的口气。

赵珏笑了。

"当然性的方面是满足的。我还记得你那时候无论如何不肯说。"

又道："忙。就是忙。有时候也是朋友有事找我们。汴什么都肯帮忙。都说'李外夫妇的慷慨……'"末句引的英文，显然是他们的美国朋友说的。

至少作为合伙营业，他们是最理想的一对。

赵珏还是跟她的寡妇姨妈住。她去接了个电话回来，恩娟听她在电话上说话，笑道："你上海话也会说了。"

"在北京遇见上海人，跟我说上海话，不好意思说不会说，只好说了。大概本来也就会说，不好意思忽然说起上海话来。"

提起北上跑单帮，恩娟便道："你也不容易，一个人，要顾自己的生活。"

一句不咸不淡的夸赞，分明对她十分不满。她微笑着没说什么。

孩子爬到沙发边缘上，恩娟去把他抱过去靠着一堆垫子坐着。

赵珏笑道："崔相逸的事，我完全是中世纪的浪漫主义。他有好些事我也都不想知道。"

恩娟也像是不经意的问了声："他结过婚没有？"

"在高丽结过婚。"顿了顿又笑道，"我觉得感情不应当有目的，也不一定要有结果。"

恩娟笑道："你倒很有研究。"

说着，她姨妈进来了，双方都如释重负。

谈了一会，恩娟"还有点事，要到别处去一趟。"先把孩子丢在这里。

赵珏把他安置在床上，床上罩着床套。他爬来爬去，不一会就爬到床沿上。她去把他挪到里床，一会又爬到床沿上。她又把他搬回去。至少有十廿磅重，搬来搬去，她实在搬不动了，瘫倒了握着他一只脚踝不放手。他爬不动，哭了起来。她姨妈在睡午觉，她怕吵醒了她，想起鸟笼上罩块黑布，鸟就安静下来不叫了，便摊开一张报纸，罩在他背上。他越发大哭起来，但是至少不爬了。

她连忙关上门，倚在门上望着他，自己觉得像白雪公主的后母。

等恩娟回来了，她告诉她把报纸盖着他的事，恩娟没作声，并不觉得可笑。

赵珏忙道："松松的盖在背上，不是不透气。"

恩娟依旧没有笑容，抱起孩子道："我回去了，一块去好不好？还是从前老地方。汴家里住在虹口一个公寓里，还是我们那里地方大一点。"

当然应当去见见汴。

两人乘三轮车到恩娟娘家去。一楼一底的街堂房子，她弟妹在楼下听流行歌唱片。她父亲一直另外住。

她带赵珏上楼去，汴从小洋台上进来了，房子小，越显得他高大。他一点也不像照片上，大概因为有点鹰钩鼻抄下巴，正面的照片拍不出，此刻又没有露齿而笑。团体照大概容易产生错觉，也许刚巧旁边都是大个子，就像他也是中等身量。还是黑框眼镜，深棕色的头发微鬈，前面已经有点秃了——许多西方人都是"少秃头"——但是整个的予人一种沉鸷有份量的感觉，决看不出他刷牙也看侦探小说。

　　握过了手，汴猝然问道："什么叫 intellectual passion？"

　　赵珏笑着，一时答不出话来。那还是他们刚结婚的时候，她信上说的。她不过因为他额角高，戴眼镜，在她看来恩娟又不美或是性感，当然他们的爱情也是"理智的激情"，因此杜撰了这英文名词，至今也还没想到这名词带点侮辱性。

　　恩娟显然怕她下不来台，忙轻声带笑"嗳"了一声喝阻，又向他丢了个眼色。

　　他这样咄咄逼人，赵珏只觉得是醋意，想必恩娟常提起她。

　　他们就快出国了，当然有许多事要料理。她只略坐了坐，也还是他们轻声说点自己的事。

　　回到家里，跟她姨妈讲起来，她姨妈从前在她家里见到恩娟，也跟她母亲一样没口子称赞，现在却摇头笑道："这股子少年得意的劲受不了！"

　　赵珏笑了，觉得十分意外。她还以为是她自己妒忌。

　　她们没再见面，也没通信。直到共产党来了以后，赵珏离开大陆前才去找恩娟的父亲，要她的地址。

　　还是那家义肢店，橱窗也还是那几件陈列品。她父亲也不见老，不过更胖些秃些，像个花和尚"胖大贼秃"，横眉竖眼的，提起恩

330

娟却眉花眼笑道:"恩娟现在真好了!弟弟妹妹都接出去了,也都结婚了。汴家里人去得更早。"给她的地址是西北部一个大学,不知是不是教书。

赵珏出了大陆写信去,打听去美国的事。恩娟回信非常尽职而有距离,赵珏后来到了美国就没去找她。汴是在那大学读博士,所以当时只有恩娟一个人做事。

这次通讯后,过了十廿年赵珏才又写信给恩娟。原因之一,是刚巧住在这文化首都,又是专供讲师院士住的一座大楼,多少称得上清贵。萱望回大陆了,此地租约期满后她得要搬家。要托恩娟找事,不如趁现在有这体面的住址。——萱望大概也觉得从此地"回归"比较有面子。她不肯跟他一块回去,他当然也不能一个钱都不留给她。不过他在台湾还有一大家子人靠他养活,一点积蓄都做了安家费。她目前生活虽然不成问题,不要等到山穷水尽,更没脸去找人家。她跟萱望分居那时候在华府,手里一个钱都没有,没有学位又无法找事,那时候也知道恩娟也在华府,始终也没去找她。

她信上只说想找个小事,托恩娟替她留心,不忙。没说见面的话。现在境遇悬殊,见不见面不在她。

恩娟的回信只有这一句有点刺目:"不见面总不行的。"显然以为她怕见她,妒富愧贫。

她又去信说:"我可以乘飞机到华府来,谈一两个钟头就回去。再不然你如果路过,弯到这里来也是一样。在这里过夜也方便,有两间房,床也现成。"

这几年跟着萱望东跑西跑,坐飞机倒是家常便饭了。他找事,往往乘系主任到外地开会,在芝加哥换机,就在俄海机场约谈,两便。

隔了些时，恩娟来信说月底路过，来看她，不过要带着小女儿。《时代》周刊上那篇特写提起过他们有四个孩子，一男三女。

赵珏当然表示欢迎，心里不免想着，是否要有个第三者在场，怕她万一哭诉？

临时又打长途电话约定时间。

那天中午，公寓门上极轻的剥啄两声。她一开门，眼前一亮，恩娟穿着件艳绿的连衫裙，翩然走进来，笑着搂了她一下。名牌服装就是这样，通体熨贴，毫不使人觉得这颜色四五十岁的人穿着是否太娇了。看看也至多三十几岁，不过像美国多数的阔人，晒成深浓的日光色，面颊像姜黄的皮制品。头发极简单的朝里卷。

赵珏还没开口，恩娟见她脸上惊艳的神气，先自笑了。

赵珏笑道："你跟从前重庆回来的时候完全一样。"显然没有再胖过。

向她身后张了张。"小女儿呢？在车上？"末了声音一低。也许不应当问。临时决定不下车？

她也只咕噜了一声，赵珏没听清楚，就没再问，也猜着车子一定开走了。本地没有机场；以她的地位，长程决不会自己开车，而司机在此间是奢侈品，不是熟人不便提的。她来，决不会让汽车停在大门口，司机坐在车上等着，像摆阔。

"喝咖啡？"倒了两杯来。"汏好？"也只能带笑轻声一提，不是真问，她也不会真回答。

她四面看看，见是一间相当大的起坐间兼卧室，凸出的窗户有古风；因笑道："你不是说有两间房？"

"本来有两间，最近这层楼上空出这一间房的公寓，我就搬了过来。"

恩娟不确定的"哦"了一声，那笑容依旧将信将疑。

赵珏感到困惑。倒像是骗她来过夜——为什么？还是骗她有两间房，有多余的床，结果只好一床睡觉，彻夜长谈？不过是这样？一时闹不清楚，只觉得十分暧昧，又急又气，竟没想到指出信上说过公寓门牌号码现在是五〇七，不是五〇二了。

还是恩娟换了话题，喝着咖啡笑道："现在男人头发长了，你觉得怎么样？"

赵珏笑道："不赞成。"

这样守旧，恩娟有点不好意思的咕哝了一声："难道还是要后头完全推平了？"也没再说什么。

赵珏也不便解释她认为男人脑后发脚下那块地方可爱，正如日本人认为女人脖子背后性感，务必搽得雪白粉嫩露在和服领口外。男人即使头发不太长，短发也盖过发脚，尤其是中国人直头发，整个是中年妇人留的"鸭屁股"。

她跟恩娟说国语。自从到北京跑单帮，国语也道地了。其实上次见面已经这样，但是恩娟忽然抱怨道：

"怎么你口音完全变了？好像完全是另外一个人。"末句声音一低，半自言自语，像个不耐烦得快要哭出来的小孩。

赵珏心里很感动，但是仍旧笑道："我从前的话不会说了，从家里跑出来就没机会说了，连我姨妈的口音都两样。"

恩娟想了想，似乎也觉得还近情理。

"要不然我们就说上海话。"

恩娟摇摇头。

赵珏笑道："我每次看见茱娣霍丽黛都想起你。"

恩娟在想这已故的喜剧演员的状貌——胖胖的，黄头发，歌喉也不怎么——显然不大高兴。

赵珏还是记得她从前胖的时候，因又解释道："我是想你'玉臂作怪'那些。"

恩娟只说了声"哦噢哟！"上海话，等于"还提那些陈壳子烂芝麻！"

"此地不用开车，可以走了去的饭馆子只有一家好的，"赵珏说，"也都是冷盆。挤得不得了，要排班等着。"让现在的恩娟排长龙！"所以我昨天晚上到那儿去买了些回来，也许你愿意马马虎虎就在家里吃饭。"

她当然表同意。

公寓有现成的家具，一张八角橡木桌倒是个古董，沉重的石瓶形独脚柱，擦得黄澄澄的，只是桌面有裂痕。赵珏不喜欢用桌布，放倒一只大圆镜子做桌面，大小正合式。正中铺一窄条印花细麻布，芥末黄地子上印了只橙红的鱼。萱望的烟灰盘子多，有一只是个简单的玻璃碟子，装了水搁在镜子上，水面浮着朵黄玫瑰。上午摆桌子的时候不禁想起镜花水月。

他们没有孩子，他当然失望。她心深处总觉得他走也是为了摆脱她。

她从冰箱里搬出装拼盆的长磁盘，搁在那条红鱼图案上。洋山芋沙拉也是那家买的，还是原来的纸盒，没装碗。免得恩娟对她的手艺没信心。又倒了两杯葡萄牙雪瑞酒，比上不足比下有余。

没有桌布，恩娟看了一眼，见镜面纤尘不染，方拿起刀叉。

一面吃，恩娟笑道："怎么回大陆了？"

赵珏笑道："萱望没过过共产党来了之后的日子，刚来他已经出国了。他家在台湾，也只回去过两次。我也难得跟他讲大陆的事，他从来不谈这些。"

又道："现在美国左派时髦，学生老是问他中共的事，他为自己打算，至少要中立客观的口气。也许是'行为论'的心理，装什么就是什么，总有一天相信了自己的话。"

她没说他有自卑感。他教中文，比教中国文学的低一级。教中文，又是一口江西国语。中共有原子弹，有自卑感的人最得意。

恩娟笑道："你倒还好，撑得住，没神经崩溃。"

赵珏笑道："也是因为前两年已经分居过。那时候他私生活很糟。也是现在学生的风气，不然也没有那么些机会。"

她不便多说。恩娟总有个把女儿正是进大学的年龄。

那时候在东北部一个小大学城。刚到，他第一要紧把汽车开去修理。她刚打开行李理东西，发现缺两件必需品，看手表才五点半，药房还没关门。只好步行，其实公寓离大街并不远，不过陌生的路总觉得远些。

买了东西回来，一过了大街满目荒凉，狭窄的公路两旁都是田野，天黑了也没有路灯，又没个路牌广告牌作标志，竟迷了路。车辆又稀少，半天才驰过一辆拖鞋式没后跟的卡车，也没拦截得住。

正心慌意乱，迎面来了一大群男女学生，有了救星，忙上前问路。向来美国人自己说逢到问路，他们的毛病在瞎指导，决不肯说不知道。何况大学城里，陌生人不是学生就是教职员或是家属，都不是外人。这些青年却都不作声，昏暗中也看得出脸色有保留，仿佛带三分尴尬，两分不愿招惹的神气。赵珏十分诧异，只得放慢了脚步跟着走，再去问后面的人，专拣女孩子问，也都待理不理，意意思思的。

这两年因为越战与反战，年轻人无论什么态度也都不足为奇了。她又是个东方人，也许越共之外的东方人他们都恨。她心里这样想着，也没办法，只好姑且跟着走，脚下紧一阵慢一阵，希望碰上个话多的，或者走到有人烟的地方。他们多数空着手，也有的背着邮袋式书包，里面露出热水瓶之类。奇怪的是他们自己也不交谈——还是因为她在这里？多年前收到赫素容的信，一度憧憬篝火晚会，倒在天涯海角碰上了，可真不是滋味。

前面有个树林子，黑暗中依稀只见一棵棵很高的灰白色树干。邻近加拿大，北国的新秋，天一黑就有点寒烟漠漠起来。她觉得不对，越走越远了。把心一横，终于返身往回走，不一会，已经离开了那沉默的队伍。

一个人瞎摸着，半晌，大街才又在望。

这次总算找到了回家的路。

次日坎波教授来访，萱望来这里是他经手的，房子也是他代找的。

"昨天我从药房走回来，迷了路，天又黑了，"赵珏笑着告诉他。"幸而遇见一大群学生，问路他们也不知道，我只好跟着走，快走到树林子那儿才觉得不像，又往回走。"

坎波教授陡然变色。

赵珏也就明白了，他们是去集体野合的。当然不见得是无遮大会，大概还是一对一对，在黑暗中各据一棵树下。也许她本来也就有点疑心，不过不肯相信。

"我应当去买只电筒。"她笑着说。

坎波教授笑道："这是个好主意。"

萱望咕哝了一声："有——干电池用光了。"

坎波随即谈起现在学生的性的革命。显然他刚才不是怕她撞破这件事，惊慌的是她险些被卷入，给强奸了闹出事故来。

"我们那时候也还不是这样。"他笑着说。他不过三十几岁，这话是说他比他们俩小，他的大学时代比较晚。其实萱望先在国内做了几年事，三十来岁才来美国找补了几年苦学生的生活。

坎波又道："现在这些女孩长得美的，受到的压力一定非常大。"

他只顾怜香惜玉，只知其一，不知其二。萱望瘦小漂亮，本就看不出四十多了，美国人又总是说看不出东方人的岁数。他英文发音不好，所以缄默异常。这样纤巧神秘的东方人，在小城里更有艳异之感。

女生有关于中共的问题，想学吹箫、功夫以及柔道空手道，都来找他。夫妇俩先当笑话讲。迄今他们过的都是隔离的生活，过两年从一个小大学城搬到另一个小大学城，与师生与本地人都极少接触，在赵珏看来是延长的蜜月。忽然成了红人，起初连她都很得意。选修中文，往往由于对中共抱着幻想，因此都知道《东方红》这支歌。有个高材生替老师取了个绰号叫东方红。

赵珏在汽车门上的口袋里发现一条尼龙比基尼衬裤，透明的，绣着小蓝花——毋忘我花，偏偏忘了穿上。

以后她坐上车就恶心。

"人家不当桩事，我也不当桩事，你又何必认真？"他说。言外之意是随乡入乡，有便宜可捡，不捡白不捡了。

后来就是那沁娣。

人是天生多妻主义的，人也是天生一夫一妻的。

即使她受得了，也什么都变了，与前不同了。

赵珏笑道："他回大陆大概也是赎罪。因为那阵子生活太糜烂了，想回去吃苦'建国'。"过饱之后感到幻灭是真的，连带的看不起美国，她想。

她又从冰箱里取出一盅蛋奶冻子，用碟子端了来道："我不知道你小女儿是不是什么都吃，这我想总能吃。也是那家买的。"

恩娟很尽责的替女儿吃了。她显然用不着节食减肥。

她看了看表道："我坐地道火车走。"

"我送你到车站。"

"住在两个地方就是这样，见面难。"

"也没什么，我可以乘飞机来两个钟头就走，你带我看看你们房子，一定非常好。"

恩娟淡淡的笑道："你想是吗？"这句话似乎是英文翻译过来的，用在这里不大得当，简直费解。反正不是说"你想我们的房子一定好？"而较近"你想你会特为乘飞机来这么一会？"来了就不会走了。

这是第二次不相信她的话。她已经不再惊异了。当然是司徒华"下了话"——当时她就想到华府中国人的圈子小，司徒华一定会到处去讲她多么落魄。人穷就随便说句话都要找铺保。这还是她从小的知己朋友。

她离开萱望之后到华府去，因为听见说国务院的传译员只有中日俄法德意西班牙葡萄牙阿拉伯九种语言，此外的小国都是雇散工，可能条件宽些，上了他们的名单就好了。她从前跟崔相逸学的高丽话很流利，文字也看得懂。找到国务院语文服务科，由中文传译员司徒华接见。后来她听说有人说科长是做情报工作的，此地不过挂个名。司徒华老资格了，差不多的公事都由他代拆代行。

她在华盛顿混了些时，等候下一届传译员考试。去临时秘书介绍所领了些文件来打，司徒华又介绍一个翻译中心，试验及格后常有几页中文韩文发下来，不过报酬既少，又严禁本人送译稿去，对这些难民避之若浼，她觉得有点侮辱性。

这次考传译员她考得成绩不错，登记备用。刚巧此后不久就有个宴会，招待韩国官员。女传译员要像女宾一样穿夜礼服，是个难题。东方妇女矮小的在美国本就买不到衣服，连美国女人里面算矮小的都只能穿得老实点，新妍的时装都没有她们的尺寸。赵珏只好拣男童衣袴中最不花稍的。晚宴不能穿长袴，她又向不穿旗袍。定做夜礼服不但来不及，也做不起。

她去买了几尺碧纱，对折了一折，胡乱缝上一道直线——她补袜子都是利用指甲油——人钻进这圆筒，左肩上打了个结，袒露右肩。长袍从一只肩膀上斜挂下来，自然而然通身都是希腊风的衣褶。左边开叉，不然迈不开步。

又买了点大红尼龙小纺做衬裙，仿照马来纱笼，袒肩扎在胸背上。乳房不够大，怕滑下来，绑得紧些就是了。朱碧掩映，成为赭色，又似有若无一层金色的雾，与她有点憔悴的脸与依然稚弱的身材也配称。

鞋倒容易买，廉价部的鞋都是特大特小的。买的高跟鞋虽然不太时式，颜色也不大对，好在长裙曳地，也看不清楚，下摆根本没缝过。

这身装束在那相当隆重的场合不但看着顺眼，还很引人注目。以后再有这种事，再买几尺青纱或是黑纱，尽可能翻行头。衬裙现成。

每次派到工作，一百元一次，虽然不会常有，加上打字、译点零件，该可以勉强够过了。这次宴会司徒华也在座，此后不久打电话来，约她出来一趟，有件事告诉她。

他开车来接她。"到什么地方去坐坐，吃点东西。"

"不用了，吃晚饭还早，不饿。"

他很像丑小鸭时代的她，不过胖些，有肚子——比蟑螂短些的甲虫。

"你这件大衣非常好看。"他夹着英文说。

她也随口说了声英文"谢谢你"，拿它当外国人例有的赞美。但是出自他的口中，她就疑心他看见过这件大衣，知道是旧衣服，自己改的。宽膊的霜毛炭灰灯笼袖大衣，她把钮子挪了挪，成为斜襟，腰身就小得多。

车开到中心区，近国会山庄，停下来等绿灯。

"找个咖啡馆坐坐，好说话。"

"不用了，就停在这儿不好吗？不是一样说话？"

安全岛旁边停满了汽车，不过都是空车。他踌躇了一下，也就开过去，挤进它们的行列。

在闹市泊车，总没什么瓜田李下的嫌疑。

华府特有的发紫的嫩蓝天，傍晚也还是一样莹洁。远景也是华府特有的，后期古典式白色建筑上，浅翠绿的铜锈圆顶。车如流水，正是最挤的时辰。黑铁电灯杆上端低垂的弧线十分柔和，高枝上点着并蒂街灯。

他告诉她科长可能外调。如果他补了缺，可以荐她当中文传译员。

"不过不知道你可预备在华盛顿待下去？有没有计划？纽汉浦夏有信来？"

萱望在纽汉浦夏州教书。

她笑了笑。"信是有。我反正只要现在这事还在，我总在华盛顿。能当上正式的职员当然更好。"

她靠后坐着，并不冷，两只手深深的插在大衣袋里。

他是结了婚的人，她觉得他也不一定是看上了她，不过是掂她的斤两。

她不禁心中冷笑，但是随即极力排除反感，免得给他觉得了，不犯着结怨，只带点微笑看街景，一念不生。

在狭小的空间内的沉默中，比较容易知道对方有没有意思。汽车又低矮，他这辆车又小。

坐了一会，他就说："好，那以后有确定的消息我再通知你。"就送她回去了。

恩娟在说："我倒想带小女儿到法国去住，在巴黎她可以学芭蕾舞。我也想学法文。"

这神气倒像是要分居。

当然现在的政界，离婚已经不是政治自杀了。合伙做生意无论怎样成功，也可能有拆伙的一天。

赵珏没说"你怎么走得开？"免得像刺探他们的私事。"法国是好，一样一个东西，就是永远比别处好一点。"

"不过他们现在一般人生活苦。"

"无论怎么苦，我想他们总有办法过得好一点。"她吃过法国菜的酒焖兔肉，像红烧鸡。兔子繁殖得最快。

恩娟要走了，她穿上外套陪她出去，笑道："你认识司徒华？他知道我认识你？"

恩娟只含糊漫应着。

赵珏笑道："你不知道，真可笑，有一次国务院招待中国韩国的代表团，做一次请。韩国的演说是我翻译。轮到中国人演讲，这位代表一口江西官话，不大好懂，英文倒听得懂，一听司徒华给他翻得太简略，有些又错了，一着急把江西话也急出来了。司徒华只好不开口，僵在那里。刚巧我听萱望跟他的同乡说话，江西话有点懂，演说又比较文，总是那几句辙儿，所以听懂了，就挤过去替他翻译。他心定了些，就又讲起国语来。司徒华已经坐下了，我就替他翻译下去，到讲完为止。那天我们那科长也去了，后来叫我去见他。司徒华在隔壁，一直站在玻璃橱子旁边理书桌上的东西。也许谈了有二十分钟，他一直就没坐下。我当然说话留神，可是后来没多少时候，科长调走了，还是好久没派我差使。阴历年三十晚上司徒华打电话来，说他们有个韩国人翻译韩国话了，触我的霉头。"

恩娟听了啧啧有声，皱眉咕哝道："怎么这样的？"

那回大年三十晚上，赵珏在电话上笑道："当然应当的——只要看那些会说中国话的外国人，会错在再也想不到的地方。"

他听了仿佛很意外。至少这一点她可以自慰。

她这里离校园与市中心广场都近在咫尺。在马路上走着，恩娟忽道："那汪嬙在纽约，还是很阔。"说着一笑。

汪嬙是上海日据时代的名交际花。这话的弦外之音是人家至少落下一大笔钱。

赵珏不大爱惜名声，甚至于因为丑小鸭时期过长，恨不得有点艳史给人家去讲。但是出自恩娟口中，这话仍旧十分刺耳。把她当什么人了？

实在想不出话来说，她只似笑非笑的没接口。

"姨妈没出来？"恩娟跟着她叫姨妈。

"没有。你父亲有信没有？"

恩娟黯然道："我父亲给红卫兵打死了。他都八十多岁了。"

这种事无法劝慰，赵珏只得说："至少他晚年非常得意，说恩娟现在好得不得了，讲起来那高兴的神气——"

但是这当然也就是他的死因——有几个儿女在美国，女儿又这样轰轰烈烈、飞黄腾达。死得这样惨，赵珏觉得抵补不了，说到末了声音微弱起来，缩住了口。

恩娟锐利的看了她一眼，以为她心虚。虽然这话她一出大陆写信来的时候就已经说过，还是以为是她编造出来的，借花献佛拍马屁。也许因为他们父女一向感情不好，不相信他真是把女儿的成就引以为荣。

这是第三次不信她的话。不知道为什么这次特别刺心。

在地道火车入口处拾级而下，到月台上站着，她开始担忧临别还要不要拥抱如仪。

"仪贞夫妇俩都教书。现在不知道怎么样了。我走也没跟她说。"倒联想到一个安全的话题。

恩娟道："芷琪也没出来。"

提起来赵珏才想起来，听仪贞说过，芷琪的男人把她母亲的钱都花光了。

"嫁了她哥哥那朋友，那人不好，"恩娟喃喃的说。她扮了个恨毒的鬼脸。"都是她哥哥。"又沉着嗓子拖长了声音郑重道，"她那么聪明，真可惜了。"说着几乎泪下。

赵珏自己也不懂为什么这么震动。难道她一直不知道恩娟喜欢芷琪？芷琪不是闹同性恋爱的人——就算是同性恋，时至今日，尤其在美国，还有什么好骇异的？何况是她们从前那种天真的单恋。

她没作声。提起了芷琪，她始终默无一言，恩娟大概当她犹有余妒——当然是作为朋友来看。

火车轰隆轰隆轰隆进站了，这才知道她刚才过虑得可笑。恩娟笑着轻松的搂了她一下，笑容略带讽刺或者开玩笑的意味，上车去了。

一个多月后恩娟寄了张圣诞卡来，在空白上写道：

"那次晤谈非常愉快。讲起我带小女儿到法国去，汴倒去了。她在此地也进了芭蕾舞校。祝近好——

恩娟"

"愉快"！

不过是随手写的，受了人家款待之后例有的一句话。但是"愉快"二字就是卡住她喉咙，自己再也说不出口。她寄了张贺年片去，在空白上写道：

"恩娟，

那天回去一切都好？我在新闻周刊上看见汴去巴黎开会的消息，恐怕来不及回来过圣诞节了？此外想必都好。家里都好？

珏"

从此她们断了音讯。她在贺年片上写那两行字的时候就知道的。

不知从什么时候起，她也明白了，她为什么骇异恩娟对芷琪一往情深。战后她在兆丰公园碰见赫素容，一个人推着个婴儿的皮篷车，穿着葱白旗袍——以前最后一次见面也是穿白——戴着无边眼镜，但是还是从前那样，头发也还是很短，不过乳房更大了，也太低，使她想起芷琪说的，当时觉得粗俗不堪的一句话："给男人拉长了的。"

隔得相当远，没打招呼，但是她知道赫素容也看见了她。她完全漠然。固然那时候收到那封信已经非常反感，但是那与淡漠不同。与男子恋爱过了才冲洗得干干净净，一点痕迹都不留。

难道恩娟一辈子都没恋爱过？

是的。她不是不忠于丈夫的人。

赵珏不禁联想到听见甘迺迪总统遇刺的消息那天。午后一时左右在无线电上听到总统中弹，两三点钟才又报道总统已死。她正在水槽上洗盘碗，脑子里听见自己的声音在说：

"甘迺迪死了。我还活着，即使不过在洗碗。"

是最原始的安慰。是一只粗糙的手的抚慰，有点隔靴搔痒，觉都不觉得。但还是到心里去，因为是真话。

但是后来有一次，她在《时代》周刊上看见恩娟在总统的游艇赤杉号上的照片，刚上船，微呵着腰跟镜头外的什么人招呼，依旧是小脸大酒窝，不过面颊瘦长了些，东方色彩的发型，一边一个大辫子盘成放大的丫鬟——当然辫子是假发——那云泥之感还是当头一棒，够她受的。

著作权合同登记号　　图字：01-2018-4229

本书由皇冠文化集团授权，仅限于中国大陆地区发行，不得销售至港、澳及任何海外地区。

图书在版编目（CIP）数据

怨女／张爱玲著．—北京：北京十月文艺出版社，2019.3
（张爱玲全集）
ISBN 978-7-5302-1872-3

Ⅰ.①怨… Ⅱ.①张… Ⅲ.①中篇小说—小说集—中国—现代②短篇小说—小说集—中国—现代　Ⅳ.①I246.7

中国版本图书馆CIP数据核字（2018）第196181号

怨女
YUANNÜ
张爱玲　著

出　　版　北京出版集团公司
　　　　　北京十月文艺出版社
地　　址　北京北三环中路6号
邮　　编　100120
网　　址　www.bph.com.cn
发　　行　新经典发行有限公司
　　　　　电话（010）68423599
经　　销　新华书店
印　　刷　河北鹏润印刷有限公司
版　　次　2019年3月第1版
印　　次　2023年11月第20次印刷
开　　本　850毫米×1168毫米　1/32
印　　张　11
字　　数　220千字
书　　号　ISBN 978-7-5302-1872-3
定　　价　55.00元
质量监督电话 010-58572393
如有印装质量问题，由本社负责调换。